LES ORAGES DE L'ÉTÉ

DU MÊME AUTEUR

Et le ciel sera bleu, L'Archipel, 2016.

L'Île aux mille couleurs, L'Archipel, 2015 ; Archipoche, 2016.

L'Or du bout du monde, L'Archipel, 2014 ; Archipoche, 2015.

Les Pionniers du bout du monde, L'Archipel, 2013 ; Archipoche, 2014.

La Terre du bout du monde, L'Archipel, 2012 ; Archipoche, 2013.

L'Héritière de Jacaranda, L'Archipel, 2011 ; Archipoche, 2012.

Le Chant des secrets, L'Archipel, 2010 ; Archipoche, 2011.

Éclair d'été, L'Archipel, 2009 ; Archipoche, 2010.

La Dernière Valse de Mathilda, L'Archipel, 2005 ; Archipoche, 2007.

TAMARA McKINLEY

LES ORAGES
DE L'ÉTÉ

*traduit de l'anglais
par Danièle Momont*

l'Archipel

Ce roman a été publié sous le titre
Undercurrents
par Piatkus, Londres, 2004.

Notre catalogue est consultable à l'adresse suivante :
www.editionsarchipel.com

Éditions de l'Archipel
34, rue des Bourdonnais
75001 Paris

ISBN 978-2-8098-1881-9

*« Les mensonges les plus cruels se disent
souvent dans le silence. »*
Robert Louis Stevenson (1850-1894)

Prologue

L'*Arcadie* avait quitté Liverpool six semaines plus tôt. Le 10 mars 1894, la tempête accourut presque sans préavis depuis les rivages occidentaux de l'Australie.

Le capitaine avait beau s'échiner à tenir bon la barre en dépit de cet ouragan qui soulevait des vagues titanesques, il commençait à songer que la bataille était sans doute perdue. Il avait déjà vu, impuissant, trois de ses marins passer par-dessus bord en tentant de réparer le panneau d'une écoutille, et voilà que deux mâts venaient de rompre comme se seraient brisées des allumettes. Les ponts ruisselaient. La cargaison, éparpillée aux quatre vents, avait rejoint les grands fonds. Mais les cheminées résistaient, et le moteur continuait à vrombir dans la salle des machines. Le capitaine et son bâtiment avaient essuyé de nombreuses tempêtes, dont ils étaient sortis l'un et l'autre victorieux ; l'homme reprit courage dans un sursaut. Il n'abdiquerait pas. D'autant plus qu'entre ses mains reposait l'existence de mille cinq cents passagers et membres d'équipage. Il était de son devoir de les mener à bon port.

Il scruta les ténèbres à travers la vitre que l'averse fouettait. Cette maudite tempête pouvait les avoir déroutés de plusieurs dizaines de kilomètres, mais l'absence de lune et d'étoiles ne lui permettait pas d'établir leur position. Serrant plus fort le gouvernail entre ses mains, il se mit à prier. Au large des côtes abondaient en effet les récifs de coraux, ainsi que des pitons rocheux. Même la coque en acier de l'*Arcadie* ne résisterait pas à une collision.

Dans l'une des cabines de luxe du pont supérieur, Eva Hamilton se cramponnait à Frederick. La nuit était d'encre. L'obscurité se révélait telle que la jeune femme ne distinguait pas le visage de son compagnon, ni l'alliance qu'elle portait depuis peu à l'annulaire. Néanmoins, à son effroi se mêlait une fièvre, un formidable frisson : ils vivaient là l'apogée d'une grande aventure, à laquelle rien ne les avait préparés.

Le navire plongea avec une atroce violence, puis tout aussitôt releva le nez, précipitant le couple sur le sol.

— Nous sommes fichus ! cria Frederick par-dessus le tonnerre de l'océan – les hurlements du vent semblaient s'échapper du gosier d'une sorcière. Cela fait déjà trois jours que la tempête nous malmène. La coque ne résistera pas.

— Elle a tenu jusqu'ici, répliqua Eva, au moment où les deux jeunes gens se rejoignaient dans l'obscurité. Faisons confiance à notre capitaine.

Pour toute réponse, Frederick serra plus fort la taille de son épouse.

Assise par terre, cette dernière, douloureusement adossée aux boiseries de chêne, avait enfoui son visage contre le torse du garçon. Un ciel tout à coup assombri, en direction de l'est, avait constitué l'unique signe annonciateur du cyclone. Le capitaine avait promis à ses passagers que tout irait bien, que ces choses-là survenaient souvent dans la région, qu'il n'y avait rien à craindre. Pourtant, lorsque le vent avait forci, qu'il s'était mis à hululer, tandis que les vagues grossissaient au point qu'on les voyait saillir sur l'horizon, les voyageurs s'étaient retirés dans leurs cabines, l'exaltation cédant le pas à l'épouvante.

Eva, saisie de nouveau par la peur, s'efforça de se concentrer sur d'agréables pensées : Frederick ayant été promu arpenteur de Sa Majesté, le couple s'apprêtait à entamer une nouvelle vie, dans un pays neuf. La jeune femme se chargerait de leur foyer, en jouissant de tout ce que Melbourne aurait à lui offrir.

Une fois pourvue des meubles qui, pour l'heure, dormaient à fond de cale, leur première demeure ferait un nid charmant – déjà, Eva imaginait les soirées qu'elle y donnerait, les thés auxquels elle convierait les dames de la bonne société locale. Elle avait rangé avec soin son trousseau dans ses malles, auprès des robes pliées dans des tissus qui devaient empêcher l'air salin de les gâter. À l'évidence, son superbe mari et elle ne tarderaient pas à faire sensation auprès des colons, ces derniers ignorant tout de la mode londonienne du fait de leur éloignement.

Un horrible fracas, qui parut faire trembler le navire de la coque au pont, mit un brusque terme à ces songeries. L'*Arcadie* plongea de nouveau, de nouveau releva le nez, mais pour s'élever, s'élever cette fois, eût-on dit, jusqu'à atteindre le ciel, auquel il semblait qu'il fût maintenant suspendu.

Eva se mit à hurler. Le couple glissa le long du mur, pour se cogner dans ce qu'ils identifièrent comme le plafond de leur cabine. Et partout, autour d'eux, la vaisselle se brisait en mille morceaux. Les meubles malmenés volèrent en éclats ; le lustre se désintégra en fragments minuscules – ils venaient de heurter quelque chose de dur. Dans le cœur des jeunes gens ne restait rien de l'enthousiasme initial. Leur aventure se muait en terreur pure.

— Freddy ! cria Eva en s'agrippant aux revers de la veste de son époux. Le bateau va couler !

— Ne me lâche pas ! lui répondit Frederick à l'oreille. Quoi qu'il se passe, cramponne-toi à moi.

La jeune femme n'avait pas besoin qu'on le lui répétât. Elle percevait la chaleur de son mari, sa puissance ; il devenait l'ancre dans laquelle elle plaçait à présent tous ses espoirs. Jamais elle ne le laisserait échapper.

La proue, une fois encore, s'enfonça dans les soulèvements de la mer, avant de s'immobiliser en tressaillant. Une vague d'un bon millier de tonnes se dressa au-dessus du navire, désormais piégé entre les mâchoires du récif.

Le capitaine savait que tout était fini. Ses dernières pensées allèrent aux pauvres âmes de l'entrepont et aux hommes en poste dans la salle des machines… Sur quoi la vague libéra son énergie pour venir s'abattre, pareille à un marteau gigantesque, sur le navire, dont elle brisa l'échine.

Eva poussa un hurlement. Déjà l'eau s'engouffrait à l'intérieur de la cabine. La tempête saisit la jeune femme de ses doigts glacés, tentant de la ravir à Frederick pour l'entraîner vers les ténèbres mugissantes.

— Nous devons sortir d'ici, décréta l'homme en aidant son épouse à se remettre debout. Il faut que nous restions ensemble, brailla-t-il encore, plus fort que le vent. Ne me lâche pas.

Eva serra la main qu'il lui tendait. La malheureuse, dont la robe était trempée, mourait de froid. Elle ne distinguait rien devant elle, ignorait tout de la direction empruntée par Frederick – elle s'en remettait entière au sens de l'orientation de son époux.

Les embardées succédaient aux embardées, et le bateau, qui semblait se tordre, continuait à s'enfoncer au cœur du récif qui broyait sa coque. Le jeune couple, lui, avançait dans les coursives, de l'eau jusqu'aux genoux. Cette nuit féroce s'emplissait de terreur. Tous les passagers ferraillaient pour tenter d'atteindre les canots de sauvetage, griffant le noir de leurs ongles, piétinant leurs voisins immédiats. Leurs cris se mêlaient à ceux du vent ; ils se croyaient en enfer.

Frederick, dont l'épouse agrippait la ceinture, jouait des coudes en plein cœur du chaos. Les longues jupes d'Eva l'entravaient, mais elle n'en avait cure : c'était survivre qu'il fallait. Ce fol instinct en elle la poussait aux miracles.

Des enfants hurlaient, séparés de leur mère au milieu de la cohue. Un passager s'accrocha soudain de toutes ses forces à la jeune femme avant qu'une vague énorme ne l'emporte. Eva, que la peur à présent égarait, tenait son mari sans plus se soucier de ce qu'elle écrasait dans sa fuite.

Ayant rejoint les chaloupes, Frederick plaqua brusquement son épouse contre un étançon de métal pour lui éviter d'être ravie par une vague, encore une, qui s'abattait sur le navire. La puissance de la lame leur coupa le souffle ; des torrents d'écume rageuse balayèrent toute la longueur du pont, précipitant dans les flots celles et ceux qui précédaient le couple.

— Cours ! lança Frederick à Eva en tentant de lui faire lâcher l'étançon, qu'elle étreignait.

Tout n'était plus que débâcle et opacité. Eva se trouvait comme ankylosée par le froid, par le hurlement de la tempête et le raffut des eaux. Le sel lui piquait les yeux. Elle était incapable de bouger. Elle n'avait plus conscience que d'enlacer quelque chose de solide, quelque chose qui venait de la sauver de la vague affreuse et de ces ténèbres qui menaçaient à tout instant de l'avaler.

Frederick se plaqua soudain contre son épouse : une autre vague venait de rosser le bâtiment en perdition. Le paquet de mer se déchira littéralement au-dessus d'eux, contraignant la jeune femme à lâcher prise, la vidant par la même occasion de tout courage.

— C'est maintenant, Eva ! Viens !

Il la prit dans ses bras ; une vague encore les agressait qui, cette fois, s'engouffra dans une écoutille, pour se déverser à l'intérieur d'une partie de la cale. Agissant à la façon d'un ballast, l'eau redressa momentanément le navire. Frederick entraînait son épouse, titubant entre les vestiges de la cheminée éparpillés sur le pont. Eva perçut le grincement d'une poulie : on soulevait un canot par-dessus le bastingage.

— Ils s'en vont sans nous ! glapit-elle. Empêche-les de partir.

Le bossoir oscilla. La chaloupe s'écarta de quelques centimètres du pont, à chaque instant plus incliné. S'ils n'agissaient pas avant la prochaine vague, ils seraient perdus.

Frederick se rua tandis qu'un ultime frisson d'agonie parcourait le navire ; le canot s'éloignait encore.

Eva, que le jeune homme avait lâchée dans sa hâte, se trouva projetée dans les airs. Elle ouvrit la bouche pour crier, mais sa chute au fond de la petite embarcation lui coupa le souffle. Des mains se tendirent, on l'aida à se remettre debout, on la cala entre deux rescapés.

Elle leva les yeux. Bientôt, on mettrait la chaloupe à la mer, mais Frederick, lui, se trouvait toujours sur le pont. Eva distinguait sa silhouette, penchée par-dessus le bastingage.

— Freddy ! hurla-t-elle. Saute, saute !

Il ne l'entendait pas. La tempête avait emporté ses mots pour les noyer aussitôt dans l'océan déchaîné.

Eva se débattit pour échapper aux mains qui la retenaient et agrippa le matelot le plus proche :

— Retournez-y ! cria-t-elle. Mon mari se trouve sur le navire.

Le marin la repoussa ; le petit bateau se balançait dangereusement.

— Si je détache pas cette fichue corde, lui jeta-t-il à la figure d'une voix de tonnerre, on va tous crever. Asseyez-vous !

Avant d'avoir eu le temps de répliquer, la jeune femme se retrouva de nouveau dans le fond du canot, qui venait de heurter le flanc de l'*Arcadie*. Cette fois, plus de mains secourables pour lui venir en aide : les autres survivants étaient trop occupés à cramponner les bords de leur frêle esquif. Au désespoir, Eva leva une dernière fois la tête en direction du navire. Le bâtiment se disloquait à une vitesse effarante, les rocs et les coraux ouvrant d'horribles plaies sous la ligne de flottaison, tandis que des paquets de mer continuaient à s'abattre sur les ponts.

— Freddy, gémit-elle. Oh mon Dieu… Freddy…

Ses larmes se mêlaient à la pluie. Un terrible sanglot la secoua quand un mur d'eau balaya l'*Arcadie* de la poupe à la proue, emportant les derniers passagers, dont les clameurs se perdirent au cœur de l'ouragan.

La chaloupe se trouvait elle aussi en mauvaise posture. Avec une force sans cesse accrue, elle venait cogner contre l'épave. La proue ne tarderait plus à voler en éclats. Il fallait à tout prix se débarrasser de la corde qui retenait l'embarcation au grand navire.

Pendant que les matelots s'affairaient, Eva tentait de percer les ténèbres pour y repérer son époux. Elle entendait, en contrebas, les cris des malheureux que les éléments en furie avaient jetés dans l'eau. Le canot heurta de nouveau le flanc de l'*Arcadie*.

Mais dans cette nuit de poix, elle ne distinguait rien.

Soudain, la poupe de la petite embarcation piqua d'un mètre ou deux en direction des flots. Tous les passagers se mirent à hurler mais, déjà, la proue l'imitait. Chacun s'agrippait aux bords du canot, les paupières hermétiquement closes. On ne respirait plus qu'à peine.

L'esquif demeura suspendu pendant quelques secondes, puis tout à coup tomba, pour s'abattre à la surface des eaux dans un effarant fracas, avant qu'une gigantesque vague l'entraîne loin de l'*Arcadie*. Il tint bon cependant et, déjà, les hommes s'échinaient sur les rames pour accroître au plus vite la distance qui, désormais, les séparait du navire dévasté.

Eva geignit de terreur et de chagrin. Là-bas, dans la plus obscure des nuits, dans les eaux infinies et rageuses de cet océan inconnu, un bateau venait de périr, emportant avec lui l'époux de la jeune femme, ainsi que tous les rêves qu'ils avaient eus ensemble.

1

Chez-soi. Mot chargé d'émotion, qui évoquait à la fois la sécurité, la chaleur et l'amour que seulement au cœur d'un foyer l'on trouvait réunis. À trente-deux ans, elle renouait avec ce lieu qui, jusqu'alors, ne constituait guère pour elle qu'un souvenir tentant. Le souvenir d'un ciel radieux, le souvenir des plaisirs et des joies de l'enfance... Le souvenir de ténèbres dissimulées derrière l'ardeur du soleil... Des ténèbres dont, au bout de vingt-deux longues années, elle commençait tout juste à discerner la nature.

Olivia frissonna ; elle se sentait soudain glacée, et la légère brise marine n'y était pour rien. À présent qu'elle se trouvait là, cette jeunesse depuis longtemps défunte lui sautait au visage et, comme elle observait les enfants qui jouaient sur la plage, l'une en particulier retint son attention.

Les boucles blondes de la fillette, qui construisait des châteaux de sable, étincelaient au soleil, et elle pinçait les lèvres sous l'effet de la concentration. Le temps semblait s'être arrêté pour lui permettre de contempler aujourd'hui l'enfant qu'elle était alors. Elle redevenait cette gamine innocente, ignorante de l'écheveau de secrets et de mensonges qui la liait aux êtres en qui elle plaçait sa confiance.

Quel avenir le sort réserverait-il à cette fillette ? se demanda-t-elle, comme celle-ci vidait son petit seau métallique avant de se remettre à creuser. Quelles cachotteries

17

risquaient d'assombrir son existence ? Pourvu que l'amour seul l'entoure, se dit Olivia.

Elle cligna des yeux pour en chasser les larmes. Les années de guerre lui avaient appris qu'il ne servait à rien de s'apitoyer sur son sort. Quant à la colère, elle ne représentait qu'une perte d'énergie. Elle savait en outre qu'elle ne gagnerait rien à laisser la peur de l'inconnu ébranler sa résolution. Mieux valait, au contraire, profiter de ces moments de paix pour rassembler force et courage en vue de ce qui l'attendait. Car la vérité se trouvait ici même, à Trinity, et elle était bien décidée à la découvrir.

Elle fourra son mouchoir dans sa ceinture, débarrassa du sable qui y adhérait son petit tailleur en chantoung – ce tailleur que le Londres de l'immédiat après-guerre jugeait chic, mais dans lequel, ici, elle se trouvait endimanchée, parmi les chemisiers de coton ou les tenues de bain de celles et ceux qui fréquentaient la plage. Ses gants blancs, son sac à main et ses sandales à hauts talons juraient aussi dans le décor… Un sourire désabusé flottait sur ses lèvres, tandis qu'elle continuait à observer l'enfant. Elle n'avait pas pris le temps de s'installer d'abord à l'hôtel. Elle brûlait tellement d'impatience qu'elle s'était précipitée ici au lieu de se changer. Car cette minuscule portion de territoire située dans le nord du Queensland recelait tous ses souvenirs.

En dépit des raisons à la fois douloureuses et troublantes qui l'avaient poussée à effectuer ce voyage, elle avait pris plaisir à renouveler sa garde-robe pour l'occasion. Soulagée d'abandonner pour un temps l'uniforme, de faire une croix, momentanément, sur les horreurs dont elle avait été le témoin, ainsi que sur les responsabilités qui lui incombaient en sa qualité d'infirmière, elle redevenait une simple femme. Et tant pis s'il lui avait fallu, pour cela, dépenser d'un coup les tickets de rationnement qu'elle avait mis de côté.

Elle se renversa contre le dossier du banc en poussant un lourd soupir. Elle avait oublié l'étendue de ces lieux. Oublié cette admirable lumière, après les ténèbres et le chaos de Londres à l'époque du Blitz. Pour une fois, le temps semblait ne plus compter, les jours succédaient sereinement aux jours

– plus rien à voir avec la précipitation et l'affairement auxquels elle s'était accoutumée en Angleterre. Pour un peu, elle
aurait cru que ces années de guerre n'avaient jamais existé.
Comme si ce petit coin de la planète s'éveillait à l'instant au
terme d'un long sommeil, effaçant les cauchemars dans la
chaleur bienfaisante d'un soleil auquel les Australiens étaient
accoutumés.

Cette chaleur, elle la discernait dans l'allégresse
des badauds, dans leurs sourires accueillants. Elle ferma
les yeux un moment pour mieux humer l'odeur des pins et
des eucalyptus, qui se mêlait aux embruns. La magie des
lieux commençait à nouveau d'opérer.

Olivia balaya les environs du regard. Ses rêves ne la
ramenaient jamais ailleurs, et le souvenir en était demeuré
vivace au fond d'elle, depuis le jour où elle avait dû quitter
cet endroit. L'émotion du retour lui coupait le souffle. Rien
n'avait changé, songea-t-elle. C'était comme si ce modeste
bout de terre attendait depuis tant d'années cet instant – il
semblait pareil à un cadeau merveilleux dont on vient à peine
d'ôter l'emballage pour en dévoiler la splendeur. Elle se gorgeait des paysages ; elle se gorgeait des sons ; elle se gorgeait
des odeurs qu'elle avait jadis pensées à jamais perdues.

La plage affectait la forme d'un croissant jaune pâle,
que léchait l'écume laiteuse du Pacifique aux eaux tièdes.
À l'extrémité de cet arc se dressaient des falaises de roc noir,
dont les flots turquoise baignaient le pied. Ces rochers étaient
veinés de rouge – la couleur de la rouille, celle aussi de
l'immense outback australien, qui ne s'étendait qu'à quelques
kilomètres d'ici, à l'ouest de cette paisible baie. Les pins et le
mimosa doré, dont les racines s'enfonçaient dans un épais
tapis d'aiguilles de conifère, de pommes de pin et d'humus
noir, se disputaient le sommet des falaises.

Olivia huma de nouveau ce parfum indissociable de son
enfance. Elle regardait les pélicans frôler avec élégance la
surface des eaux, écoutait les cris des courlis et des pluviers.
Elle était chez elle. Chez elle. Et tant pis pour les souvenirs
poignants, tant pis pour les secrets qu'il lui restait à mettre
au jour. À l'échelle de l'univers, elle ne s'était absentée que

le temps d'un battement de cils, et quant à son âme, elle n'avait jamais quitté la région. Pareilles à celles des arbres qu'elle contemplait, ses racines à elle plongeaient au cœur de cette terre noire. Pourvu, se dit-elle néanmoins, et c'était là comme une prière, que ces racines soient assez profondément ancrées dans le sol natal pour me permettre de résister à la tempête qui menace.

Gilles, d'un doigt écartant son col, regretta de n'avoir pas choisi une autre tenue. Son costume colonial, à présent fripé, s'était taché au cours du voyage, cependant qu'autour du col trop étroit de sa chemise sa cravate l'étranglait. Il repoussa son panama vers l'arrière, afin de s'éponger le front à l'aide d'un mouchoir. La chaleur lui rappelait celle qu'il avait connue en Italie, durant les interminables semaines qu'il y avait passées dans un camp de prisonniers, après que son appareil eut été abattu. S'évader n'avait pas été facile, au point que, même ici, en dépit de la sérénité des lieux, il lui semblait entendre l'écho des tirs par-delà les criailleries des mouettes.

Il rabattit son chapeau sur ses yeux et se lissa la moustache. C'était pour Olivia qu'il était venu. Tant pis s'il lui fallait renoncer à une part de confort. Olivia en valait la peine.

Gilles observa la jeune femme assise sur un banc, au bord de la plage. Bien qu'elle fût comme isolée, tant par ses vêtements que par son maintien, il devina qu'elle se délectait de cette solitude. Sans doute brassait-elle en ce moment précis mille pensées contradictoires – le garçon pressentait tout ce que ce retour signifiait pour elle. Il s'était trouvé dans une situation pratiquement similaire, le jour où il avait enfin quitté l'hôpital pour regagner Wimbledon, mais si on lui avait demandé de décrire les sentiments qui l'avaient alors submergé, il aurait éprouvé bien du mal à le faire, car ils étaient légion.

Il desserra sa cravate puis, après quelques instants d'hésitation, retira sa veste. La manche vide de sa chemise lui rappellerait à jamais la guerre, mais il devait apprendre à pactiser avec ce souvenir-là. Au moins, il en avait réchappé. Il disposa sa veste sur le sol, sous un pin, s'assit, se cala contre le tronc à l'écorce rugueuse. Il alluma un cigarillo, à travers la fumée duquel il se remit à observer Olivia.

Il la connaissait depuis vingt-deux ans, et n'avait rien oublié du jour où sa mère et elle étaient arrivées dans cette rue paisible de Wimbledon. Il ferma les paupières pour mieux revoir les cartons et les caisses qu'on déchargeait de la camionnette pour les porter dans la maison. Une semaine plus tôt, il avait fêté son onzième anniversaire ; il avait espéré que la famille de leurs nouveaux voisins compterait au moins un garçon assez jeune pour qu'il pût s'amuser avec lui. La solitude pesait à cet enfant unique.

Gilles rouvrit les yeux, du regard aussitôt cherchant encore Olivia. Il sourit en se rappelant la vive déception qu'il avait éprouvée lorsque la fillette était descendue du taxi. Et pourtant : comme il se trompait alors en s'imaginant qu'aucune amitié ne pourrait naître entre eux.

Dès les premiers temps, Olivia l'avait intrigué : elle ne ressemblait pas aux gamines qu'il avait connues jusque-là. D'une année sa cadette, elle goûtait en effet la rudesse de ses jeux de garçon. Elle grimpait même aux arbres mieux que lui, et le distançait sans peine quand ils galopaient à dos de poney à travers les terrains communaux. C'était une enfant courageuse et bourrée d'énergie, qui jamais ne fondait en larmes, qui jamais ne mentait. Elle promenait les plaies et les bosses que lui valaient leurs aventures avec une crânerie que son ami admirait.

Gilles réprima un éclat de rire en laissant défiler dans sa mémoire quelques épisodes marquants. Une fois, il s'était moqué de son accent. Jamais il n'avait recommencé, Olivia lui ayant prouvé pour l'occasion que la vigueur de ses coups de poing valait celle des garçons.

Il la guigna de l'autre côté du sable, éprouva une bouffée d'amour telle qu'il en ressentait souvent. Les aspects les plus rugueux de son tempérament avaient été adoucis par son séjour dans un pensionnat de jeunes filles, et son accent avait disparu, mais de temps à autre jaillissait encore ce caractère bien trempé qui avait fait sa réputation ; le garçon manqué refaisait surface ; Gilles retrouvait l'enfant rebelle qui un jour lui avait confié qu'elle se sentait mal à l'aise dans ce que les Anglais qualifiaient de «bonne société».

Si l'on en croyait la rumeur, Olivia avait accompli des prouesses pendant la guerre. Personne, disait-on, n'aurait su piloter une ambulance avec plus de témérité qu'elle, ni mieux apprivoiser les coordinateurs d'urgence et les chirurgiens. Son énergie et son sens pratique lui avaient rendu de fiers services, tandis qu'elle réservait ses trésors de douceur aux mutilés, aux blessés hurlants qu'on extrayait des décombres brûlants de l'East End pour les amener à l'hôpital.

Gilles tourna de nouveau son regard vers la jeune femme plongée dans ses songes. Petite et mince, l'ombre de son chapeau de paille masquant à demi son visage... Rien, se dit-il, ne permettait de deviner la passion dévorante qui animait ce corps ; rien qui pût laisser supposer les rudes expériences qu'elle avait vécues, ni la confusion qui devait être la sienne depuis quelques mois. Un observateur extérieur n'aurait au contraire perçu que la sérénité qui émanait d'elle, il n'aurait repéré que son impeccable tenue et sa fragilité trompeuse. En y regardant de plus près néanmoins, peut-être aurait-il discerné la flamme au fond de son œil sombre, et puis ce menton résolu, cet infime soupçon de volonté farouche derrière ses allures d'elfe. Et que dire de cette chevelure opulente et noire, enroulée sur sa nuque, que ni la mode des coupes courtes ni les injonctions de l'infirmière en chef ne l'avaient amenée à sacrifier?...

Il fit tomber la cendre de son cigarillo en poussant un soupir. Combien de fois n'avait-il pas rêvé de défaire une à une ces épingles pour jouir du plaisir de passer les doigts dans ce rideau d'ébène? Combien de fois n'avait-il pas souhaité baiser ces sourcils arqués, cette bouche tendre, de poser son visage au creux de sa main en coupe pour sentir la douceur de sa peau?

Il baissa la tête en souriant. Olivia lui frotterait les oreilles s'il se permettait de telles privautés – et elle aurait raison. C'est que jamais encore il ne lui avait confié ses sentiments ; jamais il n'avait osé mettre en péril la formidable amitié qui les liait depuis de si nombreuses années. Il était trop tard à présent. Quelle femme – sans même parler d'une splendeur comme Olivia – voudrait encore de lui?

Gilles chassa bien vite la tentation de s'apitoyer sur son sort, à laquelle il cédait souvent. Il y avait pourtant du vrai dans ce qu'il pensait là. Raison de plus pour tordre le cou à cet espoir vain qu'il ne parviendrait plus à réprimer s'il lui laissait libre cours. Cet espoir qu'un jour Olivia, à son tour, l'aimerait.

Il fit courir ses doigts sur la manche vide. Le fantôme de son bras gauche y demeurait, il le faisait souffrir parfois, le démangeait, le picotait d'une vie morte; le jeune homme supposait qu'il finirait par s'accoutumer à son absence. Dans une certaine mesure, ce membre disparu ressemblait à sa relation avec Olivia. Tous deux existaient, mais privés de l'aspect tangible auquel Gilles aspirait pour l'un comme pour l'autre. De cette amitié, il allait devoir se contenter, faute de mieux, en oubliant les projets qu'il nourrissait au début de la guerre; en faisant une croix sur le mariage, sur les enfants, sur la maison.

La jeune femme ne partageait pas sa passion, il en était persuadé. Elle lui portait plutôt l'affection profonde qu'elle aurait éprouvée pour un grand frère. S'il lui parlait d'amour, tout changerait entre eux. Il se glisserait une gêne qui n'avait jamais eu cours jusqu'ici, c'en serait fini de leur intimité, et qui sait si, pour finir, ils ne perdraient pas ce qu'ils chérissaient tant? Pour cette raison, il gardait le silence.

Il se débarrassa de son cigarillo, s'assurant qu'il était parfaitement éteint avant de se remettre debout, puis de récupérer sa veste. Quel égoïste il faisait, songea-t-il. Il ne pensait qu'à lui, alors même qu'Olivia se tourmentait. Elle avait fait ce voyage pour une raison précise – une raison qu'étonnamment elle n'avait pas confiée à Gilles. Elle s'en ouvrirait le moment venu, il le savait. Alors, il mettrait de côté son amour pour devenir l'insubmersible bouée à laquelle elle pourrait se cramponner. Il pressentait en effet que des eaux tumultueuses les attendaient.

2

— Tu peux pas attendre une minute, non? brailla Maggie
Finlay en bataillant pour franchir la porte étroite, les bras
chargés de caisses de bière.

— Il y a de quoi crever de soif, maugréa le tondeur, qui
passait quelques jours en ville, le temps pour lui de dépenser
sa paie, pourtant chèrement gagnée, avant de rejoindre le
prochain ranch.

— Tu risques de crever d'un truc autrement plus vilain
si tu cesses pas tes jérémiades, grommela Maggie, qui
empila les caisses sous le comptoir avant d'en extraire une
bouteille.

Elle plongea son regard dans celui du tondeur. Cheveux
grisonnants, cuir tanné, yeux injectés de sang.

— Ici, on aligne d'abord la monnaie. Tu connais les règles.

L'homme piocha dans le fond de sa poche un shilling, qu'il
abattit sur le comptoir.

— Bon sang de bois, Maggie. Quelle mouche t'a donc
piquée aujourd'hui?

La jeune femme repoussa les mèches qu'elle tenait
d'ordinaire en place au moyen d'une série d'épingles, puis
souffla.

— La chaleur, les mouches... Et dire qu'il faut que je
m'occupe toute seule de ce gourbi sous prétexte que Sam est
parti pêcher. La routine, en somme.

Sur quoi elle abandonna le tondeur à sa bière, pour passer
un chiffon humide sur les étagères situées derrière le bar.

La mer avait beau se trouver à deux pas, la poussière de l'out-back se déposait partout. Maggie était-elle vouée, jusqu'au terme de ses jours, à lutter contre cette pellicule rouge? se demanda-t-elle avec humeur. Comme elle croisait son reflet dans les glaces disposées derrière les étagères, elle soupira. Sa robe de coton, que les caisses de bière avaient tachée, lui collait déjà au corps. Ses cheveux, qu'elle avait pourtant lavés ce matin, s'étaient ternis, tandis que de vilains cernes noirs paraissaient sous ses yeux. Elle était trop maigre, et sa silhouette plus proche de celle d'un gamin que de celle d'une trentenaire; l'absence totale de maquillage n'arrangeait rien. Elle manquait cruellement de temps pour prendre soin d'elle. Je suis affreuse, conclut-elle.

Pourtant, il ne lui déplaisait pas de vivre à Trinity, jolie petite bourgade où les clients de passage se révélaient assez nombreux pour qu'y régnât une animation permanente. Tondeurs et conducteurs de bestiaux faisaient halte ici pour y dépenser leur salaire, tandis que les éleveurs abandonnaient de loin en loin la chaleur accablante de leurs exploitations lointaines pour se détendre dans des maisonnettes installées en bord de plage. Tout bien considéré, Maggie n'était pas mécontente d'être venue jusqu'ici – même si elle n'y avait pas accompli l'intégralité de la mission qu'elle s'était fixée. Elle avait au moins assouvi une part de sa curiosité et, de ce qu'elle savait à présent, elle avait déduit que certaines choses auraient dû se passer autrement.

J'ai pas le droit de me plaindre, se gronda-t-elle en poursuivant son ménage. J'ai un travail, un toit au-dessus de la tête et l'océan à deux pas. Le reste est sans importance.

Sans plus se soucier de son reflet, elle considéra, dans le miroir, la salle qui s'étendait derrière elle. L'hôtel, situé au coin de la rue principale menant droit à la plage, existait depuis près d'un siècle, au cours duquel il avait échappé au feu, aux crues et aux termites. Il faudrait néanmoins songer bientôt à le repeindre, ainsi qu'à remplacer les carreaux fêlés. L'établissement comportait un étage, ceint d'un balcon ombragé où l'on pouvait se prélasser à sa guise. Le long du trottoir se donnaient encore à voir les barres d'attache pour les chevaux, même si la plupart des clients arrivaient désormais en voiture, ou à bord d'un pick-up.

Le bar, lui, ressemblait à tous les bars d'Australie : ténébreux, le plafond garni de rubans anti-mouches, ainsi que d'un ventilateur bancal occupé à brasser la touffeur pour tenter de rafraîchir les clients attablés sous ses pales. Il y avait, contre les murs, des bancs de bois mal équarri, mais la plupart des consommateurs préféraient s'installer au comptoir de pin ciré, les pieds posés contre la barre en cuivre courant à quelques centimètres du sol.

Maggie aurait aimé ajouter des tables, des chaises et quelques bouquets dans des vases. Des rideaux en vichy aux fenêtres. Peut-être un ou deux tapis, pour étouffer les sons. Mais la jeune femme savait qu'il n'en serait jamais question. Elle se mouvait ici dans un monde d'hommes, dont même la Seconde Guerre mondiale n'avait pas ébranlé les fondations. Ces garçons-là ne goûtaient pas le changement – sans doute ne remarquaient-ils pas combien leur pub s'était peu à peu délabré avec le temps.

Ces dames et leurs songes fantaisistes se trouvaient relégués dans le boudoir, ou sur la véranda ; depuis près d'une année qu'elle travaillait dans cet établissement, Maggie s'en accommodait. Après tout, quelle femme aurait eu la moindre envie de se mêler à une horde de mâles vantards et grossiers, criant de plus en plus fort à mesure que coulait la bière ? Régulièrement, des bagarres éclataient. Jamais rien de grave, certes, mais c'était la raison pour laquelle on limitait au strict minimum la quantité de meubles, et qu'on tenait le beau sexe à distance.

Maggie sourit, passa une dernière fois le chiffon sur les étagères avant de laver les verres. Elle n'ignorait pas à qui elle devait la pointe de mélancolie qui la taraudait aujourd'hui : Sam. Un type impossible. Un type impossible pour elle à oublier. Si seulement il daignait la remarquer, voir autre chose en elle qu'une bonne gérante et une serveuse hors pair. Si seulement, enfin, il distinguait la femme en elle. Hélas, il ne tenait Maggie que pour une employée avec laquelle il partageait ses repas et bavardait une petite heure une fois le bar fermé, avant que chacun se retirât dans sa chambre.

L'hôtel appartenait à Samuel White, héros de guerre qui était rentré d'Europe pour découvrir que son épouse et leur fils avaient succombé à un feu de brousse. C'est ainsi qu'il avait quitté l'outback pour investir dans cet établissement. Âgé de quarante-deux ans – soit dix de plus que Maggie –, il conservait toute l'énergie d'un jeune homme. Il était grand, mince, et arborait une chevelure poivre et sel au-dessus d'un visage hâlé par le soleil. Il ne possédait rien de séduisant à proprement parler... jusqu'à ce qu'il sourît. Alors, ses traits s'éclairaient, et une chaleur montait dans le bleu vif de son regard, accentuant du même coup le noir profond de ses cils. Maggie en était folle... Pauvre Maggie... Souvent, la nuit, allongée sur sa couche sans parvenir à trouver le sommeil, elle se demandait ce qu'elle éprouverait à partager son lit.

— Y aurait pas moyen de s'en jeter une autre derrière la cravate?

La voix du tondeur la tira brusquement de sa rêverie. Elle lui en sut gré, prit une bouteille dans le casier et l'ouvrit. Pourquoi les choses changeraient-elles entre Sam et la jeune femme? Ces songes creux ne lui valaient rien.

Le bar se remplissait doucement. Le niveau sonore grimpa soudain lorsqu'une dispute éclata au sujet du possible vainqueur de la Melbourne Cup[1], qui se courrait la semaine suivante. Maggie transpirait à grosses gouttes – elle distribuait les consommations, essuyait le liquide renversé ici et là, en tentant de maintenir un semblant de paix entre les factions rivales. Elle avait mal aux pieds et au dos, pourtant Sam ne paraissait toujours pas. Amoureuse ou non, la jeune femme se promit de lui passer un savon dès qu'il daignerait montrer le bout de son nez.

Elle ferraillait si fort avec un lourd tonneau qu'elle devait fixer à la pompe qu'elle ne s'aperçut pas que le silence était tombé d'un coup.

---

1. Melbourne Cup: principale compétition hippique d'Australie. *(Toutes les notes sont de la traductrice.)*

— Y en a pas un parmi vous, bande de feignasses, qui pourrait se bouger le derche pour me donner un coup de main ? brailla-t-elle.

Le mutisme général la frappa enfin ; elle en lâcha son tonneau. Elle entendit crépiter un grillon à l'intérieur d'un tuyau d'écoulement, rien d'autre. En revanche, la rangée de dos, contre le comptoir, l'empêchait de distinguer ce qui avait pu provoquer chez ses clients une pareille stupeur.

Comme elle se dressait sur la pointe des pieds, les hommes s'écartèrent, telles les eaux de la mer Rouge. Ils reculèrent d'un pas traînant, serrant leur verre contre leur poitrine, les yeux agrandis par la méfiance et l'hébétude.

L'inconnue pénétra dans l'établissement, dont elle laissa battre derrière elle les deux vantaux de la porte. Indifférente au saisissement des consommateurs, elle adressa, en souriant, un hochement de tête à deux des plus jeunes d'entre eux, dont la bouche grande ouverte ne se refermait plus.

Maggie s'empourpra : que devait penser d'elle cette élégante aux souliers blancs ? Se remémorant le langage fleuri qu'elle venait d'employer, elle rougit plus fort. Elle passa une main dans ses cheveux, qu'elle débarrassa de deux ou trois brins de paille, s'efforça de lisser les revers de sa robe… Qui qu'elle fût, cette femme possédait un fameux cran, se dit-elle. Une étrangère, à n'en pas douter : aucune Australienne respectable n'aurait accepté qu'on la vît dans cet endroit, sauf à y exercer un emploi de serveuse.

— Qu'est-ce que je peux faire pour vous, m'dame ? hasarda-t-elle. Vous trouverez le boudoir là-bas derrière, sinon vous pouvez vous installer sur la véranda. Je vais vous apporter un petit quelque chose.

Tous les regards suivirent l'inconnue qui, s'étant rapprochée du comptoir, y déposa son sac à main. Lorsqu'elle ôta ses gants, des murmures commencèrent à s'élever, qui se multiplièrent une fois qu'elle se fut tamponné la lèvre supérieure à l'aide d'un mouchoir propre.

— Avez-vous des chambres ?

Une Angliche, s'avisa Maggie. Pas étonnant qu'elle conserve aussi fière allure dans un pareil trou.

— Suivez-moi, proposa-t-elle en hâte.

— J'aimerais d'abord prendre un rafraîchissement, déclara l'inconnue, manifestement résolue à demeurer de l'autre côté du comptoir. Une bière glacée me ferait un bien fou.

La rumeur s'intensifia encore – Maggie, à présent, comprenait la plupart des remarques émises par les clients du pub.

— Je vais vous la servir dans le boudoir, décréta-t-elle avec une fermeté contredite par le fou rire qu'elle tentait de réprimer.

Elle avait affaire à une sacrée bonne femme, que ne troublaient en rien les quolibets de ces cornichons autour d'elle. Chapeau bas. De quoi bouleverser un peu les conventions trop bien ancrées des lieux.

Maggie quitta son poste pour pousser l'inconnue en direction d'une porte latérale.

— Entrez, lui suggéra-t-elle. Avant que tous mes bonshommes aient claqué une durite.

À peine les deux femmes eurent-elles pénétré dans le boudoir plongé dans la pénombre du fait de ses volets fermés, qu'elles se tournèrent l'une vers l'autre. Elles étaient de même taille, la visiteuse possédant par ailleurs de grands yeux d'un brun nettement plus foncé que ceux de Maggie.

— Désolée, s'excusa cette dernière. Mes gars ont tendance à s'échauffer quand une dame pose un orteil dans le bar. Ça les rend comme qui dirait un peu nerveux.

— Pourquoi diable les rendrais-je nerveux? s'étonna l'inconnue d'une voix douce. En Angleterre, il m'arrive souvent de fréquenter les pubs.

— C'est pas pareil ici, m'dame. Vous tarderez pas à vous en rendre compte.

Maggie s'empara du registre. Elle se sentait mal à l'aise, empotée, honteuse de ses vêtements crasseux et de ses mains rougies par le travail. Cette femme la déstabilisait. Son calme, probablement. Et cette inébranlable assurance.

— Une nuit?

L'Anglaise posa son sac à main sur la table basse, où elle abandonna aussi ses gants. Elle ôta son chapeau, écarta délicatement quelques mèches noires de son visage sans défaut.

29

— J'ai l'impression que nous avons démarré du mauvais pied. Si je vous ai mise dans l'embarras, vous m'en voyez navrée.

Une main fine se tendit.

— Je m'appelle Olivia Hamilton.

Maggie serra la main qu'elle lui tendait – et dont elle remarqua aussitôt les ongles soignés ; pas d'alliance.

— Et moi Maggie Finlay. Gérante de cet endroit. Et bonne à tout faire, ajouta-t-elle avec un petit rire nerveux. Ça paie pas de mine, mais je m'y sens chez moi, et puis les draps sont propres.

Olivia lui décocha un franc sourire.

— Dans ce cas, nous allons nous installer dans votre hôtel.

Ayant repéré la surprise dans l'œil de son interlocutrice, elle ajouta :

— Je voyage avec un ami. Il nous faut des chambres séparées, cela va sans dire, et j'ignore combien de temps au juste nous allons rester.

Tandis que l'Anglaise signait le registre, Maggie retint un sourire entendu. Une chambre ou deux, cela ne changeait rien. Elle travaillait dans l'hôtellerie depuis trop longtemps pour ignorer que, en règle générale, les «amis» faisaient lit commun. Elle avait hâte de découvrir le genre d'homme prisé par cette femme au calme olympien. Et plus envie encore d'apprendre ce qui avait poussé ces deux-là à sortir ainsi des sentiers battus du tourisme.

— Maggie m'a indiqué que je te trouverais ici, dit Gilles en pénétrant, à l'étage, dans le petit salon qui séparait les deux chambres. Tu as fait forte impression, si j'ai bien compris. Tout le monde ne parle plus que de toi.

— Cela leur évitera pendant un moment de tarabuster quelqu'un d'autre, murmura Olivia avant d'avaler une gorgée de cette bière glacée que la gérante des lieux lui avait montée un peu plus tôt.

La jeune femme constata que son ami avait changé de chemise et de pantalon – celui-ci plus léger que le précédent.

C'était un beau garçon aux cheveux châtains, à l'œil noisette, à la moustache soigneusement taillée. Mais il semblait éreinté. Ces sombres cernes témoignaient de plusieurs nuits sans sommeil, et puis peut-être souffrait-il en dépit des antalgiques. Gilles, qui ne se plaignait jamais, semblait avoir peu à peu accepté la perte de son bras.

Elle lui sourit en s'enfonçant un peu plus dans le fauteuil moelleux. Elle s'était changée également, après avoir fait sa toilette – allant jusqu'à s'offrir une demi-heure de sieste pendant que son compagnon de voyage prenait un verre au bar. Elle respirait enfin dans sa robe de coton et ses sandales, autrement plus confortables que le maudit tailleur qu'elle avait arboré jusqu'alors. Et au moins cessait-elle de détonner dans le décor. Elle aussi se sentait rompue. Le voyage depuis Sydney lui avait paru interminable, et elle peinait encore à croire qu'elle se trouvait bel et bien à Trinity. Elle but une autre gorgée de bière, puis poussa un soupir satisfait :

— Cela nous repose du thé anglais, observa-t-elle.

Gilles posa son verre sur une table basse et s'assit.

— Bien, commença-t-il. La ville a-t-elle beaucoup changé ?

Elle secoua la tête.

— Pas vraiment. Il y a davantage de voitures, évidemment, et puis on a enduit la route de bitume. Mais pour le reste, Trinity reste pareille à elle-même.

Elle balaya la pièce du regard. L'aspidistra couverte de poussière dans un coin, les fauteuils et les canapés fatigués, les tables égratignées, les murs couverts d'une peinture sans éclat… Elle reconnaissait tout. Elle se remémorait aussi le ventilateur grinçant au plafond, les portes-fenêtres menant à la véranda, les rubans anti-mouches constellés de petits cadavres noirs.

— Pour tout dire, si j'ignorais que nous sommes descendus à hôtel, je jurerais qu'il s'agit de notre maison.

Gilles s'agitait ; avant qu'il eût ouvert la bouche, Olivia devina les paroles qu'il allait prononcer. Mais elle avait d'abord besoin de digérer tout ce qu'elle venait de vivre aujourd'hui. Elle se sentait gorgée de mille sons, de mille paysages qu'encore récemment elle était convaincue de ne jamais revoir. Ses émotions la submergeaient presque.

— Comptes-tu enfin m'expliquer pour quelle raison nous avons dû nous rendre à l'autre bout du monde?

La jeune femme s'était montrée injuste envers Gilles, elle l'admettait volontiers. Ce cher Gilles… Comment se serait-elle débrouillée sans son aide, au cours des derniers mois? C'était un garçon épatant, mais le réconfort et le soutien qu'il lui avait apportés, elle en avait joui sans même songer à l'en remercier.

— Mère t'a-t-elle jamais raconté comment elle s'était retrouvée ici?

Gilles secoua la tête.

— Eva est toujours demeurée un mystère pour moi, tu sais. J'ai l'impression qu'elle ne m'appréciait pas beaucoup. Nous n'avons jamais vraiment discuté.

— Je comprends, opina Olivia. Mais je crois surtout qu'elle était timide.

Le jeune homme renâcla.

— Timide? Voilà bien la dernière chose que j'aurais pu soupçonner chez elle. Car elle avait beau se révéler petite et menue, elle possédait un regard qui a continué de me faire frémir jusqu'au bout. Lorsque nous venions prendre le thé chez vous, je souffrais mille morts.

Son amie se mit à rire.

— J'avoue que ce n'étaient pas des moments faciles.

La mère d'Olivia tenait à faire les choses dans les règles. On servait le thé à 16 heures précises, accompagné de sand-wichs au concombre, de scones et de cake. Bien sûr, on avait pris soin de débarrasser les sandwichs de leur croûte, et une rondelle de citron flottait dans chaque tasse – Eva jugeait le thé au lait vulgaire.

Gilles grimaça.

— Dire qu'il fallait garder en équilibre à la fois son assiette et sa tasse dans sa soucoupe. Quelle horreur! Sans cesse, de surcroît, de participer à la conversation, avec toute la poli-tesse requise. Jamais je ne m'y suis habitué.

Olivia, cette fois, rit de bon cœur en se rappelant son ami, assis dans le canapé sur la pointe des fesses, serrant d'une main la soucoupe et la tasse, de l'autre l'assiette chargée de sandwichs, une serviette sur les genoux. Jamais il n'avalait grand-chose, le malheureux, en dépit des exhortations de la maîtresse de maison.

— Mère ne s'est jamais départie de son éducation victorienne, hélas. Je crois d'ailleurs que c'était là son handicap majeur. Elle m'a souvent dit qu'elle ne se sentait pas à sa place, ici. En Australie, elle ne disposait pas de ce système de classes rigide sur lequel elle pouvait compter en Angleterre.

La jeune femme soupira :

— Que Dieu ait son âme. Elle me manque terriblement, tu sais.

— Bien sûr que je le sais, répondit doucement Gilles. Ça a dû être pénible de la regarder mourir. Je me demande comment tu as pu surmonter une telle épreuve.

Olivia tourna les yeux vers la fenêtre : à travers le ciel, qui s'assombrissait, dérivaient des bandes rouges et violettes. Cela promettait un coucher de soleil somptueux. Si seulement elle avait pu fuir à l'instant cette chambre, ainsi que ses souvenirs, pour regagner la plage. Mais elle venait d'accomplir un formidable parcours. Il n'était plus question de reculer.

— J'avais déjà exercé pendant plusieurs années la profession d'infirmière. Cela vous endurcit. Néanmoins, rien ne nous prépare à la perte d'un proche.

Sa voix se brisa ; elle cligna des yeux. Elle revoyait sa mère au temps de sa jeunesse – une femme pleine de vie que rien ne semblait en mesure d'abattre. Eva n'était pourtant pas de ces mamans câlines promptes à étreindre leur enfant pour le couvrir de baisers. Combien de fois Olivia avait-elle souhaité qu'enfin Eva mît au clou ses carcans pour lui manifester un brin de tendresse. Elle avait mis longtemps à comprendre que cet amour sans cajoleries valait pourtant tous les autres.

— À la fin, ça a été un soulagement. Pour nous deux. Elle souffrait atrocement. Et puis elle ne supportait pas cette impuissance à laquelle elle se trouvait réduite.

Gilles fit silence un moment en lissant sa moustache.

— Je l'admirais, même si elle me terrifiait. Elle paraissait si forte, si maîtresse d'elle-même. En toutes circonstances.

Je suis resté abasourdi, le jour où elle t'a expédiée au pensionnat. Il me semblait pourtant qu'elle appréciait ta compagnie. Elle s'est retrouvée totalement seule.

— Cet affreux pensionnat… Mère était persuadée d'avoir agi selon son devoir. D'après elle, j'avais besoin d'une éducation solide. Et puis il fallait qu'on me dégrossisse un peu, qu'on m'apprenne à me comporter en vraie jeune femme, que je renonce à mes façons de garçon manqué. Le personnel du pensionnat a parfaitement rempli sa tâche.

Un sourire désabusé flotta quelques instants sur ses lèvres.

— Il n'empêche, enchaîna-t-elle. Je me sentais effroyablement seule. S'il n'y avait pas eu Priscilla, j'ignore si je serais restée.

— Cette chère Priscilla! lâcha Gilles, dont une malicieuse étincelle embrasa le regard. Vous vous fréquentez toujours?

— De loin en loin. Nous sommes de grandes filles maintenant, nous n'avons plus aussi souvent besoin l'une de l'autre.

Elle s'éclaircit la voix avant d'avaler une autre gorgée de bière. Elle se sentait plus calme à présent, prête à entamer ce terrifiant périple vers l'inconnu. Il était temps d'éclairer un peu la lanterne de Gilles.

— À la mort de mère, l'an dernier, je me suis, comme de juste, retrouvée avec un monceau de démarches à effectuer. Et un jour que je rangeais son bureau, l'un des tiroirs s'est bloqué.

Elle décocha à son ami un large sourire.

— Tu sais combien je suis impatiente. Je ne supporte pas qu'on me mette des bâtons dans les roues. Bref, j'ai attrapé un tournevis, avec lequel je me suis ingéniée à soulever ce fichu tiroir, que j'ai failli mettre en pièces. Mais je peux t'assurer que les dégâts ne m'ont plus importé le moins du monde quand j'ai découvert ce qui se cachait derrière.

Gilles se pencha en avant.

— J'adore les bons romans à suspense, s'enthousiasma-t-il. Qu'as-tu trouvé?

Olivia sourit, en dépit des innombrables pensées dont elle était le siège et des images qui la hantaient. Gilles demeurait un gamin, que les horreurs dont il avait pourtant été le témoin n'étaient pas parvenues à priver de sa part d'innocence. Mais comment lui décrire le choc qu'elle avait éprouvé? Elle se revoyait maintenant, assise au beau milieu de la pièce, le tiroir brisé renversé à côté d'elle – sur ses joues ruisselaient des larmes qui, lorsque la pendule du grand-père avait sonné l'heure, puis la suivante, n'avaient toujours pas tari. Son univers entier venait de voler en éclats. Elle ne savait plus que croire.

Elle émergea enfin de ses vilains songes pour retrouver un Gilles toujours désireux d'apprendre le fin mot de son histoire. Mais Olivia ne souhaitait pas gâcher cette première journée de voyage par l'évocation des heures terribles qu'elle avait vécues. Il fallait commencer par le début. Ce début, lui, ne la meurtrirait pas.

— Je te le dirai très bientôt, promit-elle dans un murmure. Je te demande simplement un peu de patience. Ces révélations risquent de nous bouleverser autant l'un que l'autre.

Gilles fronça les sourcils. De son œil noisette, il traquait sur le visage de la jeune femme les signes qui lui permettraient peut-être de deviner ce qui la tourmentait. Mais Olivia ne désirait pas qu'on la brusque. Elle n'était pas prête à ouvrir son cœur. Bah, ils avaient toujours été si proches. Il finirait par comprendre.

Elle se détendit un peu, au prix d'un grand effort. Elle était partie en quête de la vérité et, comme Eva Hamilton bien des années plus tôt, elle ignorait où la mènerait cette quête.

3

Olivia se sentait épuisée. Raconter dans son intégralité l'histoire d'Eva au terme d'un si long voyage se révélait au-dessus de ses forces. Elle consulta sa montre.

— Il est l'heure de dîner. Viens, je meurs de faim.

Gilles fixa sur elle un regard effaré.

— Tu ne peux tout de même pas t'interrompre au beau milieu de ton récit, protesta-t-il. Qu'est-il arrivé à Eva? Frederick s'est-il noyé pour de bon?

— Tu l'apprendras bien assez tôt, lui répondit son amie en bâillant.

Le garçon s'extirpa de son fauteuil.

— Tu es injuste, maugréa-t-il.

N'ayant obtenu aucune réaction, il s'empara de ses cigares et de son briquet, qu'il fourra dans sa poche.

— Je suppose qu'il est inutile que je me présente en veston et cravate, n'est-ce pas? s'enquit-il avec une pointe d'impatience dans la voix.

— Je pense que c'est inutile, en effet. Nous ne sommes pas au Ritz.

Sur quoi Olivia coinça l'extrémité de la manche de chemise de Gilles dans la ceinture de son pantalon.

— Allons viens, maintenant, ou je vais tomber d'inanition.

— D'accord, infirmière, la taquina-t-il – déjà, son agacement s'était évanoui.

Sa remarque lui valut une petite tape sur le menton. De quoi lui rappeler que, avec Olivia, il fallait toujours se garder

36

d'aller trop loin. Puis la jeune femme lui prit le bras, et tous deux descendirent au rez-de-chaussée.

— Le repas est servi! brailla Maggie en passant au triple galop non loin de l'escalier, les bras chargés d'assiettes débordantes de nourriture. Suivez-moi.

À l'instar du reste de l'hôtel, la salle à manger avait connu des jours plus glorieux. Le parquet néanmoins rutilait, et des nappes d'un blanc de neige recouvraient les tables. Les derniers rayons de soleil s'insinuaient dans la pièce par la partie supérieure des fenêtres, baignant d'or les dîneurs. L'endroit certes était miteux, mais l'on s'y bousculait.

Tandis qu'Olivia et Gilles prenaient place à une table pour deux, ils sentirent que des regards intéressés s'étaient tournés vers eux, et que le volume sonore des conversations avait baissé d'un cran. La jeune femme sourit aux uns et aux autres, répondant d'un petit hochement de tête aux bonjours que d'aucuns grommelaient çà et là. Gilles et elle s'en tinrent à des échanges polis et banals : il était hors de question que quiconque apprît les raisons de leur présence ici – sans compter que les vieilles habitudes avaient la vie dure ; Olivia avait vécu trop longtemps en Angleterre pour s'autoriser à aborder en public des sujets épineux.

— Zou!

Maggie venait de déposer une très copieuse assiette devant chacun des deux Anglais.

— Ça va vous donner bonne mine, ça, parole, indiqua-t-elle à Gilles avec un grand sourire.

Olivia sourit à son tour pour remercier leur hôtesse, qui se contenta de hausser les épaules avant de déguerpir. Sans qu'on le lui eût demandé, Maggie avait coupé la viande de Gilles en morceaux suffisamment petits pour qu'il n'eût pas à réclamer l'aide de son amie. Cette dernière se sentit touchée par cette délicate attention. Puis elle baissa les yeux sur sa propre assiette, et elle se décomposa : quatre... non, cinq côtes d'agneau, un steak, une quantité phénoménale de pommes de terre, ainsi qu'un œuf au plat. Le tout généreusement arrosé d'une sauce aux oignons. Sur le bord de l'assiette se donnaient encore à voir deux tartines, et du beurre.

— Par quel miracle suis-je censée avaler tout cela ? souffla-t-elle à Gilles.

— Tu m'as dit que tu mourais de faim, lui répondit-il avec un clin d'œil. Prouve-le !

Il piqua un morceau de viande au moyen de sa fourchette, qu'il porta à ses lèvres avant de se mettre à mâcher.

— C'est délicieux. Je suis ravi de manger enfin une viande digne de ce nom.

Olivia soupira. La nuit avait beau se rapprocher à grands pas, il faisait encore chaud. Le rationnement auquel elle avait été soumise pendant la guerre avait réduit peu à peu son appétit. Si l'on y ajoutait sa fatigue et la température excessive, il y avait fort à parier qu'elle ne ferait guère honneur à ce repas gargantuesque. Néanmoins, le fumet de la sauce à la menthe et aux oignons se révélait tentant. Elle se lança, surprise tout à coup d'avoir englouti déjà une bonne moitié de sa platée. Gilles avait raison. Pas de rationnement dans ce pays, et quel plaisir de dévorer une côte d'agneau !

Elle finit par repousser son assiette et se renverser un peu sur sa chaise. Elle était repue. Tandis que Gilles terminait son repas, la jeune femme en profita pour examiner les autres convives. Il n'y avait là que des hommes, dont certains, assurément, étaient plus aisés que d'autres – des éleveurs, à n'en pas douter, l'aristocratie de l'outback. Ceux-là ne s'asseyaient pas à la même table que les tondeurs ou les bergers, mais tous conversaient à travers la salle sans se soucier des différences sociales.

Quel drôle d'endroit que l'Australie, songea Olivia. Elle ne s'étonnait plus que sa mère ne s'y fût jamais accoutumée, car ici ne régnait aucun des codes si stricts qui présidaient au fonctionnement de la société anglaise. La jeune femme, elle, se réjouissait de cette libéralité – d'ailleurs, même en Grande-Bretagne les mentalités commençaient à changer. Pour cela hélas, il avait fallu une guerre. Peut-être à présent les Anglais pourraient-ils enfin passer à autre chose.

Maggie desservit les assiettes, qu'elle troqua contre des bols de pudding fumant et de crème.

— Je risque de devenir obèse si je mange autant tous les jours, observa Olivia.

— Pas la peine d'y compter, répliqua Maggie en déposant les assiettes sur un plateau.

Elle toisa la jeune femme et sourit de toutes ses dents.

— On est pareilles toutes les deux : nées avec seulement la peau sur les os.

Olivia ne sut comment accueillir cette remarque. Plusieurs années de privations et de travail acharné lui avaient fait perdre du poids. Rien à voir avec sa véritable nature.

— Je suis incapable d'avaler cela, dit-elle en rendant le bol de pudding à la serveuse.

— Filez-le à Gilles. Ça lui ferait pas de mal de se remplumer un peu après tout ce qu'il a enduré.

Le jeune homme s'empourpra – Olivia songea qu'il avait dû bavarder longuement avec Maggie lorsqu'il s'était offert un verre au bar.

— Êtes-vous la seule employée de cet établissement ? s'enquit l'Anglaise, pendant que leur hôtesse astiquait une cuiller avant de la placer soigneusement tout près de la main droite de Gilles.

Celle-ci secoua la tête.

— Lila et sa fille bossent en cuisine, et puis quelqu'un passe le matin pour faire le ménage, et le week-end pour donner un coup de main au bar. Sam devrait être ici aussi – c'est le proprio –, mais il est parti traîner, suivant sa chère habitude.

Au fond de son regard brun s'allumèrent des éclats d'or, dans le reflet des lampes qu'elle avait allumées plus tôt.

— Je vais lui tailler les oreilles en pointe quand il va daigner ramener sa fraise, menaça-t-elle. Il sait bien que le samedi soir, on désemplit pas.

Olivia but une tasse de thé en regardant Gilles engloutir l'une après l'autre les deux parts de pudding.

Elle lâcha un petit rire quand, enfin, il se renversa sur sa chaise et s'essuya la bouche avec sa serviette.

— Tu ne réussiras jamais à te lever de table après t'être pareillement empiffré, le plaisanta-t-elle. Mais je me réjouis de constater que tu as retrouvé ton bel appétit.

— C'est une nourriture roborative, répondit-il avec un sourire satisfait. Cela me rappelle le pensionnat, ou le mess des officiers.

Il alluma un cigarillo après s'être tapoté le ventre.

— Voilà ce que j'appelle un dîner.

Le jeune homme ne tarda pas à entrer en grande conversation avec un tondeur tout proche. Son amie, elle, reporta son attention sur Maggie, qui ne cessait de s'affairer, de sortir et d'entrer, entre les mains un plateau chargé d'assiettes, de tasses et de soucoupes.

Les hommes avaient convié Gilles à prendre un verre avec eux, mais il ne se sentait pas d'humeur à boire, d'autant plus que les fatigues du voyage lui pesaient à présent. Les deux Anglais saluèrent donc la compagnie pour aller flâner un peu en direction de la plage. Au terme d'un repas si consistant, ils avaient l'un et l'autre besoin d'un brin d'exercice. Sinon, ils ne fermeraient pas l'œil de la nuit.

Olivia huma le parfum des fleurs nocturnes, mêlé à l'âcreté des embruns. Tout était tellement calme, tellement silencieux... La route était déserte. Elle prit le bras de son ami, jouissant de la paix ambiante, de la brise marine, ainsi que de la compagnie de ce jeune homme qu'elle connaissait si bien.

Le clair de lune baignait la plage, et l'eau étincelait sous un ciel noir piqué d'étoiles. Olivia ôta ses sandales, retira ses bas, puis enfonça ses orteils dans le sable. Il était encore chaud. Elle releva sa jupe pour pénétrer dans le frais velours de l'océan.

Ayant retiré à son tour ses chaussures et ses chaussettes au prix de rudes efforts, Gilles la rejoignit. De l'eau jusqu'aux chevilles, tous deux contemplèrent avec émerveillement le ciel immense. La Voie lactée, qui avait craché à travers le firmament son majestueux nuage blanc moucheté de plusieurs millions d'épingles lumineuses, ne semblait posséder ni début ni fin. La Croix du Sud et la constellation d'Orion, quant à elles, jetaient des scintillements glacés contre les ténèbres infinies, tandis que le disque parfait de la lune se reflétait parmi les vaguelettes.

Olivia éprouva une fois encore cet apaisement qu'à tout coup lui inspirait ce lieu où elle avait jadis vécu. Enfant, jamais on ne lui avait permis de rester dehors après le coucher du soleil, mais elle était demeurée des heures entières à la fenêtre de sa chambre pour admirer le spectacle de la nuit. Elle tenait les étoiles pour de vieilles amies – et, pareilles à de vieilles amies, elles paraissaient aujourd'hui lui souhaiter bon retour.

Sam bouchonna la jument, s'assura qu'elle avait suffisamment de nourriture et d'eau, puis verrouilla d'un geste tranquille la porte de l'écurie. Ayant récupéré sa canne à pêche et ses prises du jour, il se tourna vers les lumières de l'hôtel en grimaçant. Il était tard, beaucoup plus tard qu'il ne l'aurait souhaité – Maggie allait lui sonner les cloches.

— Il est à moi, cet hôtel, grommela-t-il. J'en sors et j'y rentre quand j'en ai envie.

Mais il avait beau jouer les bravaches, il s'en voulait de laisser les rênes de l'établissement à la jeune femme. Si seulement il avait une excuse valable à lui opposer... Simplement, il n'avait pas vu passer l'heure. Ayant rejoint son coin de pêche favori, sur les hauts plateaux, il s'était pris à rêver d'un bout à l'autre de la journée, jouissant de sa solitude et de la paix que, toujours, lui apportait la fréquentation de la forêt pluviale.

Je vieillis, se dit-il en roulant une dernière cigarette avant d'affronter Maggie. Où était-il donc passé, le valeureux éleveur qui jadis avait lutté contre les incendies, les inondations, la sécheresse et les cartouches de fusil ? Il s'était mué en songe-creux. Un vieux tire-au-flanc qui tentait de dénicher la signification d'un monde qui avait évolué trop vite pour lui. Il grimaça de nouveau. De toute façon, sans Stella ni leur fils, plus rien ne revêtait la moindre importance.

Il plaça ses mains en coupe autour de l'allumette qui, un instant, dévora l'obscurité. Ce geste simple le faisait invariablement frissonner, car il lui rappelait la guerre – s'avisait-on alors d'embraser trois cigarettes avec la même allumette qu'on laissait au tireur ennemi en embuscade le temps de mettre en joue, de viser, puis d'abattre le troisième soldat. Les allumettes lui rappelaient également qu'une étincelle avait suffi à détruire tout ce qui comptait à ses yeux.

Le spectacle de désolation qu'il avait découvert en regagnant Leonora Station au terme du conflit continuait à le hanter. Chaque jour il se remémorait les tombes dans le petit cimetière. On les aurait crues abandonnées depuis longtemps – les puissances de la nature avaient tôt fait de reprendre leurs droits. Contre ces puissances, un homme pouvait s'ingénier à lutter toute sa vie, mais pour finir elles remportaient la victoire. Cette tragédie s'était révélée pour Sam une âpre leçon.

Avec un lourd soupir, il replaça l'allumette éteinte dans sa boîte, puis s'appuya de l'épaule à la paroi en bois brut de l'écurie. Ce qu'on appelait résilience ne valait que pour les hommes plus jeunes que lui, se dit-il encore. Eux seuls possédaient la force de surmonter de telles épreuves. Eux seuls, malgré les drames, souhaitaient encore aller de l'avant. Sa guerre à lui était terminée, dans tous les sens du terme. Il n'était plus guère à présent que le propriétaire d'un hôtel miteux situé au fin fond du Queensland.

Sam repoussa loin de lui ces tristes songes pour contempler Maggie par la fenêtre de l'établissement. Selon son habitude, elle s'affairait, s'adressait à mots rapides aux Aborigènes qui la secondaient en cuisine. Sam sourit. Maggie était une sacrée bonne femme. Maigre comme un coucou, mais pas vilaine – du moins quand elle se donnait la peine de s'étriller un peu pour les grandes occasions. Elle gérait par ailleurs l'hôtel de main de maître. Néanmoins, Sam devinait que la jeune femme, avant de le connaître, n'avait pas eu la vie facile. Et dire qu'aujourd'hui il ne lui rendait pas les choses plus douces en s'éclipsant ainsi, la laissant se débrouiller seule un samedi soir.

Il termina sa cigarette, dont il écrasa le mégot sous le talon de sa botte. Cependant, se consola-t-il, il avait aussi rendu service à Maggie en s'absentant : il avait remarqué les regards qu'elle lui coulait, et rapidement compris ce que ces regards-là signifiaient. Il s'était d'ailleurs senti flatté qu'une fille de son âge le jugeât séduisant, bien qu'il n'en perçût pas les raisons.

Certes, il avait été tenté. Maggie débordait d'énergie, c'était une forte femme telle qu'il les aimait. Mais son instinct lui avait soufflé que sa gérante n'était pas de celles qui se contentent d'une liaison sans lendemain. En outre, ils vivaient sous le même toit, dans une bourgade minuscule où la rumeur allait bon train; chacun ici savait tout sur tout le monde. Sam ne désirait pas s'investir dans une relation compliquée.

Il se dirigea à pas lents vers la porte latérale. Avec un peu de chance, Maggie serait encore occupée en cuisine et ne l'entendrait pas rentrer. Mais comme il allait poser la main sur la clenche, la porte s'ouvrit tout grand.

— Où t'avais foutu le camp? laissa-t-elle tomber, les poings sur les hanches.

Il frotta le sol de la pointe de sa botte, le visage dissimulé sous le bord de son chapeau.

— J'ai pas vu le temps passer.

Sur quoi il releva la tête pour décocher un large sourire à la jeune femme, avec l'espoir que ce sourire-là saurait l'amadouer.

— Excuse-moi, Maggie.

Celle-ci plaqua une paume contre le torse de l'homme, qu'elle repoussa dans les ténèbres. Puis elle claqua la porte derrière elle et planta son regard dans celui de Sam.

— Tes excuses, ça me fait une belle jambe. Je trime toute seule depuis 6 heures ce matin. Le bar désemplit pas, et j'ai loué huit chambres.

Le rouge aussitôt monta aux joues de Sam, qui s'efforçait d'éviter l'œil accusateur de son employée.

— J'ai rapporté quelques beaux poissons, hasarda-t-il, l'air enjôleur, en brandissant son butin.

— Je te dirais volontiers où tu peux te les mettre, le cingla Maggie. Mais je suis bien élevée.

Sam n'aurait pas dû sourire, mais c'était plus fort que lui: il trouvait impayable cette jeune tigresse en furie.

— T'avise pas de ricaner, le menaça-t-elle en lui mettant sous le nez un index vengeur. Ça a rien de drôle. J'ai galopé toute la journée, et j'en ai plein les bottes.

Elle lui jeta son torchon à la figure avant de foncer droit dans l'obscurité.

— Demain, je prends un jour de congé, fit-elle en s'éloignant. Et si ça se trouve, je reviendrai pas. Mets-toi donc ça au bout de ta ligne et puis va-t'en pêcher.

Sam se mordit la lèvre pour ne pas rire, puis pénétra à l'intérieur de l'hôtel. Elle reviendrait. Elle revenait toujours. Cependant, comme il déposait ses poissons dans la cuisine avant de se diriger vers le bar, il songea qu'il avait peut-être, cette fois, poussé le bouchon trop loin. Un jour, elle mettrait ses menaces à exécution. À l'idée de se retrouver seul aux commandes de cet établissement, il laissa mourir son sourire sur ses lèvres. Jamais il ne s'en sortirait.

— On dirait que la classe ouvrière se révolte, murmura Gilles, qui avait entendu la fin de l'échange entre Sam et Maggie, avant que celle-ci ne disparût dans les ténèbres.

— Elle a bien fait de filer, répondit Olivia. Cela va lui permettre de décompresser un peu.

Ils gravirent le large escalier, à la moquette rouge usée, puis traversèrent le palier pour rejoindre leurs chambres contiguës.

— Un dernier verre?

Olivia opina.

— Je suis éreintée, mais je n'arrête pas de réfléchir. Un cognac m'aidera peut-être à dormir.

Gilles, qui en avait acheté une bouteille quelques heures plus tôt, leur servit à chacun une rasade. Assis dans un silence complice, ils écoutèrent grincer le ventilateur au plafond, tandis que des insectes, les uns après les autres, venaient heurter les moustiquaires installées aux fenêtres.

Olivia se détendit, ferma les yeux. Les odeurs et les bruits de son enfance ressurgissaient peu à peu ; leur charme l'attirait à chaque instant davantage vers la raison de ce retour aux sources. Bientôt, il lui faudrait affronter les conséquences du périple qu'elle avait entrepris, ainsi que des événements survenus lors de sa prime jeunesse, événements sur lesquels, alors, elle n'avait aucune prise, et dont elle était trop petite à l'époque pour discerner le sens. Pour lointaines qu'elles fussent, ces images demeuraient précises, et la jeune femme fronça les sourcils, songeant qu'il y avait eu finalement, dans ces jours depuis longtemps révolus, plus de terreur que de joie.

— À quoi penses-tu? Tu parais si grave, tout à coup...

Elle rouvrit les paupières, adressa à son ami un pâle sourire.

— À des fantômes.

Le garçon haussa un sourcil en se bagarrant avec le dernier bouton de sa chemise – en dépit de l'heure tardive, il faisait encore chaud.

— Tu m'inquiètes...

Olivia détourna le regard, qu'elle finit par poser sur les portes-fenêtres menant à la véranda. Décelant le clair de lune à travers les moustiquaires, elle redevint aussitôt la fillette assise à sa fenêtre, qui jadis contemplait les étoiles... Qui écoutait les terribles disputes dans la pièce voisine.

— Pourquoi ne nous souvenons-nous que des jours ensoleillés? murmura-t-elle. Pourquoi oublions-nous les jours de pluie, pourquoi oublions-nous les nuages, le vent glacé, tranchant comme un couteau?

— Parce que nous tenons à les oublier, rétorqua son ami d'un ton bourru.

Il se tortilla dans son fauteuil.

— Parle-moi, Olivia. Dis-moi ce qui te tourmente vraiment.

Elle accrocha un sourire à sa face, sachant qu'il ne tromperait pas Gilles, mais du moins l'aiderait-il à surmonter ses noires pensées.

— Plus tard, dit-elle. Je n'ai pas fini de te raconter la tragique rencontre de ma mère avec l'Australie.

Gilles pencha doucement la tête.

— Tu es épuisée. Et inquiète. Peut-être ferais-tu mieux de reprendre ton récit demain?

— Je me sens beaucoup trop troublée pour pouvoir dormir.

Elle avala une gorgée de cognac, qui lui rendit une part de sa bonne humeur.

— Par ailleurs, enchaîna-t-elle, j'ai des choses à faire demain. Je manquerai sans doute de temps pour jouer les conteuses.

Une lueur s'embrasa dans l'œil noisette de Gilles. Olivia se mit à rire.

— Chaque chose à la fois, le taquina-t-elle. Tu en sauras autant que moi bien assez tôt.

Assise dans le canot de sauvetage, Eva tremblait de tous ses membres et sanglotait, tandis que la tempête faisait rage et que les hommes s'évertuaient à manœuvrer les lourdes rames de bois. Elle songea que ces efforts resteraient vains. Comment de pauvres mortels parviendraient-ils à vaincre cette mer en furie? Comment se pourrait-il qu'un seul d'entre eux survive à cette épouvantable nuit?

Pour la première fois depuis qu'elle avait quitté l'Angleterre, elle se mit à vomir. De tels spasmes la secouèrent qu'elle finit par s'écrouler dans l'eau glacée qui clapotait au fond du canot. Le froid l'avait privée de cette ultime étincelle de volonté qui, pourtant, lui avait naguère permis de se dresser contre ses parents pour épouser Frederick. Il avait tari en elle cette soif d'aventure qui l'avait poussée à s'élancer de l'autre côté du globe. Elle ne se souciait plus, désormais, de son sort. Si son époux était mort, alors elle ne désirait plus que de le rejoindre. Ses paupières se faisaient de plus en plus lourdes, de l'eau pénétrait dans sa bouche et ses narines.

— Allons, ma poulette. Manquerait plus que tu te noies avant l'heure.

Eva perçut la voix rocailleuse de la passagère, qui la saisit sous les bras, déchirant l'étoffe de sa robe de soirée. C'est à peine si la jeune femme sentit qu'on la hissait pour la caler entre deux jambes robustes. Elle eut beau tenter d'ouvrir enfin les yeux pour découvrir qui la malmenait de la sorte, ses paupières, semblait-il, demeuraient hermétiquement fermées, collées entre elles par le sel et le vent.

— Froid…, frissonna-t-elle. J'ai froid…

— Je sais, ma cocotte. On est tous gelés.

Contre les embardées du canot, contre son mouvement de roulis, contre les embruns qui lui lacéraient le visage, deux grands bras solides s'étaient refermés autour d'Eva pour ne plus la lâcher. La jeune femme humait de la laine mouillée, mêlée à l'étrange odeur rance exhalée par la peau de sa bienfaitrice. Elle éprouvait un vague ressentiment à l'égard de cette étrangère qui la traitait avec autant de familiarité, mais ses nausées se révélaient trop puissantes, et trop profond son découragement, pour qu'elle songeât à protester. La nuque ployée, elle avait posé son front contre le bras protecteur. Avant de s'évanouir, une dernière fois ses pensées allèrent vers Frederick et la vague monstrueuse qui le lui avait ravi.

Lorsqu'elle reprit conscience un moment plus tard, elle s'étonna de gésir encore dans le fond du canot, entre les jambes de l'inconnue qui ne cessait de l'étreindre. La tempête n'avait pas molli – les vagues s'abattaient de toutes parts dans un bruit de tonnerre, cependant que les brûlantes aiguilles de l'écume et de la pluie harcelaient la figure de la jeune femme. Les hommes demeuraient penchés sur les rames grinçantes, les traits déformés par la souffrance et la peur. Blottis en groupes, les autres rescapés baissaient la tête sous les assauts conjugués de la mer et des vents forcenés.

L'un des rameurs perdit soudain conscience et, sans la prompte réaction de son compagnon le plus proche, sa rame eût été perdue à jamais. Ce passager prit aussitôt la place du marin, dont il bouscula sans ménagement le corps inerte.

— Si vous savez ramer, brailla-t-il à la cantonade, relayez un peu ces pauvres garçons! Et si vous ne savez pas, vous n'avez qu'à écoper.

Le matelot éreinté, revenu à lui entre-temps, tituba en direction de la proue, jusqu'à ce qu'une vague gigantesque le renversât; il s'abattit lourdement aux pieds d'Eva. À peine celle-ci l'eut-elle aidé à se remettre debout qu'elle s'empara d'une rame. L'incident avait brusquement réveillé son instinct de survie; il était désormais hors de question qu'elle renonce.

Le matelot confia aux passagers deux seaux, ainsi que plusieurs quarts en fer-blanc, afin qu'ils écopent. Que l'embarcation flottât encore tenait du miracle, car il se trouvait bien trente centimètres d'eau dans le fond du canot.

Enfin, l'aube apparut, offrant aux regards un ciel aussi morne et gris que la mer au-dessous de lui. Cependant, la tempête semblait s'être éloignée, car si la taille des vagues restait impressionnante, elles avaient fini d'en découdre les unes avec les autres. Pareilles à de musculeux Léviathans, elles se succédaient à présent, une bourrasque levant de loin en loin un paquet d'écume à leur crête.

Eva, qui avait cédé sa place à la rame, prenait un peu de repos. Accroupie, elle regarda s'éclaircir les cieux. Elle avait mal au dos, ses lèvres desséchées par le sel la faisaient souffrir, mais l'étincelle qui, durant la nuit, s'était de nouveau embrasée en elle, continuait de briller. Elle avait voulu croire qu'ils survivraient ensemble à cette nuit de cauchemar, et ils avaient survécu. Elle devait à présent se persuader que, bientôt, ils apercevraient la terre ferme et découvriraient d'autres survivants du naufrage.

Comme elle se tournait vers la passagère qui lui avait manifesté tant de sollicitude, elle fut frappée par l'éreintement qui se lisait dans son regard bleu pâle – des rides profondes marquaient son visage pourtant jeune. C'est que Jessie avait elle aussi ramé, et durant de nombreuses heures, ayant décrété à ses compagnons qu'elle possédait autant de force qu'un homme, elle qui s'était échinée pendant plusieurs années dans une corderie. Mais toute énergie l'avait maintenant désertée.

— Nous sommes sains et saufs, Jessie, murmura Eva en rajustant autour des épaules rondes de la jeune femme son châle humide. Le vent est tombé.

— Et le bateau ? s'enquit Jessie d'une voix rauque, qui peinait à franchir la barrière de ses lèvres gercées – aucun passager n'avait avalé d'eau potable depuis des heures.

Eva contempla la houle, avec l'espoir de découvrir, chaque fois que le canot se hissait au sommet d'une vague, un signe de vie, une langue de terre. En vain. Elle se retourna vers Jessie, passa après quelques instants d'hésitation un bras autour de ses épaules.

— Il a disparu, répondit-elle, la voix brisée par l'émotion.

— Et les autres? Est-ce qu'il y a d'autres navires?

Eva secoua la tête. Si d'autres bâtiments étaient passés non loin d'eux au cours de cette affreuse nuit, sans doute ne les avaient-ils même pas repérés. Assises au fond de la chaloupe, les deux femmes s'abîmèrent dans leurs lugubres songes, le regard perdu en direction de l'océan démesuré, de ses soulèvements continus.

Le soleil voilé déclinait déjà, mais comme le canot se haussait, un cri retentit :

— Terre! Terre!

L'espoir au cœur, Eva et Jessie s'agenouillèrent tant bien que mal pour tenter d'apercevoir ce miracle à leur tour.

— Là! hurla Jessie en pointant un index crasseux vers le soleil couchant.

Eva scruta la brillance, une main en visière au-dessus des yeux, mais elle ne distinguait rien d'autre qu'un éclat lumineux. Rien d'autre qu'un océan désert. À y regarder de plus près, elle comprit qu'elle s'était fourvoyée : il ne s'agissait nullement d'un coucher de soleil, mais d'une élévation de sable jaune, qui courait sur l'horizon. Elle se tourna vers Jessie. Les deux femmes s'étreignirent en versant des larmes, à ce point soulagées que l'espace d'un instant les différences sociales s'effacèrent, emportées dans leur commune euphorie.

Les hommes ramèrent de plus belle, et tant pis s'ils se sentaient à deux doigts de s'effondrer – leur chemise trempée de sueur collait à leur torse, et leurs paumes saignaient. Mais cette terre surgie au loin décuplait leur vigueur.

Il faisait nuit quand, enfin, l'embarcation atteignit la côte. Les naufragés s'en extirpèrent pour chanceler sous le clair de lune, puis se laisser tomber dans le sable. Eva s'assit sur un rocher. Elle leva les yeux vers le firmament. Jamais elle n'avait encore contemplé de tels astres. C'était comme si les nues s'offraient aux rescapés dans toute leur magnificence pour célébrer l'événement.

Des larmes ruisselèrent à nouveau sur les joues de la jeune femme, chaudes et lourdes. Elle était seule. Jamais plus Frederick ne verrait les étoiles. Jamais plus il ne l'étreindrait en lui susurrant des mots doux.

— C'est pas le moment de flancher, lui lança un matelot d'un ton rude. Reprenez-vous et allez chercher du bois. Il faut qu'on fasse du feu et qu'on se mette à l'abri.

Le caractère bien trempé d'Eva, qui dans son entourage était depuis longtemps devenu légendaire, s'en trouva piqué sur-le-champ. Cet homme l'avait déjà insultée, il lui avait braillé des ordres, l'avait repoussée sans ménagement pour placer les survivants à l'intérieur de la chaloupe.

— Comment osez-vous me parler sur ce ton, espèce de malotru? cracha-t-elle. Je ne suis pas votre bonne.

Il la saisit aussitôt par le bras pour la remettre debout.

Comme Eva s'apprêtait à ruer dans les brancards, il l'obligea à se tourner vers l'intérieur des terres.

— Y a que du sable dans le secteur. Il nous faut de l'eau, il nous faut de la chaleur, il nous faut un endroit où dormir. Parce que demain, on devra décamper de là et marcher.

La jeune femme se libéra de l'étau de ses doigts pour lever le regard vers le visage du marin. Jamais encore il ne lui avait été donné de poser les yeux sur un être aussi répugnant, dont la puanteur, qui plus est, se révélait insoutenable.

— Marcher? se récria-t-elle. Pourquoi diable faudrait-il que je marche? Quelqu'un doit forcément savoir où nous nous trouvons.

— La tempête nous a déportés de plusieurs dizaines de kilomètres. Personne aura l'idée de chercher aussi au sud. Si on veut espérer s'en tirer, faut marcher.

Eva contempla avec horreur cette langue de sable qui semblait s'étirer sans fin, semée seulement, ici et là, de rocs noirs aux contours déchiquetés. Des dunes fantomatiques luisaient dans son dos, au flanc desquelles s'agrippait une végétation chétive. À l'évidence, la région était inhabitée.

Jessie l'avait rejointe.

— On ferait mieux de lui obéir, souffla-t-elle. Si on fait pas sécher nos habits, c'est la pneumonie qui nous emportera bientôt.

La nuit passa comme un songe. Les quinze rescapés, recrus de fatigue, s'endormirent à peine allongés autour du grand feu établi au-dessus de la limite supérieure des flots.

Lorsqu'elle s'éveilla, Eva sentit sur elle la chaleur du soleil. Une chaleur de four, qui déjà brûlait son visage et ses épaules nues. Elle passa la langue sur ses lèvres sèches – si seulement elle avait pu boire encore un peu de cette eau infecte qu'un matelot avait rapportée dans une bouillotte en tissu. Mais il n'y avait eu dans l'outre que de quoi offrir une gorgée de liquide à chaque passager. À présent elle était vide.

Elle lorgna la mer avec envie. Quelques gouttes d'eau salée ne pourraient pas lui faire de mal. Elle rassembla ses jupes et pénétra dans les flots. Comme elle se penchait sur ses mains en coupe pour étancher sa soif, quelqu'un les lui écarta sans douceur.

— Buvez pas ça !

La jeune femme fit volte-face, manquant de perdre l'équilibre : de nouveau l'affreux marin.

— J'ai soif.

Il lui saisit le poignet pour la contraindre à regagner la plage, ne consentant à la lâcher que quand ils eurent rejoint leurs compagnons d'infortune, demeurés pelotonnés autour du feu en dépit de la canicule.

— Si vous avalez de l'eau de mer, vous aurez perdu la boule d'ici le coucher du soleil.

— C'est grotesque.

L'homme se tourna vers elle, les traits enfin débarrassés de leur violence initiale.

— Pardon, m'dame, de vous brusquer comme ça, mais j'en ai vu devenir fous. C'est pas des blagues.

Il grimaça.

— Ces types-là hurlaient, la bave aux lèvres. La mort est lente. Mais personne en réchappe. Mieux vaut crever de soif, parole.

Démoralisée, Eva se tourna vers les autres matelots, qui tous approuvèrent d'un hochement de tête. Puis elle reporta son attention sur son tourmenteur.

— Mais j'ai tellement soif, gémit-elle.

— Et ça va pas aller en s'améliorant, maugréa l'homme. Faut qu'on se mette en route tant que le soleil est encore bas.

Eva guigna ses compagnons. On recensait six marins, cinq hommes et quatre femmes, parmi lesquels elle ne reconnaissait personne. Sans doute ces survivants-là avaient-ils logé dans les ponts inférieurs, voire dans l'entre-pont. Son statut social lui commandait par conséquent de montrer l'exemple. Levant un peu ses jupes tachées de sel pour éviter de s'y prendre les pieds, elle emboîta le pas au matelot. Plus vite le petit groupe se lancerait à l'assaut des dunes, plus vite il découvrirait de l'eau. Plus vite il regagne-rait la civilisation.

Le soleil tapait impitoyablement. On glissait, on s'enfonçait dans le sable toujours mouvant, résolu, semblait-il, à garder les passagers prisonniers sur la plage ; on transpirait à grosses gouttes. Au-dessus des têtes tournoyaient des oiseaux de mer, dont les cris sinistres accompagnaient les geignements des rescapés – malgré leur épuisement, ceux-ci s'échinaient en direction de la délivrance, ou du moins de ce qu'ils croyaient telle.

Eva déchira un morceau de son jupon pour s'en couvrir la tête et les épaules, tandis que Jessie se hissait tant bien que mal, en s'aidant des genoux et des mains. L'épreuve se révé-lait intolérable. L'étoffe ne servait à rien : le soleil martelait sans relâche le crâne d'Eva, dont la migraine qui la taraudait à présent l'aveuglait presque. Elle savait pourtant que le marin avait eu raison de les entraîner dans ce périple car, lorsqu'elle se retourna, c'est une mer désespérément vide qui s'offrit à ses regards. Personne ne volerait à leur secours. Leur sort reposait entre leurs seules mains.

L'un après l'autre, les survivants atteignirent le faîte de la dune – les premiers arrivés tendaient les mains vers celles ou ceux qui les suivaient. Une fois que tous eurent repris haleine, ils osèrent enfin observer le décor.

Un paysage rouge sang, assurément hostile, où régnait un silence absolu, s'étendait d'un bord à l'autre de l'hori-zon ; il miroitait sous des cieux infinis. Par-dessus cette terre étrangère, une herbe pâle formait un interminable océan fluctueux, où se dressaient quelques rares arbres que le vent avait ployés et distordus. Loin au-dessus de ces immensités se donnait à voir la ronde enténébrée de grands oiseaux de proie.

Eva se laissa tomber à genoux. Le groupe se taisait. La jeune femme ne s'était certes attendue à rien en particulier, mais ce panorama désolé la mit au désespoir. Le matelot qui les menait arracha l'une des feuilles épaisses d'un épineux tout proche, pour la porter ensuite à sa bouche. Eva vit se hausser et s'abaisser sa pomme d'Adam.

— De l'eau, fit-elle d'une voix rauque. Il a trouvé de l'eau.

On se rassembla immédiatement autour de lui, et l'on suivit son exemple. C'était une eau saumâtre, mais jamais Eva n'en avait goûté de meilleure.

— Comment saviez-vous…? s'étonna-t-elle, vivement impressionnée.

— Un truc d'Aborigène. Je les ai vus faire plein de fois.

— Vous êtes donc déjà venu en Australie?

Eva lécha avec soin les dernières gouttelettes adhérant encore à ses lèvres parcheminées.

— Avez-vous la moindre idée de l'endroit où nous nous trouvons? Êtes-vous capable d'évaluer la distance qui nous reste à parcourir?

Il scruta le paysage un long moment.

— On a de la veine. La ville la plus proche est à environ cent cinquante kilomètres d'ici.

Il tendit l'index en direction du nord, avant de lire l'effroi sur les traits de la jeune femme.

— On se construira des abris où on s'installera pendant la journée, et on marchera de nuit. La lune éclairera notre chemin.

Sitôt dit, sitôt fait : on suspendit des manteaux et des jupons aux branches tombantes d'un arbre proche, qui formèrent un auvent de fortune sous lequel on se rassembla en silence pour le reste de la journée, n'esquissant de temps à autre un geste que pour chasser les mouches importunes qui vrombissaient sans relâche. Elles se posaient sur les bouches et les yeux, elles exploraient le moindre centimètre carré de peau exposé à l'air libre. Eva crut bien devenir folle. Comment avait-elle pu s'imaginer que l'Australie représenterait une formidable aventure? Pour quelle obscure raison pouvait-on choisir de s'installer dans cette contrée? Comment survivre seulement aux brûlures de cet implacable soleil?... Cent cinquante kilomètres, se dit-elle. Cent cinquante kilomètres, répéta-t-elle pour elle-même. Jamais elle ne parviendrait à couvrir une pareille distance.

La nuit tomba d'un coup, tandis qu'une brise marine soufflait, apaisant les chairs recuites. Ce fut pour tous un bref soulagement, après quoi les rescapés se mirent en route. Ils soulevaient à chaque pas des nuages de poussière rouge, les jupes entravaient les femmes qui les portaient, se prenant dans les buissons épineux que la pénombre ne leur permettait pas de distinguer. On ne soufflait mot. Du fond de sa faiblesse, chacun puisait des forces insoupçonnées, débusquait du courage là où il n'aurait jamais cru pouvoir en trouver. Le désir de vivre se révélait plus puissant que tout...

Eva cheminait à côté de Jessie, l'œil fixé sur l'horizon, songeant que chaque enjambée la rapprochait de la délivrance, du moins priait-elle pour qu'il en fût ainsi. Elle ne se laisserait pas abattre, elle s'en faisait le serment; et tant pis si son soulier commençait à lui chatouiller le talon. Tant pis si ses épaules lui paraissaient rôtir encore là où le soleil les avait chauffées si fort qu'elles pelaient. Jetant un coup d'œil à sa compagne, elle lut sur son visage une détermination égale à la sienne. Leurs regards se croisèrent. Elles échangèrent un bref sourire avant de se replonger dans leurs pensées les plus intimes.

L'aurore avait peint au ciel des bandes de rose et d'orangé, quand le petit groupe repéra au loin un nuage de poussière. On se figea, la main en visière au-dessus des yeux, pour tenter de discerner la nature de ce phénomène.

Un murmure courut parmi les quinze survivants. De quoi pouvait-il bien s'agir? La rumeur s'intensifia dès qu'ils reprirent leur progression. Les spéculations allaient bon train, cédant la place à la crainte lorsque quelqu'un suggéra qu'il pouvait s'agir d'une tempête de poussière, ou bien d'une bande d'Aborigènes en maraude.

Le nuage se précisa, au centre duquel se devinait à présent un contour vacillant, qui se trouvait encore trop loin pour qu'il fût possible de l'identifier. La peur ralentissait le pas des rescapés qui, cependant, gardaient l'œil rivé à cette nuée menaçante.

Cette fois, de minuscules formes noires se précisaient au cœur du nuage. Eva s'interrompit, peinant à croire à ce qui se présentait devant elle.

— C'est un chariot, murmura-t-elle. Un cheval avec un chariot.

Elle fondit en larmes, sans plus songer à chasser les mouches accablantes.

— Nous sommes sauvés, sanglotait-elle. Nous sommes sauvés.

On se redressa en attendant que l'engin se rapproche. Ils entendaient maintenant les cris, le fouet, le tonnerre des sabots… Le cliquetis du harnais, le fracas du chariot brimbalant sur le sol inégal.

Eva prit la main de Jessie dans la sienne et la pressa.

— Je ne vous ai pas encore remerciée de m'avoir sauvé la vie. Sans vous, je me serais noyée au fond de la chaloupe.

Jessie serra en retour les doigts de sa compagne.

— On s'est entraidées, voilà tout. Vous m'avez poussée au derrière, mine de rien, parce que vous aviez de la ressource et que j'avais pas envie que vous m'en remontriez. Hors de question qu'une donzelle de la haute me dame le pion.

D'un hochement de tête, Eva salua la franchise de Jessie. De son côté, elle avait tenu bon, estimant qu'il était de son devoir de montrer l'exemple aux classes inférieures – à la vérité, elle s'était fait une règle de dissimuler ses faiblesses à cette petite bonne femme déterminée, issue des quartiers pauvres de Londres. Voilà ce qui lui avait donné la force de poursuivre.

Le chariot se rapprochait encore, dont les roues continuaient, de même que les sabots des bêtes, à soulever d'épaisses nuées de terre rouge. Ces nuages tourbillonnants enveloppaient à présent les quinze spectateurs de la scène, qu'ils étouffaient presque. Eva plaqua contre sa bouche le morceau de jupon qui jusqu'alors lui avait servi de voile ; ses yeux se réduisirent à deux fentes minces.

Comme elle s'apprêtait à rejoindre leurs sauveurs, parmi lesquels jaillissaient déjà des clameurs d'allégresse, elle repéra une silhouette à l'arrière du chariot. Elle se figea, éberluée, le cœur battant à rompre.

L'homme sauta du véhicule pour se diriger vers elle à grandes enjambées, les bras largement ouverts.

— Frederick?

À peine l'eut-il étreinte que sa voix se brisa.

— Oh, Frederick, hoquetait-elle. Et moi qui croyais ne jamais te revoir.

4

La fureur de Maggie s'évanouit peu à peu tandis qu'elle se dirigeait vers la plage d'un pas de grenadier. Elle avait rivé son clou à Sam. Tous deux savaient néanmoins qu'elle ne partirait pas – où pourrait-elle bien aller? Elle n'avait pas de famille. Pas de foyer. Elle n'avait rien.

Elle ôta ses chaussures pour marcher dans le sable chaud. Elle aimait son contact contre ses pieds nus, et ce léger tiraillement dans les mollets produit par la vigueur de sa foulée. L'air était de velours, la brise délicieusement rafraîchissante après la chaleur caniculaire qui régnait dans la cuisine. Elle se remémora en souriant la mine penaude de Sam, et son regard chargé d'espoir lorsqu'il lui avait offert sa pêche du jour. Tous les hommes se ressemblaient. Comme si quelques poissons suffisaient à régler les problèmes…

Elle finit par ralentir l'allure, sans s'étonner de l'endroit où ses pas l'avaient menée malgré elle. Tandis qu'elle regardait autour d'elle, elle éprouva un infime désarroi. La situation aurait pu se révéler tellement différente, songea-t-elle avec mélancolie. Si seulement. Elle redressa les épaules, puis se détourna, résolue à repousser ces pensées maussades. Il ne servait à rien de souhaiter une chose qu'on n'obtiendrait jamais. Les rêves étaient sans valeur. Il ne se trouvait rien ici pour elle. Jamais il ne s'y était rien trouvé qui lui fût destiné. Elle avait reçu une terrible leçon; elle ne commettrait pas deux fois la même erreur.

Maggie entama le lent périple qui la ramènerait à la route. Elle était en train de guérir – cette quasi-absence d'émotion le lui prouvait. Elle voulait y lire le signe qu'elle resterait dans cette ville, et qu'elle saurait s'en contenter. Il fallait bien un jour s'arrêter de courir. Laisser derrière elle les années sombres et prendre un nouveau départ.

L'hôtel reposait dans les ténèbres quand elle le regagna – après tant d'années à Sydney, elle jugeait toujours étrange qu'ici, dans le Queensland, on se couchât si tôt. Elle avait presque oublié qu'elle se levait jadis tous les matins avant l'aube. Oublié les longues heures qu'elle passait à s'éreinter dans le ranch. Oublié son épuisement quand enfin le soleil déclinait. Cette vie-là ne ressemblait en rien à celle qu'elle avait menée en ville, mais elle se réjouissait d'avoir renoué avec elle.

Le cabanon de bois était situé à l'écart, à la fois loin des écuries et du vacarme du bar. Composé d'une seule pièce divisée en trois espaces distincts, il ne s'en trouvait pas moins confortablement meublé. Maggie avait installé son lit dans le coin le plus reculé, et disposé sur la commode voisine ses bibelots favoris. Au centre de la bicoque se dressait une table branlante, assortie de ses quatre chaises, tandis que de part et d'autre de la cheminée en pierre se donnaient à voir le canapé et le fauteuil. Une petite zone séparée du reste de la pièce par un rideau faisait office de salle de bains, mais comme il fallait se fournir en eau à la pompe, celle-ci ne consistait qu'en un évier en émail, un pot à eau et son bassin, ainsi qu'un vase de nuit rangé dans un placard – les cabinets au-dehors étaient infestés d'araignées, au point que la jeune femme qui, à Sydney, avait eu le temps de s'accoutumer au luxe des toilettes intérieures, n'avait jamais accepté d'y pénétrer.

Elle entra, alluma la lampe au kérosène. Elle se sentait ici chez elle, et puis quel plaisir que de n'avoir plus à passer ses nuits dans un dortoir, comme elle avait dû le faire dans la grande ville. Elle contempla avec satisfaction les photographies épinglées aux murs, ainsi que les objets de porcelaine posés sur le manteau de la cheminée en pin ciré. Elle se déshabilla, bâillant à s'en décrocher la mâchoire, tira de l'eau, dont elle emplit l'évier, et entama sa toilette. L'eau sentait légèrement le soufre, mais la jeune femme en apprécia la fraîcheur bienfaisante.

Une serviette autour du corps, elle ôta les épingles de ses cheveux, qui cascadèrent sur ses épaules et jusque dans son dos. Elle se sentait trop harassée pour les laver ce soir ; demain, puisqu'elle s'était accordé une journée de congé, elle aurait tout le temps. Assise sur le lit, elle se coiffa en se remémorant ses visiteurs anglais.

À l'époque où elle vivait à Sydney, elle s'était prise de passion pour le cinéma. Avec ses collègues de l'usine de confection, elle s'asseyait dans les salles obscures pour s'y laisser emporter loin de son univers familier. Elle sourit en songeant à Gilles. Il lui rappelait Laurence Olivier, et elle adorait sa façon snob et terriblement guindée de s'exprimer. Elle gloussa. Olivia se révélait du même tonneau – vétilleuse à souhait, Maggie en aurait mis sa main au feu, pareille aux contremaîtresses de l'usine.

La jeune femme laissa tomber la brosse à côté d'elle pour enfiler sa chemise de nuit en coton. Elle grimpa dans son lit, bourra les oreillers de coups de poing jusqu'à se confectionner le nid le plus douillet qui fût. Olivia arborait des vêtements de prix, des ongles impeccables et un maquillage sans défaut. Ces deux-là roulaient carrosse, mais s'ils s'étaient offert le trajet jusqu'en Australie, ils ne semblaient pas s'y trouver pour jouer les touristes. Ils représentaient à ses yeux une énigme. Que sans doute elle ne résoudrait jamais, car Olivia, pour affable qu'elle fût, l'intimidait, et Gilles ne s'était pas montré particulièrement loquace lorsqu'elle avait tenté de bavarder avec lui au bar, avant le dîner.

Allongée dans son lit, Maggie laissa vagabonder ses pensées. Elle avait accompli un long périple pour atteindre cette bourgade du nord, et d'aucuns, à sa place, auraient jugé qu'elle avait perdu son temps. Mais la jeune femme était une incorrigible optimiste : elle avait obtenu ici la réponse à certaines des questions qui la tourmentaient, et pris un nouveau départ – pour la première fois depuis des lustres, elle se sentait en sécurité. Si seulement Sam daignait s'apercevoir de sa présence, son bonheur serait complet.

Le regard de Maggie se dirigea vers la photographie posée sur la commode. Le cadre d'argent s'était terni, et l'image de ses chers parents pâlissait sous le verre rayé, mais elle gardait le pouvoir de ressusciter les souvenirs d'une enfance à la fois brève et radieuse. Cette enfance qu'une tragédie avait fait un jour voler en éclats.

Maggie aimait Waverly Station avec passion. Le ranch déployait ses terres au nord d'Adélaïde, le domaine comprenant de douces collines, ainsi que des vallées verdoyantes. Les oiseaux y chantaient en permanence, et le dos des bœufs luisait sous des cieux d'or. Cependant, il avait fallu consentir de terribles efforts pour faire de Waverly Station le joyau qu'elle était devenue. Maggie ne l'ignorait pas, elle qui, dès son plus jeune âge, avait tenu à prendre part aux travaux des jours.

Juchée sur la clôture, les jambes pendantes, elle se demandait quand elle pourrait porter la robe que sa mère avait confectionnée pour son onzième anniversaire. Plusieurs semaines s'écouleraient encore avant la prochaine kermesse agricole, or elle brûlait d'exhiber cette tenue en mousseline citron, munie de manches bouffantes et de jupons mousseux qui tournoyaient autour de ses jambes lorsqu'elle dansait devant le grand miroir vertical installé dans la chambre de ses parents.

Hélas, la conversation qu'elle avait surprise entre eux la veille au soir lui donnait à penser que l'heure n'était pas aux réjouissances. Papa se tracassait au sujet des factures pour le fourrage, des gages à verser aux gardiens de troupeaux, du prochain loyer qu'il lui faudrait régler pour le terrain. De son côté, maman évoquait avec inquiétude les nouvelles annoncées dans les journaux – quelque chose à voir avec Wall Street, aux États-Unis. Maggie s'était couchée ce soir-là l'esprit troublé. Comment diable une rue d'Amérique[1] pouvait-elle affecter la bonne marche du ranch? Mais Maggie ne tenait pas à poser la moindre question à ses parents, car elle n'aurait pas dû écouter aux portes alors qu'elle était censée dormir.

---

1. « Wall Street » signifie littéralement «rue du mur».

Avec un lourd soupir, elle quitta son perchoir pour aller chercher le dernier seau de nourriture. C'était en toute fin de journée que l'on garnissait les auges, et si l'enfant détestait entendre pleurer les veaux qui réclamaient leur mère, elle savait que, bientôt, ils s'apaiseraient. Les odeurs et les sons de Waverly Station vivaient au plus profond d'elle-même et, si l'on y traitait bien les bêtes, il se révélait également nécessaire de les rassembler parfois, de les stériliser, puis de les vendre aux abattoirs quand on ne les gardait pas pour la reproduction.

Maggie nourrit les veaux, s'assura qu'ils avaient de quoi s'abreuver, puis salua son père de la main tandis qu'il retirait ses bottes avant de se laisser tomber dans l'un des fauteuils de la véranda. Comme elle achevait son labeur quotidien, la fillette jetait régulièrement des regards en direction de la vieille demeure, que le soleil déclinant baignait d'or à présent.

La bâtisse avait été édifiée près d'un siècle plus tôt, par le grand-père de son père. C'était une maison robuste, dont le toit de tôle ondulée croulait sous les fleurs grimpantes et le lierre. La moindre brise s'insinuait entre les planches dont les murs étaient faits, ainsi que sous le toit, au niveau des solives. Fraîche en été, la demeure devenait glaciale durant les terribles nuits d'hiver de l'outback australien. Quant aux marches de bois menant à la véranda, on avait eu beau les remplacer depuis peu, déjà les termites les reprenaient d'assaut. Le toit, rapiécé par endroits, ployait tel un cheval ensellé, et les moustiquaires, tendues aux portes comme aux fenêtres, auraient eu besoin d'un petit coup de peinture. Le soleil avait décoloré la rambarde de la véranda, cependant que son plancher aurait nécessité qu'on le clouât plus fermement. Et pourtant, cette maison était celle de Maggie, qui la chérissait assez pour ne pas même imaginer de pouvoir un jour vivre ailleurs. Elle finit par rejoindre son père dans la pénombre, et prit place dans son rocking-chair préféré.

Harold Finlay roula une cigarette en étrécissant le regard, qu'il dirigea, de sous le bord de son chapeau, vers les terres face à lui. C'était un taiseux, mais sa fille savait qu'il l'aimait.

Cet amour, en effet, se devinait dans le sourire qui lui plissait le coin des yeux et creusait les rides de son visage. Il se devinait encore dans la façon dont il effleurait son enfant d'une main salie que de longues années de labeur avaient rendue calleuse.

— Ta mère m'a l'air d'avoir décidé de rentrer tard, murmura-t-il en craquant une allumette.

— Je vais préparer le dîner, proposa Maggie. Elle doit être en train de papoter avec Betty Richards, et elle aura oublié l'heure.

Harold opina sans cesser de contempler ses terres ; sa cigarette se consumait entre ses lèvres.

— T'as sans doute raison, commenta-t-il à voix basse.

Maggie observa l'horizon, derrière lequel le soleil avait presque sombré. Le trajet était long depuis le ranch des Richards, se dit-elle, mais ne souhaitant pas inquiéter inutilement son père, elle se contenta de lui tapoter l'épaule avant de quitter la véranda pour aller préparer le repas du soir.

Elle avait cuit, puis réduit en purée les pommes de terre ; elle avait coupé en tranches le bœuf salé et réchauffé dans le four le bon pain dont le parfum appétissant envahissait maintenant la demeure. Maggie essuya son visage en sueur avant de regagner la véranda – il régnait dans la cuisine une chaleur effroyable.

— Le dîner est prêt, annonça-t-elle.

— Je mangerai quand ta mère sera rentrée, répondit Harold en se levant pour scruter encore les environs.

Les jointures de ses doigts blanchirent lorsqu'il agrippa la balustrade de la véranda ; ses traits s'étaient encore creusés depuis tout à l'heure. Une bouffée d'effroi envahit la fillette, qu'elle s'ingénia à dissimuler de son mieux.

— Elle devrait arriver d'une seconde à l'autre, dit-elle avec un enjouement feint.

Harold baissa les yeux vers son enfant.

— Je vais aller à sa rencontre, murmura-t-il. Reste ici.

— Je viens avec toi, rétorqua-t-elle en secouant la tête avec vigueur.

L'homme la fixa longuement. Son expression demeurait indéchiffrable.

— C'est pas ta place, ma chérie, finit-il par lâcher.

Maggie fronça les sourcils. Papa devait craindre quelque chose, car elle avait déjà plus d'une fois chevauché dans le noir sans qu'il trouvât rien à redire. Elle menait à merveille son petit poney, par les jours les plus chauds comme par les soirs les plus glacés. Depuis longtemps, elle avait pris l'habitude de dormir de loin en loin à la belle étoile – sa selle alors lui servait d'oreiller, tandis qu'une mince couverture suffisait à la protéger du froid. Elle était accoutumée à passer plusieurs semaines d'affilée loin de chez elle, avec les hommes du ranch pour unique compagnie. Elle ne répondit rien, mais quitta aussitôt la véranda pour aller seller sa monture.

Harold la suivit. Bientôt, ils trottaient côte à côte et, comme ils franchissaient la première barrière, il lui effleura le coude.

— Merci, souffla-t-il avec douceur. Je suis pas fâché que tu m'accompagnes.

La fillette lut de la terreur dans le regard de son père; elle avala sa salive. Maman allait bien. Forcément. Il le fallait. Néanmoins, la propriété des Richards se situait à une bonne cinquantaine de kilomètres, et maman s'y était rendue assez souvent pour savoir qu'elle devait quitter ses hôtes en milieu d'après-midi si elle ne voulait pas risquer de se laisser surprendre par la nuit. Personne n'avait téléphoné. Elle était donc partie. Où pouvait-elle bien se trouver?

Ils traversèrent les enclos. Peu à peu, les ténèbres les enveloppaient; la lune s'élevait dans un ciel constellé d'étoiles. Ils coudoyèrent un moment le troupeau ondoyant, d'où montèrent des protestations, car les bêtes n'aimaient pas qu'on les dérangeât pendant qu'elles fourrageaient dans l'ombre. Enfin, le père et la fille s'élancèrent sur la piste creusée d'ornières par le passage des chariots et durcie par les sabots des montures. Cette piste, qui sinuait au milieu des pâturages et du bush, constituait le plus court chemin vers le ranch de leurs voisins.

Le cheval émergea de l'obscurité en plein galop, l'œil fou, la crinière au vent. Lorsque Maggie tenta de saisir ses rênes, il se cabra; le poney s'empressa de se placer hors de portée des sabots étincelants.

— Laisse-la! hurla Harold. Elle saura bien rentrer toute seule.

Sur quoi il éperonna sa propre monture, sa fille à ses côtés.

L'enfant discernait l'effroi qui s'était emparé d'elle dans chacune des respirations de son poney, dans tous les martèlements de ses sabots. Où était maman?

Ils la découvrirent au bord de la piste, presque entièrement dissimulée derrière le tronc d'un arbre abattu, parmi de longues graminées. Elle avait la nuque brisée. Elle était probablement morte sur le coup.

Maggie éteignit la lampe. Il ne restait que le clair de lune, et les larmes brûlantes qui roulaient sur ses joues. Le décès d'Elizabeth Finlay avait jeté son ombre affreuse sur Waverly Station, mais ce que la petite fille ignorait encore était que cette ombre ne faisait qu'annoncer de plus profondes ténèbres.

Au terme d'une bonne nuit de sommeil, Olivia se réveilla fraîche et dispose, et même si elle redoutait la rencontre à venir, elle avait hâte de voir l'écheveau se démêler. Il était encore très tôt, l'aube venait de poindre; un ciel uniformément bleu avait paru. Pendant qu'elle s'habillait, la jeune femme, par la fenêtre, observa la rue située en contrebas. En dépit de l'heure matinale, les commerçants balayaient déjà les trottoirs devant leurs échoppes, avant d'y exposer leurs marchandises, tandis que quelques lève-tôt déambulaient paisiblement au soleil, quand ils n'avaient pas pris place sur l'un des bancs disposés à intervalles réguliers le long de l'accotement herbeux. L'existence ici suivait un cours paisible. Nul ne se hâtait, on ne déplorait pas de bousculades. Pas de gaz d'échappement s'élevant dans l'azur. C'était un autre monde, fort éloigné du smog londonien.

Une fois vêtue, Olivia ouvrit la porte menant au salon. Des particules de poussière flottaient dans les rayons du soleil filtrant à travers les volets, que la jeune femme ouvrit, avant d'ôter aussi les moustiquaires. Il faisait encore frais. Le parfum des fleurs exotiques se mêlait à l'odeur salée de la mer, ainsi qu'aux arômes secs et chauds des immenses terres désertes qui s'étendaient par-delà cette verte oasis.

Olivia mit les mains dans les poches de son pantalon de coton, puis sortit sur le balcon. Des palmiers empêchaient de voir l'océan, mais bien au-delà des toits, la jeune femme distinguait une ligne d'un bleu inouï, de même que les contours vaporeux d'une île minuscule. Il y avait là un ou deux bâtiments qui ne s'y trouvaient pas vingt ans plus tôt, mais dans l'ensemble, conclut-elle à nouveau, rien n'avait changé.

Elle quitta le balcon pour se rendre jusqu'à la porte de Gilles, devant laquelle elle s'immobilisa pour tendre l'oreille. Elle sourit : son ami ronflait. Elle décida de le laisser dormir. Elle lui monterait plus tard son petit-déjeuner.

— Bonjour, mademoiselle Hamilton. Ça roule ?

L'homme tendit la main avec un large sourire.

— Je m'appelle Sam White.

— Comment allez-vous ? répondit Olivia.

C'était un garçon séduisant, aux épaules larges, aux bras musclés. Au sourire enjôleur. La jeune femme n'en comprit que mieux pour quelle raison Maggie restait à son service.

— Le petit-déjeuner sera bientôt prêt, annonça-t-il joyeusement en entraînant sa cliente vers la salle à manger. En attendant, prenez du thé ou du café.

Olivia ne put s'empêcher de lui rendre son sourire. Cette allégresse, de si bon matin, la faisait fondre. Néanmoins, elle ne put se retenir de doucher un peu l'enthousiasme de son hôte.

— Maggie n'est pas là ? s'enquit-elle d'un ton innocent.

Quelque chose qui ressemblait à de l'affolement ternit brièvement le regard bleu vif de l'hôtelier.

— Elle a pris une journée de congé, répliqua-t-il en hâte, avant de quitter la pièce.

Olivia versa du café dans une tasse et s'assit. Elle se retenait de rire – la salle était vide, mais elle ne souhaitait pas que Sam risquât de l'entendre glousser. Ainsi la jeune gérante avait-elle mis sa menace à exécution et, à n'en pas douter, son éclat n'avait pas été vain : derrière sa bonhomie, Sam dissimulait une réelle inquiétude.

Lorsque le petit-déjeuner arriva, la jeune femme gémit intérieurement : il se composait d'un steak, de deux œufs au plat, de pommes de terre, de bacon et d'un mets qu'elle ne reconnaissait pas – comment diable avait-on pu s'imaginer qu'elle serait capable d'avaler tout cela ?

Sam déposa sur la table une grande bouteille de ketchup, après quoi il resta planté là, le sourire aux lèvres.

— Voilà de quoi vous faire tenir debout toute la journée. Régalez-vous, mademoiselle Hamilton.

Elle toucha du bout de sa fourchette le mystérieux aliment.

— De quoi s'agit-il ?

— D'un genre de saucisse.

Olivia fixa l'étrange morceau qui, plus qu'une saucisse, lui évoquait une matière dans laquelle il arrivait qu'on marchât sur un trottoir, grimaça, puis enfin planta sa fourchette dans une pomme de terre.

— Nos saucisses ont une drôle de bobine, j'avoue, s'excusa l'hôtelier. Mais elles ont un goût épatant.

Olivia leva les yeux vers lui avec l'espoir qu'il ne s'attarderait pas auprès d'elle jusqu'au terme de son repas. Pour lui faire plaisir, elle préleva un petit fragment de saucisse, qu'elle porta avec précaution à ses lèvres. Un mélange de saveurs lui ravit aussitôt le palais ; elle se resservit. Il s'agissait d'agneau, cuit avec des oignons, de la menthe et du poivre, ainsi qu'un peu de persil. Cette vilaine saucisse se révélait délicieuse.

Sam hocha la tête, manière de confirmer qu'il avait eu raison de pousser la jeune femme à tenter l'aventure, puis se retira en cuisine.

D'ordinaire, le petit-déjeuner d'Olivia se composait d'une tasse de café et d'une tranche de pain grillé, qu'elle avalait sur le pouce avant de filer à l'hôpital. De surcroît, elle avait festoyé la veille au soir, si bien qu'elle ne put faire honneur à la copieuse assiettée qu'elle avait devant elle. Sa seule vue la navrait. Elle disposa le petit-déjeuner de Gilles sur un plateau, qu'elle lui monta.

Le jeune homme se tenait assis sur le balcon, en robe de chambre ; la brise emportait la fumée de son cigare. Il écarquilla les yeux lorsque Olivia lui parla des fameuses saucisses en lui coupant sa viande mais, nullement rebuté, il mangea de bon cœur jusqu'à presque vider son assiette.

Néanmoins, le voyage et la chaleur ne l'avaient pas ménagé : des cernes continuaient à lui gâter le teint, tandis que ses épaules demeuraient légèrement affaissées.

— Profite de la matinée pour te reposer, lui suggéra son amie. J'ai une ou deux choses à faire, mais je n'en ai pas pour longtemps. Cet après-midi, si tu en as envie, nous pourrons aller à la plage.

— Où vas-tu ?

— Visiter notre ancienne maison... Et repousser une poignée de fantômes, ajouta-t-elle avec un pâle sourire.

— Fais attention à toi.

Comme elle se levait pour partir, Gilles lui prit la main.

— Je te connais trop bien, murmura-t-il. Tu ne vas pas te contenter d'admirer cette demeure, n'est-ce pas ? Es-tu certaine que tu ne veux pas que je t'accompagne ?

Elle lui piqua un baiser sur la joue en détournant le regard.

— Repose-toi, chuchota-t-elle. C'est plus tard que j'aurai besoin de toi.

Elle saisit son sac à main et s'éclipsa sans laisser au jeune homme le temps de changer d'avis.

Une fois sortie de l'hôtel, au lieu de se diriger vers la plage, elle marcha droit devant elle, pour s'engager dans l'allée sableuse qui serpentait entre deux rangées de maisonnettes en bois, dont on avait peint la plupart en blanc – encadrements de fenêtres et moustiquaires ajoutaient ici et là quelques touches colorées. Les habitations situées sur la gauche donnaient sur la mer, depuis les autres on ne faisait que l'entrevoir entre les demeures d'en face. Les jardins étaient encombrés de canots, de filets de pêche, de jouets d'enfant ; des serviettes et des maillots de bain pendaient aux cordes à linge. Des touffes de végétation côtière piquetaient le sable, cependant que le parfum des acacias embaumait l'air. À Olivia, rien n'était étranger. Le temps, ici, semblait s'être arrêté.

La maison qu'elle cherchait se dressait à l'extrémité de la rangée ; elle dominait la plage. Elle ressemblait à ses voisines, sauf pour le vaste terrain sur lequel on l'avait édifiée, de même que pour la véranda ombragée qui la ceinturait. Quelqu'un avait tenté de rompre l'austère géométrie de l'ensemble en plantant contre son flanc des bougainvillées ; elles prenaient maintenant les murs d'assaut, grimpaient sur le toit dans une profusion de fleurs violettes, roses et blanches.

Les jambes d'Olivia flageolèrent. Elle effleura le bois de la barrière, fit descendre ses doigts jusqu'au loquet mangé par la rouille. Se figea. Elle ne se sentait pas prête. Pas prête du tout. Que croyait-elle donc qu'elle était en train de faire ?

Son pouls s'accéléra et, malgré l'ample chemisier de coton et le pantalon mince pour lesquels elle avait opté ce matin, la sueur ruisselait le long de ses côtes. C'est de la pure folie, se tança-t-elle en silence. Mais elle savait pourquoi elle hésitait. La balançoire oscillait comme autrefois, toujours accrochée à l'une des branches du même arbre noueux, dans un coin du terrain. L'abri de jardin, pour sa part, s'appuyait comme jadis contre la clôture, tandis que des banksias continuaient à s'épanouir dans les parterres. Les fantômes qu'elle était venue affronter vivaient encore et ils l'appelaient, la ramenant à l'époque où Eva ne se trouvait pas auprès d'elle pour la protéger.

— Vous cherchez quelqu'un ?

La voix, toute proche, la fit sursauter. Olivia se retourna d'un bond.

— Je...

Elle considéra le regard bleu, chargé de méfiance, qui la scrutait depuis l'autre côté de la clôture voisine. La femme possédait un visage maigre et hâlé, ainsi qu'un chignon réalisé sans soin.

— Je suppose qu'Irène Stanford n'est plus la propriétaire de cette maison ? parvint-elle enfin à articuler.

L'œil bleu perdit sa froideur, et la voisine sourit.

— Doux Jésus, souffla-t-elle. Qu'est-ce qu'une Angliche peut bien faire à l'autre bout du monde ?

Les jambes d'Olivia tremblaient encore, ses nerfs venaient d'être soumis à rude épreuve.

— Je suis venue voir les Stanford.

La voisine s'avança dans l'allée, vêtue d'une robe rouge semée d'éclatantes fleurs jaunes. Elle marchait pieds nus, et possédait une peau d'acajou. Un bambin se cramponnait à ses jambes en guignant Olivia de derrière les plis de la jupe.

— Je m'appelle Debby, annonça l'inconnue. Ravie de vous rencontrer.

Olivia serra la main qu'elle lui tendait, puis se présenta en souriant.

— Et les Stanford? tenta-t-elle à nouveau.

Debby secoua la tête, les lèvres pincées.

— La maison leur appartient toujours, mais on les voit pas souvent. Mme Stanford préfère filer à Sydney dès qu'il se met à faire trop chaud.

La visiteuse éprouva un immense soulagement; toute tension la quittait.

— Ont-ils prévu de revenir cet été?

Son interlocutrice haussa ses menues épaules brunes.

— J'en ai pas la moindre idée. Mme Stanford est pas du style à faire des confidences.

La pointe de sarcasme n'échappa pas à Olivia.

— Vivent-ils toujours à Deloraine Station? enchaîna-t-elle.

Debby plissa les yeux dans le soleil et pencha la tête.

— Ouaip. C'est des parents à vous? Parce que ça vous a fait une sacrée trotte pour venir jusqu'ici.

— Dans ce cas, je vais me rendre dans leur ranch.

Olivia se crispait de nouveau. Elle ne souhaitait pas poursuivre cet entretien. Elle ne souhaitait pas rester plantée là, auprès de la maison qui jadis avait été la sienne.

— Bonne chance, alors, déclara Debbie avec chaleur en hissant le garçonnet pour le caler contre sa hanche.

Elle se pencha en avant, l'œil étincelant, et s'adressa à Olivia sur le ton de la confidence:

— Je me mêle peut-être de ce qui me regarde pas, souffla-t-elle, mais faites attention à vous. Irène Stanford est pas du genre facile. Elle s'imagine qu'elle vaut mieux que nous tous réunis.

Elle n'a donc pas changé, songea la jeune Anglaise.

— Je sais, répondit-elle. Nous sommes de vieilles connaissances.

Elle lut aussitôt dans le regard de Debbie une folle curiosité, assortie d'un goût prononcé pour les potins. Elle la remercia pour son aide, pressée maintenant de décamper. Et, déjà, elle se hâtait dans l'allée sableuse. La femme la regardait, elle en était sûre, sentant, jusqu'à ce qu'elle eût disparu au coin d'une maisonnette, le regard bleu dans son dos.

Elle ne put résister à l'appel de la plage. Assise sur un rocher, les pieds nus dans une flaque, elle contemplait la mer en attendant que son cœur consentît à s'apaiser. Des pélicans s'affairaient parmi les débris déposés par la marée, le port hautain en dépit de leur démarche gauche. À présent que la brume matinale avait disparu, les contours de l'île minuscule, sur l'horizon, s'étaient précisés. Olivia distinguait le croissant d'or de sa plage, ainsi qu'une colline couverte de pins. Mais c'était à Irène Stanford qu'elle continuait de penser, ainsi qu'au périple qu'elle allait devoir accomplir pour la rencontrer.

5

Olivia pénétra à l'intérieur de l'hôtel, pour se diriger immédiatement vers la porte latérale. Après l'accueil qu'on lui avait réservé la veille, elle préférait ne pas échauffer à nouveau les esprits, même si elle jugeait grotesque qu'une femme ne fût pas la bienvenue dans un bar.

Le hall carré se tenait au centre de l'établissement. Des portes menaient à la salle à manger, ainsi qu'au boudoir, un passe-plats ouvrant sur le bar. Quant à l'escalier, n'était cette moquette épuisée, il aurait été majestueux. Sam essuyait des verres derrière le comptoir, le dos tourné au passe-plats.

Olivia se racla la gorge.

— Je me demandais si vous pourriez m'aider, se risqua-t-elle.

L'hôtelier jeta le torchon sur son épaule, avant de se retourner, séduisant en diable.

— J'en serais ravi.

Olivia se sentait presque hypnotisée par ce regard bleu planté dans le sien ; il lui fallut cligner des yeux pour rompre le charme.

— Savez-vous où je pourrais louer une camionnette ?

— Vous comptez pousser vers le nord jusqu'à Cooktown, hein ? Un chouette endroit. Riche, dans le temps, avec la pêche à la perle.

— Je croyais que c'était à Broome qu'on pratiquait la pêche à la perle, observa-t-elle, toujours troublée par l'air avantageux de son hôte.

71

Il se mit à rire, dévoilant des dents impeccablement blanches.

— Erreur classique, mamzelle. Cooktown était plus grand que Broome. Mais maintenant, c'est fini, d'un côté comme de l'autre.

Olivia fronça les sourcils.

— Comment ça, fini? J'étais persuadée que les affaires continuaient d'aller bon train à Broome.

Sam secoua la tête, passant ensuite une main dans son épaisse tignasse noire, rehaussée d'argent sur les tempes.

— Les Japonais ont fait main basse sur l'activité. Je crois qu'on s'en relèvera jamais complètement.

Il soupira, croisa les bras sur sa poitrine.

— Je peux vous prêter mon pick-up, proposa-t-il à la jeune femme. C'est pas une voiture de luxe, mais le moteur est solide, et il va vous falloir un engin plus costaud qu'une voiture de location pour tenir le coup sur les pistes qui mènent à Cooktown.

Sans lui révéler sa véritable destination, l'Anglaise le remercia.

— Mais vous êtes sûr que vous n'en aurez pas besoin? Je risque de m'absenter un certain temps.

Lorsqu'il sourit de nouveau, Olivia crut discerner dans ses traits ceux du petit garçon qu'il avait été jadis – un gamin espiègle et culotté. Bonté divine, il était superbe…

— Je vais rester coincé ici un petit moment. Maggie est partie Dieu sait où.

S'étant surprise à sourire d'un air béat, la jeune femme se ressaisit.

— Il me faudrait aussi une carte, dit-elle en évitant le regard de son interlocuteur.

— On n'en a pas, s'excusa Sam. C'est pas souvent qu'on voit des touristes par ici. De toute façon, aucune route officielle ne mène à Cooktown. Y a que des pistes.

Olivia s'aperçut qu'elle allait devoir jouer franc jeu avec lui. Elle s'était déjà rendue à Deloraine, mais de nombreuses années avaient passé depuis; en outre, c'était Eva qui conduisait, et la fillette qu'elle était alors n'avait jamais pris garde au décor qu'elles traversaient durant leur périple.

— En fait, je compte aller à Deloraine Station, avoua-t-elle. Peut-être pourriez-vous me dessiner un plan?...

Sa voix mourut : l'homme avait écarquillé les yeux.

— C'est pas la porte à côté, murmura-t-il. Et si vous connaissez pas la piste, vous avez toutes les chances de vous perdre.

Il réfléchit un moment.

— Moi, je pourrais vous y emmener, mais pas avant un jour ou deux.

— Mais... il faut que je me rende là-bas dès aujourd'hui, balbutia-t-elle. C'est important.

Ils ne se lâchaient plus du regard – un questionnement muet circulait de Sam à Olivia. Le garçon finit par piocher un carnet sous le comptoir, dont il déchira une page. Ayant suçoté la mine d'un chicot de crayon, il se mit à dessiner.

— Quand vous quittez la ville, vous prenez vers l'ouest, commença-t-il.

La jeune femme se pencha sur la page pour suivre la progression du croquis ; leurs têtes se touchaient presque. Il émanait de Sam une chaleur et une délicate odeur de savon qui, décidément, ensorcelaient Olivia.

Maggie avait perdu toute sa matinée. Après avoir chassé ses cauchemars aux premières lueurs de l'aube grâce à un bain de mer, elle s'était ensuite assise au soleil en frissonnant pour se sécher. C'est alors qu'elle avait vu Olivia descendre à son tour sur la plage. Comme elle s'apprêtait à la rejoindre pour bavarder un peu, elle s'était avisée que l'Anglaise se trouvait plongée dans ses pensées. Maggie en conclut que, quelles que fussent les raisons qui avaient poussé la cliente de l'hôtel à venir en Australie, il s'agissait d'une femme troublée.

De retour chez elle, elle se lava les cheveux, puis s'occupa du ménage. Mais à présent que faire? Elle aurait pu sauter dans l'autocar qui, une fois par semaine, menait ses passagers à Cairns, mais le trajet serait long, et d'autant plus pénible que la chaleur se révélait déjà forte. Quant à emprunter la camionnette de Sam, il n'en était plus question depuis qu'elle l'avait presque réduite en miettes quelques mois plus tôt. En conclusion, elle se retrouvait coincée ici. Elle aurait pu faire les boutiques, mais elle n'avait besoin de rien, et dans les commerces de Trinity on ne proposait à peu près que des objets utiles. Pas de grands magasins ici, pas de petites échoppes de vêtements fantaisie tels qu'on pouvait en fréquenter à Sydney. Pas de troquets ni de salons de thé. Rien que des marchands de fourrage, des épiciers, des bouchers et des quincailliers.

Fixant son reflet dans le miroir, elle repoussa quelques longues mèches derrière son épaule. Pour une fois, elle n'avait pas attaché ses cheveux qui, de part et d'autre de son visage, cascadaient en douces vagues châtaines que le shampoing faisait reluire. Elle se pencha en avant pour appliquer du mascara sur ses cils, puis une touche de rouge à lèvres. De quoi célébrer dignement sa première journée de congé depuis de nombreux mois. Elle hocha la tête avec satisfaction, fit quelques pas en arrière pour juger de l'effet global. Elle portait une robe en coton vert pâle, repassée de frais, dont la ceinture mettait en valeur sa taille de guêpe, ainsi que des sandales de cuir, qui rehaussaient la beauté de ses longues jambes minces. Elle ne s'était pas trop mal débrouillée, se dit-elle.

— Parfait. À nous deux, Sam White.

Plusieurs voitures stationnaient déjà à l'arrière de l'hôtel, et les Aborigènes caquetaient dans la cuisine en préparant l'un de ces copieux festins dont elles avaient le secret. Au lieu de se joindre à elles, la jeune femme se dirigea vers le hall de l'établissement. Sam devait se trouver au bar mais, très exceptionnellement, elle n'accourrait pas pour lui venir en aide. Elle allait au contraire lui commander un verre, avec lequel elle s'assiérait ensuite dans le boudoir. Il était grand temps pour elle de se comporter enfin en grande dame, et non plus en paillasson.

La porte s'ouvrit sans un grincement, et Maggie s'apprêtait à faire son entrée lorsqu'elle repéra Sam et Olivia. Ils se tenaient penchés au-dessus du comptoir, la tête de l'un touchant presque celle de l'autre. Sa détermination s'évapora d'un coup, cependant qu'une douleur fulgurante mêlée d'angoisse lui parcourait le corps. L'hôtelier et sa cliente souriaient, ils bavardaient, ils se dévisageaient, sans plus se soucier de ce qui se déroulait autour d'eux. L'électricité qui circulait entre ces deux-là était presque palpable. Ils formaient un couple exquis, s'avoua-t-elle avec amertume.

Elle les regardait rire. Repéra la manière dont Olivia venait d'effleurer de la main le bras de Sam avant de s'emparer du feuillet placé entre eux. Le doute n'était plus permis. Ils flirtaient. Pourquoi... mais pourquoi Sam ne plongeait-il jamais son regard dans le sien de cette façon-là? Son désir suscitait en elle une souffrance à peine tolérable.

Olivia se détourna de Sam, ouvrit tout grand les yeux sous l'effet de la surprise, sourit avec chaleur.

— Bonjour, Maggie. Vous êtes splendide. Vous n'arrivez pas à vous passer de cet hôtel, on dirait?

Les traits durcis par le ressentiment, la gérante tâcha néanmoins de rendre à l'Anglaise son sourire.

— Ça se pourrait, maugréa-t-elle.

— Allons, lui répondit Olivia. Profitez de votre journée sans vous laisser fléchir par votre employeur. Peut-être aurons-nous l'occasion de nous croiser sur la plage cet après-midi?

Maggie, demeurée immobile, regarda la jeune femme grimper prestement l'escalier. Même en pantalon et chemisier, elle conservait autant d'élégance que de décontraction, songea-t-elle avec rancœur. Cette fille a tout pour elle. Pourquoi elle le laisse pas tranquille, Sam?...

— Ça roule, Maggie?

L'homme s'était penché dans sa direction.

— Tu reviens bosser?

Excédée, elle s'approcha à grandes enjambées.

— Non. C'est mon jour de congé. Et puisque t'as rien de mieux à faire que de conter fleurette à tes clientes, je te prie de me servir un gin tonic. Avec beaucoup de glace.

Sam haussa un sourcil.

— Quelle mouche t'a piquée, Maggie? Elle voulait juste m'emprunter ma camionnette.

Sur quoi il prépara le cocktail qu'elle lui avait commandé, avant de le poser devant elle.

Maggie but une grande lampée, qui lui coupa presque le souffle – Sam, qui préférait la bière à tout autre alcool, avait toujours eu la main lourde sur le gin.

— Et pour quelle raison il lui fallait ton tacot? C'est pas comme si y avait des coins à visiter dans les environs. Et puis, de toute façon, elle pouvait s'adresser à une agence de location.

L'homme baissa le menton, désireux de cacher le sourire qui peu à peu lui étirait les lèvres et pétillait au fond de son regard.

— Gilles et elle ont l'intention d'aller à Deloraine.

La main de Maggie se figea; le verre glacé effleura sa bouche.

— Pourquoi? demanda-t-elle d'une voix douce.

— C'est pas nos oignons, répondit l'hôtelier avec un haussement d'épaules.

Dans son regard, déserté soudain par l'étincelle qui l'avait un instant plus tôt embrasé, passaient à présent des nuages.

— T'es sûre que ça va, Maggie? Tu m'as l'air toute chose.

Maggie vida son verre pour en commander immédiatement un deuxième.

— Tout va bien, mentit-elle.

Enfin, on ferma le pub, dont les portes claquèrent derrière Kenny, barman à temps partiel. On éteignit les lumières. Sam ayant recouvert les caisses de bière de tissus humides, il gagna le hall. Ç'avait été une rude soirée – il comprenait mieux pour quelle raison Maggie avait à ce point rué dans les brancards. Dorénavant, décida-t-il, il s'efforcerait de lui faciliter un peu la tâche. Il s'était montré injuste jusqu'alors. D'autant plus que c'était à lui que cet hôtel appartenait.

Comme il allait gravir l'escalier pour rejoindre sa chambre, il s'aperçut que les lumières du boudoir étaient restées allumées. Il revint sur ses pas en grommelant.

Maggie se tenait assise dans un fauteuil, le visage tourné vers l'éventail en papier couvert de poussière disposé dans l'âtre vide; sa longue chevelure lui tombait sur les épaules comme un voile. Un verre vide trônait sur la table basse, à côté d'elle, et la fumée de cigarette avait envahi la pièce.

— Depuis quand tu fumes? demanda-t-il en ouvrant une fenêtre par laquelle pénétra l'air frais du soir.

— Depuis que j'ai commencé à boire, maugréa-t-elle.

Et, brandissant son verre, elle exigea, le regard toujours dirigé vers la cheminée, que Sam lui servît un autre gin tonic.

L'hôtelier lorgna le verre vide et, au terme d'un bref calcul, jugea que son employée avait assez bu pour aujourd'hui.

— Va te coucher, dit-il d'une voix douce. Tu travailles demain.

— Eh oui, laissa-t-elle tomber, le ton las. Je suis bonne qu'à ça, pas vrai?

Cette fois elle se tourna vers lui, et il eut bien de la peine à réprimer son effarement. Son mascara avait coulé sur ses joues, le rouge à lèvres avait bavé, le nez de la jeune femme luisait. Ému, il vint se jucher sur un accoudoir du fauteuil, avant de poser une main maladroite sur l'épaule de Maggie.

— Bah alors, poupée. Qu'est-ce qui va pas?

— Y a rien qui va, répondit-elle en reniflant.

Il savait qu'il n'aurait pas dû, mais il ne put s'empêcher de sourire.

— Rien du tout? T'exagères pas un peu? Allons, Maggie. Ça te ressemble pas.

Elle repoussa brusquement la main posée sur son épaule et se moucha, avant de faire disparaître en partie de son visage, à petits gestes rageurs, les affreuses coulures du maquillage. Elle braqua sur Sam deux yeux injectés de sang, que de nouvelles larmes emplissaient déjà.

— Ah cette bonne vieille Maggie, ironisa-t-elle en secouant la tête. Besoin de quelque chose? Maggie va s'en charger. Besoin d'une femme de ménage, d'une cuisinière, d'une serveuse? Pas d'inquiétude. Cette bonne vieille Maggie va rappliquer ventre à terre.

Sam la fixait avec stupeur. Jamais il ne l'aurait soupçonnée de nourrir en son sein une telle fureur. Mais que s'était-il donc passé pour que ce courroux jaillît ainsi sans crier gare?

— Tu as trop bu, hasarda-t-il.

— Non, le cingla-t-elle en se levant.

Elle s'appuya lourdement au manteau de la cheminée, haussa le menton puis, avec une dignité admirable, elle tâcha de se tenir debout sans chanceler.

— C'est pas le gin qui parle à ma place, décréta-t-elle. Non. C'est moi. Margaret Finlay. Le gin, lui, m'a simplement permis d'y voir plus clair.

Elle eut un hoquet qui manqua de lui faire perdre l'équilibre.

Sam la rattrapa par le coude.

— Allons, viens, Maggie. Je vais t'accompagner jusque chez toi. T'es pas en état de rentrer toute seule.

— Ça m'empêchera pas de rester toute seule à la fin, pas vrai? lança-t-elle avec humeur.

Comme elle reculait d'un pas pour s'éloigner de Sam, elle trébucha. Leva de nouveau les yeux vers lui.

— J'ai toujours été toute seule, déclara-t-elle sur un ton de simplicité désarmante. Pourquoi?

L'hôtelier se sentait perdu; ce n'était pas la Maggie qu'il connaissait. En aucun cas la Maggie solide comme un roc, capable, semblait-il, de soulever toutes les montagnes. Pas la Maggie qu'il admirait. Il chercha quelque chose à lui dire – mais quels mots possédaient le pouvoir d'apaiser la douleur qu'à l'évidence elle endurait?

— Maggie…, commença-t-il.

— Pardon, renifla-t-elle. Tu as peut-être raison. J'ai trop bu. Je suis ridicule.

Une fois encore, elle se tourna vers lui.

— Mais le poids de la solitude m'a paru d'un coup bien trop lourd. Je pouvais plus supporter de me dire que tous ceux et celles que j'avais aimés m'avaient repoussée, abandonnée, oubliée…

Il passa un bras autour de ses épaules et elle se mit à sangloter, le nez dans sa chemise, qu'elle trempait peu à peu de ses larmes. Sam la jugea minuscule entre ses bras, fragile et sans défense. Cela faisait bien longtemps qu'il n'avait pas étreint une femme. Bien longtemps qu'il n'avait pas éprouvé cette merveilleuse impression de protéger un être vulnérable.

— Je sais pas quoi dire…, avoua-t-il. Je m'étais jamais rendu compte…

Il se tut, ignorant au juste où risquait de le mener sa phrase. Le souvenir de Stella demeurait vif dans sa mémoire ; la situation prenait un tour délicat. Les émotions avaient tôt fait de vous échapper, or cette pauvre Maggie avait trop souffert pour qu'il se risquât à piétiner à son tour ses sentiments.

Elle sécha ses larmes et se libéra de son étreinte.

— Viens, lui murmura-t-elle en lui prenant la main. J'ai quelque chose à te montrer.

Il hésita :

— C'est peut-être pas une très bonne idée…

Elle lui adressa un pâle sourire.

— T'en fais pas, Sam. J'ai pas l'intention de te sauter dessus.

Elle saisit de nouveau sa main.

— Tout ce que je veux, c'est t'expliquer certaines choses. Viens.

Il regimbait encore. La dernière chose dont il avait besoin était que Maggie à présent se mît à nu. Il savait d'expérience que les confidences étaient dangereuses, et que souvent elles menaient à un rapprochement que l'un et l'autre regretteraient dès le lendemain matin.

— Tu peux pas m'expliquer ici ? tenta-t-il, solidement campé sur ses jambes.

Elle secoua la tête.

— Je vais préparer du café, après quoi nous nous installerons chacun dans un fauteuil, en tout bien tout honneur, débita-t-elle en imitant le ton guindé d'Olivia.

Sam alors l'autorisa, bien qu'à contrecœur, à l'entraîner audehors. Il la retint lorsque ses jambes parurent un instant se dérober sous elle et qu'elle faillit trébucher sur un morceau de macadam échoué là. L'hôtelier commençait à flairer que l'épisode entier entretenait un rapport avec l'Anglaise – mais lequel ? Il aurait été bien en peine de le deviner. Ce matin, les deux femmes paraissaient s'entendre à merveille, au point qu'il s'était imaginé qu'elles ne tarderaient pas à sympathiser pour de bon ; après tout, elles devaient avoir à peu près le même âge, et le beau sexe était ici si mal représenté qu'il aurait été dommage que deux de ses membres se battent froid sans raison valable au lieu de se rapprocher.

Une fois chez elle, Maggie zigzagua jusqu'au coin cuisine, en tirant sur sa jupe, puis en rajustant sa coiffure, pour mettre la bouilloire à chauffer. Elle revint vers Sam, ouvrit un tiroir dont elle fit surgir un épais volume avant de s'affaler dans un fauteuil.

— Assieds-toi, ordonna-t-elle. L'heure est venue pour nous d'avoir une longue conversation.

— Il est tard, observa l'hôtelier qui, sur le seuil, se balançait d'un pied sur l'autre.

Il tourna la tête en direction de la cour déserte et noire dans son dos.

— Je ferais mieux de m'en aller.

— Qu'est-ce qui te prend, Sam? T'as peur que je te fasse une déclaration d'amour? Que je flanque le bazar dans ta petite existence pépère en te faisant une scène?

Ses traits s'adoucirent.

— Il te reste beaucoup à apprendre sur les femmes, enchaîna-t-elle. Assieds-toi. J'en ai pas pour longtemps.

La bouilloire sifflait. Ayant préparé deux tasses de café fort, l'hôtelier prit place en face de son hôtesse. Il se sentait épuisé; le café serait le bienvenu. Comme ils buvaient en silence, il examina le logis de la jeune femme. Un lieu accueillant, songea-t-il – elle avait su métamorphoser le taudis crasseux abandonné derrière lui par l'ancien gérant.

— C'est quoi? s'enquit-il enfin en désignant du menton le gros livre.

Maggie considéra l'objet, dont elle effleura du bout des doigts la reliure en cuir ouvragé.

— C'est ma vie, répondit-elle. C'est avec ça, et avec ça seulement, que je peux prouver qui je suis et d'où je viens.

À la lueur de la lampe, ses yeux jetaient des éclats d'or.

— Et pourtant, poursuivit-elle, même ce truc-là est un mensonge.

La gorge de Sam se noua. Il brûlait de serrer la jeune femme contre lui pour faire rempart à ce qui la torturait. Il se montra cependant assez avisé pour résister à la tentation.

Maggie, qui le scrutait, vit passer mille émotions sur ses traits. Jamais elle ne l'avait autant chéri qu'en cet instant, car il faisait de son mieux pour la réconforter, pour s'armer de patience quand, à l'évidence, il ne désirait que fuir cette maison. L'affligeant spectacle qu'elle lui avait imposé plus tôt la mortifiait. C'était la dernière fois qu'elle touchait à une bouteille de gin, elle se le promit. Elle observa le visage de son invité, puis ses grandes mains qu'il avait sagement glissées entre ses genoux. Elle se remémora leur brève étreinte. Lorsqu'elle lui aurait tout dit d'elle, peut-être se comprendraient-ils mieux. Peut-être même se rapprocheraient-ils. Peut-être la tiendrait-il dès lors pour autre chose qu'une bonne à tout faire.

Elle posa les yeux sur la première photographie, qu'elle libéra avec précaution des quatre petits coins qui la maintenaient en place dans l'album.

— Ça, exposa-t-elle, c'est Waverly Station.

Elle tendit le cliché à Sam, d'une main qui ne tremblait pas. Ensuite elle lui fit, la voix douce et tendre, le récit de sa prime enfance, jusqu'à la mort de sa mère.

Elizabeth Finlay reposait à Waverly, dans le petit cimetière familial situé dans un coin de la propriété, cerné d'une palissade que le soleil avait décolorée. Des corbeaux croassaient dans les arbres tout proches, tandis qu'une brise caressait les herbes hautes avec un soupir chagrin. Il s'agissait d'un lieu paisible – d'un refuge –, la dernière demeure idéale pour cette mère qu'elle avait adorée.

Maggie s'y rendait chaque jour pour déposer des fleurs fraîches sur la tombe, qu'elle débarrassait des mauvaises herbes, et du lierre qui tendait à la prendre d'assaut. Assise auprès de la petite croix de bois, elle contemplait la vallée, ainsi que les collines au loin, dans une communion muette avec la femme qui dormait à présent sous la terre chaude et parfumée. À la maison, rien n'était plus pareil. On ne riait plus. Les pas d'Elizabeth ne résonnaient plus sur le plancher. Elle n'embrassait plus son enfant le soir. Quant à Harold, il s'était retranché dans un intime univers tout entier gouverné par le deuil, à l'intérieur duquel il semblait n'avoir réservé aucune place à Maggie.

Cette dernière aurait dû se sentir désespérément seule, car elle était fille unique et ne possédait aucun camarade de jeux. Mais elle avait Ursula. Elle n'ignorait pas qu'Ursula était le fruit de son imagination et qu'à ce titre, presque parvenue à l'âge adulte, elle aurait dû en finir avec elle, mais Ursula lui vouait une indéfectible amitié. À cette amie, qui était de toutes ses aventures et l'aidait à sécher ses larmes, elle confiait le moindre de ses secrets. Elles avaient grandi ensemble au sein du monde sans enfants de Waverly, et désormais, dans les moments les plus pénibles, Ursula, plus réelle que jamais, conservait le pouvoir de la consoler.

La sécheresse sévissait. Il avait fallu rassembler les bœufs, puis les vendre pour partie, et après avoir réglé aux hommes les gages qu'on leur devait, leur souhaiter bonne chance. C'est ainsi que le silence tomba sur le ranch. Il tomba pendant ce long été sans précipitations. Il se prolongea en hiver. L'été suivant, il ne plut pas davantage ; on sacrifia le reste du troupeau. Les enclos désormais étaient déserts, les chenils également. Il fallut encore vendre aux enchères les chevaux, la sellerie, le matériel agricole – dans la salle des ventes, Harold regardait d'un œil sombre s'abattre le marteau du commissaire-priseur ; Waverly passait pièce à pièce en des mains étrangères.

Sur le chemin du retour, Maggie avait les larmes aux yeux : vaincu, son père avançait d'un pas lourd, hésitant et les épaules voûtées. Sans Elizabeth à ses côtés, il était perdu, au point qu'il semblait avoir définitivement renoncé au ranch, et peut-être jusqu'à l'existence même.

Maggie le suivit, tandis que le dernier camion quittait la propriété en soulevant des nuages de poussière qui, lorsqu'elle retomba, couvrit d'un linceul supplémentaire cet endroit désolé, ces lieux à l'agonie qui jadis avaient constitué un foyer.

— Il faut qu'on fasse quelque chose, papa, déclara doucement Maggie en s'asseyant sur la véranda auprès d'Harold. Waverly est en train de mourir. Maman aurait pas aimé ça.

— Je…, commença l'homme, une larme roulant sur sa joue.

Maggie aussitôt s'agenouilla à ses pieds et leva les yeux vers lui.

— Ça va aller, le rassura-t-elle. On va s'en sortir. Maman sera fière de nous.

— C'est trop tard.

L'adolescente lui saisit les genoux.

— Tu te trompes, s'entêta-t-elle. On peut racheter du bétail. Faire les réparations nécessaires. Emprunter des machines et quelques chevaux à Betty Richards.

Son enthousiasme allait croissant.

— On pourrait repeindre la maison. En deux coups de cuiller à pot, on aura repris du poil de la bête.

Harold essuya ses larmes du revers de la main avant de baisser le regard vers sa fille.

— J'ai tout raté, Maggie. Je t'ai fait faux bond, et j'ai fait faux bond à ta mère.

Il serra les doigts de l'adolescente entre les siens.

— Je te demande pardon. Depuis deux ans, j'ai vraiment pas été un bon père pour toi.

Ayant compris qu'il l'aimait encore, Maggie se jeta dans ses bras. Ils s'étreignirent jusqu'à ce qu'enfin Harold pleurât pour tout de bon sa défunte épouse ; ses sanglots meurtrissaient la jeune fille jusqu'à l'âme.

Il la lâcha enfin pour se moucher et s'essuyer les yeux, après quoi il se leva. Debout contre la rambarde de la véranda, il contempla ces terres que son grand-père, son père et lui avaient exploitées toute leur vie durant.

— Il reste plus rien, laissa-t-il tomber.

Maggie fronça les sourcils. Le ton de son père paraissait tellement définitif. Que voulait-il dire au juste ?

— C'est faux, se récria-t-elle. Tout est encore là. Il nous suffit de réapprendre à aimer Waverly, à nous en occuper comme avant.

L'homme ploya la nuque, cramponné à la balustrade comme si, en la lâchant, il risquait d'y laisser la vie.

— Il reste plus rien, répéta-t-il. Je dois bien trop d'argent à bien trop de gens. La vente aux enchères va me permettre de rembourser quelques dettes, mais jamais je les épongerai toutes.

L'adolescente en avait le souffle coupé.

— Mais comment c'est possible? Le ranch a toujours bien marché jusqu'à la grande sécheresse.

— Tu as raison. Et entre de meilleures mains que les miennes, il retrouvera la santé.

Il se tourna vers son enfant, l'œil morne et le visage couturé de rides.

— J'ai pris des risques, ma poulette. Pendant la Grande Dépression, je me suis imaginé que ta mère et moi, on allait réussir à passer entre les gouttes. Mais la situation empire sans arrêt. Chaque jour je reçois une facture, chaque jour on me réclame le montant du loyer. Toutes nos économies y sont passées. Il nous reste une semaine pour quitter les lieux.

Maggie ne bougeait plus, elle ne disait plus rien; les mots lui manquaient. Jamais elle n'avait soupçonné l'ampleur de la catastrophe. Et comment imaginer de quitter bientôt cet endroit, qui représentait l'unique demeure qu'elle eût jamais connue?...

— On va aller où? s'enquit-elle dans un souffle.

De sa main calleuse, Harold écarta doucement les mèches châtaines du front de son enfant.

— On m'a proposé un boulot dans le Territoire du Nord. C'est pas le Pérou, mais en plus, je serai logé. Ça me laissera le temps de me retourner avant de chercher quelque chose de plus durable.

Sur quoi il détourna le regard.

— Et moi, papa? Tu m'as trouvé du travail là-bas aussi?

Déjà, l'effroi l'avait saisie.

— Non, ma poulette. J'ai pris des dispositions pour que tu t'installes chez des gens très bien jusqu'à ce que ma situation s'améliore.

— J'irai nulle part sans toi! explosa-t-elle. J'ai presque treize ans. Je sais faire la cuisine et tenir une maison. Je peux me rendre utile.

Elle se rua vers l'homme qui, de nouveau, s'était approché de la rambarde. Elle lui saisit l'avant-bras avec violence pour le contraindre à la regarder.

— Emmène-moi avec toi, l'implora-t-elle. Me laisse pas...

Il serra l'adolescente contre lui en lui caressant la tête avec une infinie tendresse; il ne s'y prenait pas autrement avec les poulains affolés.

— Impossible, ma chérie. Le Territoire du Nord, c'est pas un endroit pour une jeune fille.

Il l'obligea doucement à lui lâcher la taille, qu'elle serrait de toutes ses forces.

— Tout ira bien pour toi, Maggie, décréta-t-il. Et dès que j'aurai pris mes marques, j'enverrai quelqu'un te chercher.

— Dans combien de temps?

Les larmes vinrent, que la jeune fille fut incapable de retenir; elle sanglotait maintenant à gros bouillons. Son univers s'écroulait. Elle avait déjà perdu sa mère. Et voilà qu'il allait lui falloir quitter sa maison, ainsi que ce père qu'elle aimait tant.

— J'en sais rien, répondit-il, l'œil assombri. Mais je ferai tout pour que ça dure le moins longtemps possible.

Il lui piqua un baiser sur le sommet du crâne.

— Je t'aime, Maggie. Oublie jamais ça.

Une semaine plus tard, ils quittaient Waverly Station à bord d'un chariot tiré d'un pas lourd par le vieil Hector. Ils avaient pratiquement tout laissé derrière eux; le véhicule était presque vide. Maggie, qui s'était pourtant promis de ne pas se retourner vers la demeure, ne put résister à la tentation de lui adresser un ultime adieu.

Le ranch lui parut petit, esseulé, désert et caduc. Dire qu'elle avait joué dans cette grange, nagé dans ce cours d'eau... Et la balançoire, que papa avait suspendue à une branche... La douleur s'avivait dans le cœur de l'adolescente.

Ayant cligné des yeux pour en chasser les larmes, elle se retourna et regarda droit devant elle. Il lui fallait s'endurcir contre ce qui l'attendait. Elle ferma les paupières. Ursula se tenait auprès d'elle. Elle avait craint que son amie ne préférât rester à Waverly, mais non. Néanmoins, c'en était terminé des enfantillages. Combien de temps Ursula demeurerait-elle à ses côtés une fois qu'elle aurait entamé sa nouvelle existence?...

Elle rouvrit les yeux pour les poser sur les maigres possessions entassées à l'intérieur du chariot. La plupart des meubles, on les avait vendus, ou bien laissés sur place pour les métayers qui ne tarderaient pas à s'établir dans le ranch. On ne recensait guère qu'un sac de couchage, un oreiller, quelques pièces de sellerie, les bottes de cheval de rechange d'Harold, qui avait remisé ses vêtements dans un sac fourre-tout, et ses outils de maréchal-ferrant dans un coupon de tissu attaché au sac auprès des marmites et d'un quart en fer-blanc.

Maggie songea à son petit sac à elle, dissimulé sous la bâche goudronnée. Elle y avait plié avec soin sa robe en mousseline jaune, qui reposait à présent sous ses pantalons et ses chemises de travail. La robe était devenue trop petite, mais il s'agissait du dernier vêtement confectionné par sa mère ; pour rien au monde elle ne s'en serait séparée. Il en allait de même pour l'album de photos, qu'elle serrait contre son cœur.

Ses doigts en effleurèrent la reliure de cuir tandis que le chariot cahotait. Tant qu'elle préserverait ses souvenirs, papa et elle vaincraient l'adversité. Tant qu'elle le croirait sincèrement capable de dénicher un travail digne de ce nom, puis de revenir la chercher, elle survivrait. C'était là comme un mantra, qu'elle répétait. Le chariot, lui, traversait lentement la plaine chatoyante pour se diriger vers le nord. Vers un avenir incertain.

Sam ne soufflait mot. Maggie se tut. On n'entendait plus que le tic-tac de la pendule posée sur le manteau de la cheminée, ainsi que le crissement des grillons dans les arbres. Sam cependant, en songe, croyait éprouver la chaleur et la poussière qui assaillaient alors les deux voyageurs solitaires ; il partageait le désespoir de cette enfant perdue.

— Je suppose que tu me prends pour une givrée, intervint Maggie. Avec mon amie imaginaire.

Sam se redressa sur son siège.

— Elle est toujours dans le coin ? s'enquit-il avec affection.

La jeune femme secoua la tête.

— Elle s'est barrée le jour où j'ai enfin décidé de prendre ma destinée en main.

Elle darda sur son invité un regard dur, comme pour le mettre au défi d'oser se moquer d'elle.

Le sourire qui se peignit peu à peu sur les traits de l'hôtelier en chassa toute tension.

— Elle a toujours été là quand tu as eu besoin d'elle, dit-il. C'est ça qui compte.

Maggie se tourna vers l'âtre vide. Que voyait-elle? se demanda Sam. À quoi pensait-elle au juste? Elle avait enduré une enfance si différente de la sienne qu'il peinait à mesurer le poids des épreuves qu'elle avait traversées. L'hôtelier avait quatre frères et deux sœurs; jamais il n'avait requis la présence d'un ami imaginaire à ses côtés. Il y avait trop à faire, et puis on manquait déjà si cruellement de place. La famille de Sam s'était elle aussi colletée avec la Grande Dépression mais, par bonheur, elle s'en était tirée sans dommage.

— Où tu t'es retrouvée? demanda-t-il pour rompre le silence qui allait s'alourdissant. Tu viens de me dire que tu avais pris ta destinée en main. Qu'est-ce qui s'est passé?

Maggie se leva, lissa sa jupe.

— Il est tard, décréta-t-elle. Et demain, on bosse tous les deux. Je te raconterai ça une autre fois.

Sam jeta un coup d'œil au cadran de la pendule, saisi par la vitesse à laquelle le temps avait filé. Il se remit debout à son tour, prit dans les siennes les mains de la jeune femme.

— Ça va aller?

Elle opina.

— Merci de m'avoir écoutée. J'avais besoin de causer.

Il quitta la maisonnette pour regagner l'hôtel d'un pas lent. D'innombrables pensées se bousculaient à l'intérieur de sa tête. Il ne démêlait plus les émotions dont il était le siège. Maggie l'avait surpris, ce soir, et il s'était surpris lui-même: un rien avait suffi pour qu'il se sentît attiré par elle. La jeune femme avait ressuscité en lui quelque chose qu'il pensait à jamais détruit depuis la mort de Stella et de leur fils.

Il se revit en homme amoureux. Il se revit tout à la joie de tenir son enfant nouveau-né entre ses bras. Il se souvint de ce qu'il avait trouvé en rentrant de la guerre : une cendre noire sous ses pas et quelques arbres calcinés jusqu'au cœur. Il lui avait fallu cinq longues années pour enterrer quelque peu ces visions, mais elles ressurgissaient ce soir sans avoir rien perdu de leur vigueur. Il brûlait d'étreindre quelqu'un. Il brûlait de s'allonger, le soir venu, aux côtés d'un être, de lui parler la nuit durant ; de lui faire l'amour. C'était là une souffrance qu'il ne cessait plus de promener avec lui. Le besoin qu'il éprouvait de compter dans l'existence d'une femme le déchirait.

Mais il devait se montrer prudent, songea-t-il en pénétrant dans l'hôtel. Ni Maggie ni lui ne supporteraient de se croire enfin sauvés à l'ombre d'une relation purement physique, qui s'essoufflerait aussitôt retombés les premiers élans de la passion. Ils étaient l'un et l'autre si vulnérables que l'homme savait d'instinct qu'ils ne pouvaient se permettre de souffrir encore.

6

Lundi matin. En entendant s'éloigner le pick-up de Sam aux premières lueurs du jour, Maggie s'affola un instant. Il n'avait tout de même pas décidé de décamper encore? Puis au milieu des brumes d'une terrible gueule de bois, elle se rappela qu'Olivia souhaitait se rendre à Deloraine. Elle laissa retomber sa tête sur les oreillers. Elle se sentait affreusement mal, devinait que sa mine était épouvantable, mais il fallait se lever. Puis serrer les dents pour accomplir sa journée de travail.

Elle se brossa les cheveux en évitant soigneusement son reflet dans le miroir, jusqu'à s'apercevoir que même ce geste infime de coquetterie ne servirait à rien. Elle renonça dans un soupir à paraître présentable. Se prépara à revoir Sam. Que s'était-elle imaginé? Trinity n'était pas Sydney: son comportement de la veille au soir aurait pu lui valoir un certain nombre d'ennuis, de même qu'à l'hôtelier, car si l'on pardonnait ici beaucoup de choses, on ne tolérait pas qu'une femme s'adonnât à la boisson.

Le lundi, en été, l'établissement se révélait en général peu fréquenté jusqu'à l'heure du déjeuner. Alors, les éleveurs venaient y manger en famille, puis les hommes commençaient à se noircir proprement pendant que femmes et enfants se rendaient à la plage. Maggie referma la porte de son cabanon, redressa les épaules et plissa les yeux face à l'éblouissant soleil. Une atroce migraine lui battait aux tempes. Si, au moins, ces maudits rayons ne jetaient pas leurs éclats sur toutes les surfaces réfléchissantes, s'exaspéra-t-elle en se hâtant vers l'ombre bienfaisante de l'hôtel. Si seulement une poignée de nuages s'invitaient dans ce ciel parfait... Et pourquoi pas quelques gouttes de pluie? Et si, même, le soleil se voilait?... Mais dans le Queensland, le pays du bon Dieu, ces choses-là se produisaient rarement.

— Salut, lui lança Sam. J'ai l'impression que tu es bonne pour l'un de mes remèdes miracles contre le mal aux cheveux.

Maggie eut la vague impression qu'il l'attendait, et elle lui sut gré d'avoir pris la parole d'emblée pour leur éviter des retrouvailles peut-être un peu embarrassantes.

— Je dis pas non, commenta la jeune femme, le regard fuyant. On dirait que ma caboche va bientôt exploser.

L'hôtelier la fit asseoir, avant de lui servir un grand verre.

— Un petit truc que j'ai préparé avant que tu arrives. Je reconnais que ça a rien d'engageant au premier abord, mais je te promets que c'est efficace.

Il sourit, et dans son œil bleu s'embrasa une joyeuse étincelle.

— Vas-y. Cul sec.

Elle lui coula un regard soupçonneux. Ce breuvage avait une couleur repoussante, et que dire de son odeur? Elle prit cependant une profonde inspiration, vida son verre d'un trait... et manqua d'étouffer. Quelque chose de gluant lui glissait dans la gorge.

— Qu'est-ce que t'as foutu là-dedans?

— Du jus de tomate, de la sauce Worcester, du poivre, et un œuf cru. Te bile pas, ça va te remettre sur pied en deux temps, trois mouvements.

— Je demande à voir.

Il lui saisit la main pour l'aider à se lever.

— Prends ta journée, lui proposa-t-il aimablement. Prends même la semaine entière, tiens. Il est temps de te payer un peu de vacances.

— Mais l'hôtel est complet, s'insurgea-t-elle une fois remise du choc.

— On m'aide au bar, la rassura-t-il en mettant les mains dans ses poches, et Lila a amené une de ses cousines pour servir à table.

Il se pencha vers elle et sourit.

— Tu m'es indispensable. J'ai besoin de toi en un seul morceau, et heureuse si possible. Je me suis assez foutu de toi comme ça. C'est ma façon à moi de te présenter mes excuses.

La jeune femme rougit en détournant les yeux pour empêcher Sam d'y lire toute la reconnaissance et l'amour qu'elle éprouvait pour lui.

— Merci, fit-elle d'une voix mal assurée. Cela dit, je me demande bien à quoi je vais pouvoir occuper ma semaine.

— Va à la plage. Je parie que Debby y sera avec les enfants. Elle te tiendra compagnie.

Maggie approuva, résolue néanmoins à jouer plutôt les solitaires. Debby et elle avaient le même âge, et elles s'entendaient bien, mais Debby avait trois enfants, ainsi qu'un mari. Or, l'été représentait la saison des familles. Maggie ne s'estimait pas à sa place parmi les mères et leurs marmots. Par ailleurs, depuis la nuit dernière elle se sentait fragile. Toujours hantée par les rêves qui l'avaient assaillie après qu'elle s'était confiée à Sam.

Elle lui sourit.

— Je te laisse, alors, lança-t-elle avec une allégresse de façade. Et n'oublie pas que Billy Weaver a horreur du jus de viande. Tu dois empêcher à tout prix Lila d'en arroser son assiette.

L'hôtelier lui administra, par plaisanterie, une petite claque sur les fesses.

— Allons, dehors, femme, fit-il mine de la gronder. Avant que je change d'avis.

Maggie s'empourpra de nouveau et fila.

Comme elle se préparait pour la plage, elle pensa à cet homme capable de faire lever en elle une telle quantité d'émotions. Se remémorant la nuit précédente, elle se dit qu'il lui fallait agir avec circonspection. Sam n'était pas le genre de garçon à se laisser aiguillonner sans ruer dans les brancards. Pas le genre de garçon non plus qu'une crise de larmes suffisait à attendrir. La jeune femme allait devoir se maîtriser mieux, et prendre son temps. Sam méritait largement qu'elle lui consacrât des efforts, et il n'était pas question pour elle de gâcher la belle complicité à laquelle ils étaient parvenus ensemble hier soir.

Une demi-heure plus tard, sa migraine avait reflué et elle se dirigeait vers la plage. Son chapeau de paille n'était pas de la première jeunesse, mais du moins ses bords la protégeaient-ils de l'éclat incandescent du soleil. Elle n'avait déniché, pour enfiler par-dessus son maillot de bain, qu'une robe aux tons passés. Armée d'une serviette, d'un livre et d'une bouteille de soda, elle s'installa à l'abri des rochers, où des palmiers lui prodiguaient de l'ombre.

La plage, bondée, résonnait de cris d'enfants, qui s'ébattaient sur le sable ou dans l'eau. Des couples bronzaient, des parasols aux couleurs vives fleurissaient, sous lesquels on dévorait des pique-niques.

Elle ôta sa robe après avoir étalé sa serviette sur le sol. Allongée sur le ventre, elle tâcha de se détendre. Elle y parvint : tandis que l'astre du jour lui chauffait la peau, elle sentit les tensions refluer… Elle finit par s'endormir dans le doux murmure des vagues qui, une à une, venaient lécher le sable d'or.

Olivia et Gilles, qui avaient quitté Trinity le lundi avant l'aube, campèrent la nuit suivante, au terme d'une longue étape.

Il était près de midi, le lendemain. Gilles examinait le visage d'Olivia, qui pilotait la camionnette sur la piste poussiéreuse. Elle serrait les mâchoires, et l'on voyait le sang battre à son cou. Elle cramponnait le volant de toutes ses forces.

— Je ne comprends pas pourquoi tu tenais tant à ce que nous partions dès hier, observa-t-il calmement. Tu n'as pas encore récupéré de notre interminable périple depuis Sydney.

— Les affaires que j'ai à traiter ne sauraient souffrir aucun retard, répondit la jeune femme, l'œil rivé à la piste qui s'incurvait devant eux pour se prolonger ensuite jusqu'à l'horizon.

— Je regrette que tu n'aies toujours pas éclairé ma lanterne, finit par lâcher Gilles. Comptes-tu lever un jour le mystère?

Son amie détourna un instant son attention de la route pour lui adresser un sourire.

— Je suis navrée. Ce n'est pas parce que je manque de confiance en toi, tu sais. Mais je réfléchis à toutes sortes de choses et, tant que je n'en aurai pas éclairci certaines, je préfère te laisser dans l'ignorance.

Elle évita de justesse un nid-de-poule sans cesser de sourire.

— Par ailleurs, tu m'as toujours affirmé que tu adorais les énigmes.

— Quelques indices ne seraient cependant pas de trop pour tenter de résoudre celle-ci. Jusqu'ici, tu ne m'as strictement rien dit.

Elle posa une main légère sur le genou de son ami.

— Pardon. Vraiment. Je sais que je me montre injuste envers toi, mais après cette journée, le puzzle devrait commencer à prendre forme. Je te promets de te fournir un début d'explication lorsque nous regagnerons Trinity.

Elle lui décocha un dernier sourire avant de se reconcentrer sur la route.

— Mais pour l'heure, laisse-moi tranquille, veux-tu. Il faut que je me mette en condition.

Gilles savait reconnaître sa défaite. Il brûlait d'aider Olivia, qu'à l'évidence ses secrets bouleversaient, mais l'expérience lui avait appris qu'il valait mieux la laisser démêler seule l'écheveau de ses tourments. Quand elle en éprouverait le besoin, c'est elle qui solliciterait son soutien.

Il tâcha de se caler mieux au fond du siège fatigué du pick-up – selon son habitude, Olivia roulait à tombeau ouvert. Ce périple resterait pour lui l'un des pires qu'il lui eût été donné d'effectuer, jugea-t-il tandis que l'engin bondissait, oscillait, frissonnait de toute sa carcasse sur la piste accidentée. Même aux commandes de son Spitfire, lorsque, pourchassé par l'ennemi, son avion dansait telle une guêpe à l'intérieur d'une bouteille, il ne s'était pas senti pareillement malmené.

Son handicap n'arrangeait rien: avec un bras en moins, il avait du mal à garder l'équilibre. De sa main unique, il s'agrippait avec une sombre résolution au bord de son siège. Sam leur avait fourni des outils, plusieurs roues de secours, ainsi que de l'eau. Cependant, s'ils crevaient ou perçaient un carter, le pauvre garçon ne servirait à rien. Comme il sentait palpiter le sang à l'intérieur de son moignon, Gilles se laissa quelques instants envahir par une amertume qu'il ne connaissait que trop bien, et qu'il eut toutes les peines du monde à réprimer. Cette rancœur se révélait pourtant inutile, tout juste bonne à lui rappeler l'homme qu'il était devenu.

Il se mit à contempler sans mot dire la contrée déserte qui, à l'aplomb d'un ciel chauffé à blanc, vibrait sous l'effet d'une brume caniculaire. La terre rouge foncé s'étendait à perte de vue, ponctuée seulement de pâles eucalyptus, de buissons épineux et d'énormes termitières. De gros rochers se dressaient également de part et d'autre de la piste, manifestement disposés là par des hommes soucieux de guider le voyageur vers le ranch. Déjà, Gilles et Olivia avaient franchi trois barrières, et une autre se présentait droit devant. Cet endroit se situait à des années-lumière de toute civilisation. Que diable venaient-ils y chercher? s'interrogea le jeune homme.

Il descendit du véhicule, ouvrit un autre portail. Il se figea en voyant surgir d'un boqueteau un troupeau de kangourous. Il ne s'attendait pas à des bêtes aussi volumineuses. Il les regarda passer non loin de lui en bondissant – les petits pointaient le bout du nez hors de la poche de leur mère. Jamais encore il n'avait observé de kangourous en liberté, aussi se tourna-t-il vers Olivia en souriant jusqu'aux oreilles.

Sa compagne de voyage hocha la tête, lui fit signe de se hâter. Gilles attendit néanmoins que les marsupiaux eussent disparu dans l'herbe haute avant de regagner la camionnette – son enthousiasme un peu douché par l'indifférence de son amie.

Il régnait une chaleur intense. La sueur s'évaporait sur la peau à mesure que le corps l'exsudait, en sorte que le cou de Gilles le démangeait de plus en plus, là où venait frotter le tissu pourtant souple de sa chemise. Les vitres ouvertes du pick-up n'atténuaient que peu l'inconfort engendré par le climat, car la poussière s'engouffrait dans l'habitacle, tandis que des nuées de mouches et d'autres insectes venaient finir leur course contre le pare-brise… Même le vent brûlait. On se trouvait ici trop loin de la côte pour ressentir les effets apaisants de la brise marine. Trop loin de tout, conclut Gilles.

Cette portion de la piste traversait une zone où poussait de la fétuque, une herbe rude et argentée, semée de buissons vert foncé. Les arbres ici se révélaient plus vigoureux, pourvus de feuilles épaisses que le troupeau qui s'était réfugié dans leur ombre avait déjà mâchées. Des bêtes couvertes de poussière et de mouches, dont la queue et les oreilles tressaillaient sans relâche. Gilles repéra encore plusieurs montures avec leur cavalier dans la distance. Bientôt, ils atteindraient enfin la maison.

Il porta un regard appréciateur sur les robustes clôtures qui ceignaient les enclos, ainsi que sur les arbres fleuris qui prodiguaient aux voyageurs éreintés leur ombre bienfaisante. Il admirait l'envol d'un groupe de perroquets dans une débauche de miroitements verts et bleus lorsque Olivia immobilisa enfin le pick-up.

La jeune femme tentait de voir au-delà du nuage de poussière qu'elle avait soulevé en se garant. Bientôt, la demeure apparut, flanquée de ses dépendances.

Depuis sa dernière visite, on avait ajouté un étage à la maison. Il ne s'agissait en effet, à l'origine, que d'un bâtiment trapu et carré, dont le soleil avait décoloré le bois ; le toit portait les traces de multiples réparations. Les ailes, érigées elles aussi après coup, possédaient des fenêtres plus grandes, des toits de bardeaux et une véranda. Des roses grimpaient partout, se mêlant au lierre et aux bougainvillées.

On avait aménagé un jardin potager sous un ciel treillissé probablement destiné à éloigner les oiseaux. Du fond de leur vaste chenil, une meute de bouviers australiens venait de souhaiter la bienvenue aux visiteurs à grand renfort d'aboiements féroces. Devant la propriété se déployait une pelouse luxuriante, où se dressaient des arbres sous lesquels somnolaient des chevaux.

Olivia resta assise au volant en attendant que le moteur refroidisse un peu et que la poussière retombe. Le petit discours qu'elle avait maintes fois répété lui échappait à présent. Elle n'avait plus qu'une envie : faire demi-tour pour regagner Trinity. Mais il était trop tard. Quelqu'un sortait déjà de la maison et s'avançait sur la véranda.

La jeune femme quitta l'habitacle du pick-up, coiffa son chapeau de soleil.

— Bonjour, William ! lança-t-elle tandis que l'homme descendait les marches du seuil.

Qui aurait pu deviner que ce petit personnage svelte au teint hâlé avait déjà soixante ans ? Son œil gris se posa sur elle. Ils se serrèrent la main, mais l'homme demeurait perplexe :

— Je suis navré, mais nous sommes-nous déjà rencontrés ?

L'Anglaise désirait lui sourire, mais les muscles de son visage s'étaient comme rigidifiés.

— Il y a longtemps, oui. Je suis Olivia.

— Que le grand cric me croque, souffla-t-il. Olivia…

Il la scruta de nouveau.

— Vous avez beaucoup grandi depuis que je vous ai vue avec votre mère pour la dernière fois. Comment allez-vous ?

Un sourire éclaira son visage. Il serra une fois encore la main de la jeune femme en la secouant avec vigueur.

— Bien, répondit-elle en se retenant de grimacer – cet homme possédait une poigne de fer.

Elle lui présenta Gilles, qui lui serra la main à son tour.

— Installons-nous à l'ombre, leur suggéra William. Je vais vous faire apporter du thé. Irène ne doit pas se trouver bien loin. Je vais l'appeler.

Il pénétra à grandes enjambées dans la maison, en quête de son épouse.

Gilles prit place avec un soulagement manifeste dans l'un des vieux fauteuils en rotin, où il entreprit de s'éventer à l'aide de son chapeau. Olivia, en revanche, se sentait trop tendue pour s'asseoir. Elle faisait les cent pas, les mains moites et sans repos. De légers bruits de pas lui parvinrent. Elle se retourna, le cœur battant.

Vingt ans s'étaient écoulés, mais Irène n'avait pas changé. La quinquagénaire se teignait sans doute les cheveux, mais sa coiffure était splendide. À peine maquillée, elle arborait de longs ongles vernis de rouge. Elle portait un pantalon de velours blanc qui mettait en valeur ses hanches étroites et ses longues jambes – quant à la couleur de son chemisier, elle coïncidait parfaitement avec celle de ses yeux.

— Bonjour, articula Olivia, comme hors d'haleine. Je suis…

— Je sais qui tu es, répliqua Irène avec froideur. Que veux-tu?

Elle avait tant prié pour que cet instant se déroulât au mieux, mais l'accueil que cette femme lui réservait balaya d'emblée toutes ses illusions. Les jambes d'Olivia flageolèrent, mais elle comptait bien finir ce qu'elle avait commencé.

— Je suis venue de l'autre bout du monde pour te voir. Après tout ce temps, peut-être pourrais-tu au moins faire preuve de politesse?

— Pour quelle raison? rétorqua Irène, dont l'expression restait insondable. Nous n'avons rien à nous dire.

Olivia mourait d'envie de s'asseoir. Ses jambes risquaient de se dérober sous elle, mais il n'était pas question qu'elle montrât sa faiblesse.

— Mère est décédée il y a huit mois, j'ai pensé qu'il était important que je te l'apprenne.

Une lueur d'on ne savait quelle mystérieuse émotion éclaira un bref instant le regard glacé mais, déjà, le brasillement s'était éteint.

— Et alors?

Une rude colère commençait à s'emparer de la jeune visiteuse. Cette femme possédait-elle un cœur de pierre?

— Elle a été malade longtemps, exposa-t-elle, la voix brisée par le chagrin. Les médecins avaient diagnostiqué chez elle une sclérose en plaques qui, alliée à de l'ostéoporose, lui a rendu extrêmement pénibles les dernières années de sa vie. Je me trouvais seule avec elle quand elle a rendu l'âme.

— Pauvre de toi, commenta Irène sur un ton à ce point dénué de compassion qu'il constituait à lui seul une insulte.

— Pauvre mère! se fâcha Olivia. Elle avait envie de recevoir enfin de tes nouvelles. Elle ne rêvait que de réconciliation, avant qu'il ne soit trop tard. Mais tu n'as jamais daigné répondre à ses lettres. Tu n'as jamais tenté de te rapprocher d'elle.

— Je suis très occupée. C'est elle qui a choisi de partir pour l'Angleterre. Pourquoi devrais-je être la seule à m'amender sous prétexte qu'elle a fini ses jours infirme?

Olivia la fixa, réduite au silence par l'arrogance atroce de la femme qui se tenait face à elle.

Irène jeta un coup d'œil furibond en direction de Gilles, avant de croiser les bras sur sa poitrine, puis de revenir à la jeune Anglaise.

— Je n'ai pas entendu parler de son notaire, enchaîna-t-elle. Je suppose qu'ils en sont toujours à tenter de démêler les problèmes de succession.

Son regard brilla d'une clarté transie.

— Combien a-t-elle laissé?

Olivia retrouva l'usage de la parole.

— La succession a été réglée très vite. Le notaire m'a demandé de te remettre ceci.

Elle se débarrassa en hâte des écrins de velours.

Irène, ne portant à leur contenu qu'un rapide regard, se tourna une fois de plus vers Olivia.

— C'est tout?

Sous la glace de sa voix, la cupidité le disputait au soupçon.

— En effet. Je t'ai également apporté une copie de son testament. La clause numéro quinze ne laisse subsister aucune ambiguïté.

William venait d'émerger des ténèbres de la demeure en compagnie d'une jeune Aborigène qui portait un plateau. Sans doute avait-il perçu la tension qui régnait dans l'air, car son sourire hésitait sur ses lèvres.

— Je suis vraiment ravi de vous revoir, Olivia, se hasarda-t-il. La maison est grande. N'hésitez pas à vous y installer tous les deux quelque temps. Car la route sera longue pour regagner Trinity.

— Ils s'en vont, laissa tomber son épouse.

— Allons, Irène. Voilà des années que vous ne vous êtes pas vues, toutes les deux. Passe donc l'éponge sur le passé. Un peu de légèreté, que diable.

— Reste en dehors de cela, siffla sa femme en se tournant vers lui.

Olivia effleura l'avant-bras de William.

— Moi aussi, je me réjouis de vous revoir. Pardon, néanmoins, d'avoir fait irruption de la sorte.

Elle lui sourit, mais l'homme restait confus.

— Au fait, poursuivit la visiteuse, Jessie est-elle toujours de ce monde?

— Que lui veux-tu?

Irène, soudain, paraissait sur ses gardes; ses lèvres se réduisirent à une ligne mince.

William fronça les sourcils, son regard courant de l'une à l'autre.

— Qui est Jessie? s'enquit-il.

— Elle est morte, le moucha son épouse. Il y a environ deux ans.

Un immense dégoût envahit à nouveau Olivia. Elle avait très vaguement espéré en venant jusqu'ici que, peut-être, les rapports entre elles auraient changé. Il n'en était rien. Rien ne changerait jamais, elle en avait à présent la certitude, car il existait de l'une à l'autre une détestation mutuelle que rien ne tarirait. C'était néanmoins un rude coup que d'apprendre le décès de Jessie. Elle comptait sur elle. Il semblait à présent qu'elle fût vouée à ne jamais connaître la vérité.

Elle avait l'impression que le regard d'Irène la sondait jusqu'à l'âme. Elle avala sa salive. Elle avait accompli un tel parcours... Elle aurait eu tort de tourner les talons sans au moins tenter d'obtenir quelques réponses. Alors, de la poche de son pantalon elle fit surgir une liasse de feuillets, qu'elle brandit.

— Es-tu au courant de quelque chose concernant ceci, Irène?

Comme celle-ci parcourait les papiers, sa main se mit à trembler. Elle les rendit à la jeune femme.

— Je tombe des nues, se contenta-t-elle de déclarer.

Mentait-elle? Olivia eut beau scruter les traits de marbre, tout juste réussit-elle à y lire un profond dédain. Quels que fussent les secrets qu'Irène et Eva avaient pu partager jadis, ils s'en étaient allés avec Jessie.

Après avoir invité William à leur rendre visite à Trinity, pendant la durée de leur séjour, les deux jeunes gens rejoignirent le pick-up, à bord duquel ils se hissèrent. De ses mains encore moites, Olivia empoigna le volant, opéra un demi-tour et se dirigea vers le premier portail. Elle tremblait si fort que son pied tressautait sur la pédale d'embrayage. Elle faillit caler deux fois avant de se ressaisir.

Dès lors, la jeune femme roula comme si les Quatre Cavaliers de l'Apocalypse galopaient à ses trousses. Un nuage de poussière s'éleva dans son sillage, qui bientôt lui dissimula la silhouette d'Irène, demeurée debout sur la véranda.

— Espèce de garce, cracha-t-elle. Sale hypocrite. Sale garce prétentieuse. Je me demande encore comment j'ai fait pour ne pas la gifler.

— Le moment est peut-être venu de me fournir quelques explications, observa calmement son ami, en allumant un cigare.

Longtemps après, Olivia gara la camionnette sur le bas-côté de la route; elle éteignit le moteur. Ils se trouvaient au beau milieu de l'outback. Le soleil se couchait, teintant, comme à l'accoutumée, les cieux de mauve et de rose, tandis que la terre trempait à présent dans un bain d'or. La dure réalité de cette contrée n'allait pas sans une beauté douloureuse, ni une paix immense par laquelle, peu à peu, Olivia se laissait pénétrer. Ses tremblements refluèrent. Cependant, la colère demeurait, une colère froide, enfouie au plus profond d'elle-même, mais qui aiguisait sa détermination à obtenir les réponses qu'elle était venue chercher en Australie.

Elle contempla le soleil déclinant, jusqu'à ce que les arbres devant elle se fussent réduits à des silhouettes ténébreuses; entre-temps, les oiseaux avaient regagné leurs perchoirs pour la nuit. Elle se tourna vers Gilles, dont l'œil affligé lui tira un sourire.

— Pardon, murmura-t-elle.

Il haussa les épaules.

— Du moment que ça t'a fait du bien, répondit-il. Mais la prochaine fois, préviens-moi, j'attacherai ma ceinture. Tu es plus dangereuse qu'un chasseur ennemi droit devant. D'autant plus que, sans mon bon vieux Spitfire, je me sens terriblement vulnérable.

Ils échangèrent un large sourire. Le stress tout aussitôt s'estompa. Le jeune homme haussa un sourcil, la mine perplexe.

— À part cela, tu as le chic pour choisir tes amis, la plaisanta-t-il gentiment. Qui est donc cette horrible mégère?

Olivia se détourna de lui pour concentrer son attention sur la splendeur du décor autour d'eux dans les ultimes lueurs du jour.

— Il ne s'agit pas d'une amie, finit-elle par répondre avec amertume. Irène est ma sœur.

7

La nuit tomba. Une fois encore, Gilles aida Olivia à monter la tente que Sam leur avait prêtée. Et tant pis s'il n'avait plus qu'un bras : le jeune homme ne voulait pas se contenter de la regarder faire. Il souffrait cependant, et son impuissance le faisait écumer. Finalement, il était rompu. Mais il refusa de s'abandonner à cette fatigue.

— Et maintenant, lança-t-il, faisons du feu. Hors de question de dormir à la belle étoile sans un feu de camp.

Olivia éclata de rire.

— Scout un jour, scout toujours !

Ils allèrent chercher des pierres et du bois sous la ramure d'un bosquet. Bientôt, les pierres furent disposées en cercle autour du trou peu profond que Gilles avait creusé. Lorsqu'il embrasa les branchettes avec son briquet, les flammes bondirent, pressées de dévorer le bois. Les jeunes gens, qui en avaient déjà fait l'expérience la nuit précédente, ne furent pas surpris, cette fois, par le froid qui, tout à coup, s'abattit sans préavis sur la contrée ; ils tendirent les mains vers la source de chaleur.

Gilles, qui regardait danser la lueur des flammes sur le visage d'Olivia, songea qu'elle ne lui avait jamais paru plus belle. Et pourtant elle avait une tache sur le nez, son chignon prenait eau de toutes parts… La nuit, de nouveau, promettait d'être longue, se navra le garçon en silence. La jeune femme se tenait si près de lui, et pourtant elle demeurait inatteignable…

Elle s'aperçut qu'il l'observait et pouffa.

— Deux nuits en tête à tête. Nous allons provoquer un scandale. Nous ne sommes plus des enfants, mais j'espère que tu vas continuer à te comporter en gentleman.

Gilles lui sourit en retour, jouant les désinvoltes.

— Ne te fais aucun souci. Je ne risque pas de te prendre dans mes… bras.

Elle cessa sur-le-champ de glousser. Elle semblait bouleversée.

— Arrête. Ce n'est pas drôle.

Il fixa les flammes.

— Bah. Au moins, répondit-il sur un ton léger, je suis capable à présent d'en plaisanter. Il n'y a pas si longtemps, le seul fait d'y penser me rendait malade.

Désireux de changer à la fois d'humeur et de sujet, il décréta qu'il était l'heure de manger. Sam lui avait enseigné, avant leur départ, l'art de préparer le thé en plein cœur du bush, mais le jeune homme n'était pas certain d'en maîtriser toutes les subtilités. Il s'empara d'une gamelle en fer-blanc, qu'il emplit au volumineux réservoir d'eau qu'ils promenaient à l'arrière du pick-up. À cette eau il ajouta une poignée de feuilles de thé, une feuille d'eucalyptus, puis déposa le récipient au milieu des flammes.

Pendant ce temps, Olivia récupéra à bord du véhicule leurs derniers sandwichs, emballés dans du papier sulfurisé, qu'elle ôta. Le pain était rassis, la chair des tomates chaude et molle, mais les jeunes gens mordirent dans ces casse-croûte à belles dents, le dos gelé et le visage brûlant.

Sans cesser de mastiquer, Gilles posa les yeux sur le décor muet, que seule éclairait la lune, un paysage d'une étrangeté radicale, qui ne ressemblait, fût-ce de loin, à aucun de ceux qu'il avait eu jusqu'ici l'occasion de contempler. De ces lieux sourdait une formidable puissance, accourue du fond des âges ; une énergie primitive, qui faisait résonner, comme en écho, quelque chose dans le cœur du garçon. Assis sous un amas d'étoiles dont la force pure le subjuguait, il lui sembla comprendre un peu de quelle manière les mythes aborigènes avaient vu le jour.

103

— C'est magnifique, n'est-ce pas? dit Olivia. J'aimerais connaître le nom de toutes les étoiles, de toutes les constellations, mais à Londres nous en voyons si rarement que nous finissons presque par oublier leur existence.

Gilles, en revanche, put enfin se féliciter des heures qu'il avait passées dans la bibliothèque, durant son interminable convalescence.

— Quand tu m'as annoncé que nous allions partir pour l'Australie, j'ai fait quelques recherches. Il existe de nombreux ouvrages consacrés au Temps du Rêve aborigène. Le soleil, la lune et les étoiles jouent un rôle primordial dans leurs traditions.

Olivia ramena ses genoux contre sa poitrine pour les étreindre de ses bras, comme l'aurait fait une écolière ; son œil pétillait d'enthousiasme.

— J'adore les histoires. Raconte.

Il leva le regard en cherchant par quel bout commencer.

— Les Aborigènes pensent qu'au moment de la Création les astres étaient en fait des hommes, des femmes et des animaux, qui se sont enfuis vers le ciel en y prenant les formes que nous connaissons aujourd'hui. Pour eux, la lune est une entité masculine, associée à de nombreux récits sur les origines de la mort, car mois après mois, la lune meurt, puis renaît. Les Aborigènes tiennent en outre le firmament pour la demeure des esprits ; une étoile filante représente à leurs yeux le canoë d'un esprit entraînant l'âme d'un défunt vers une contrée neuve.

— Si je comprends bien, observa Olivia avec une certaine rudesse, chez eux aussi le masculin l'emporte.

— Pas du tout, répondit son ami avec un petit rire. Ils vénèrent également le soleil, qui chez eux est une entité féminine. Elle traverse les nues en dispensant sa lumière et sa chaleur. L'été, elle emprunte l'itinéraire le plus long, tandis qu'en hiver, elle opte pour un trajet plus court. On l'appelle volontiers Mère Soleil, car elle se révèle source de bien-être et de vie. Dans certains mythes, on va jusqu'à considérer Mère Soleil comme la créatrice de la vie sur la Terre.

— Et ces mythes, interrogea la jeune femme en penchant la tête pour admirer la constellation, que disent-ils à propos d'Orion? J'ai entendu parler de son baudrier, et puis de ses deux chiens, mais c'est à peu près tout. Et j'avais oublié qu'on pouvait voir ce groupe d'étoiles dans l'hémisphère Sud.

Le garçon se réjouit qu'elle eût élu Orion, car à l'inverse, les mythes attachés à la Croix du Sud, par exemple, étaient moins nombreux, et plus difficiles à déchiffrer.

— Ici, il n'est question ni de chiens ni de baudrier. Regarde mieux la constellation, et essaie de deviner ce qu'elle représente pour les Aborigènes.

Il s'éclaircit la voix.

— À l'origine, il y avait trois chasseurs nommés Birubiru, Jandirngala et Nuruwulping. Pendant la saison sèche, ils s'installèrent dans leur canoë, baptisé Julpan, et se mirent à pêcher. Ils ne parvinrent à prendre que trois thazards, ce qui était fâcheux car, ayant justement cet animal pour totem, il leur était interdit d'en pêcher. Mais ils avaient si faim qu'ils se sentaient prêts à dévorer tout ce qu'ils attraperaient. Leurs épouses et leurs enfants se trouvant eux aussi au bord de l'inanition, les hommes se remirent à pêcher. De nouveau, ils prirent chacun un thazard, qu'ils firent cuire de retour au campement pour les manger.

»Le soleil, qui avait surpris leur manège, convoqua une formidable tempête pour les empêcher de contrevenir encore à la loi sacrée. Les nuages, la mer et le vent conjuguèrent leurs puissances pour susciter une trombe à côté du canoë. Julpan dès lors se cabra, puis commença à s'élever en tournoyant à l'intérieur de la colonne d'eau. Les trois hommes s'agrippaient à leurs lignes. Ils furent ainsi projetés jusqu'au ciel, où ils se trouvent à présent pour l'éternité.

Il se pencha vers Olivia, pointant l'index en direction du firmament.

— Regarde, les étoiles d'Orion forment le canoë et les trois pêcheurs. Les poissons, ce sont les astres minuscules sous l'embarcation, toujours accrochés aux lignes des trois hommes.

— C'est merveilleux…, commenta la jeune femme.

— Le thé est prêt, annonça Gilles en voyant bouillir l'eau dans la gamelle.

Il la récupéra parmi les flammes. Il fut d'abord tenté de la retourner comme Sam le lui avait montré, mais finalement il s'en abstint, craignant de s'ébouillanter, et d'ébouillanter sa compagne avec lui. Il versa le breuvage dans de grandes tasses de porcelaine épaisse. Ils burent leur thé sans lait, mais en y ajoutant une grande quantité de sucre, comme l'exigeait la coutume australienne. C'était un liquide sombre et puissant, auquel l'eucalyptus et la fumée conféraient une saveur particulière, mais non dénuée d'intérêt.

— Eh bien…, fit Gilles, quand au terme de leur dégustation, ils s'adossèrent à une souche. Vas-tu enfin me parler un peu de ta sœur?

— Je ne sais pas grand-chose d'elle, répondit Olivia sans cesser de contempler le firmament. J'avais dix ans lorsque nous sommes parties pour l'Angleterre. Depuis, je ne l'avais pas revue, et jamais elle ne s'est manifestée.

— Le temps a eu beau passer, murmura son ami, il reste entre vous bien plus qu'une simple animosité. Il régnait une atmosphère si lourde à Deloraine Station qu'on aurait pu la couper au couteau.

Olivia garda le silence. Cette hostilité avait à ce point marqué son enfance qu'elle lui était devenue presque naturelle; elle l'avait acceptée. Néanmoins, elle en concevait de la tristesse, car Irène représentait aujourd'hui sa seule famille. Comme elle aurait aimé pouvoir s'entretenir avec elle, partager avec elle les troublantes révélations contenues dans la liasse de feuillets qu'elle lui avait montrée.

Gilles tisonna le feu, avant d'y déposer leurs dernières réserves de bois.

— Eva ne m'a jamais dit que tu avais une sœur. Ça a été pour moi un rude choc.

Olivia sourit. Ce cher Gilles… Tellement anglais. Tellement prévisible. C'était seulement depuis qu'ils avaient posé le pied sur ce continent qu'elle mesurait tout ce qui le distinguait des Australiens. La différence parlait en sa faveur: elle pourrait toujours compter sur Gilles. Toujours il agirait au mieux des intérêts de la jeune femme. Au contraire d'un Sam, par exemple, à la fois séducteur et loustic, qui traversait l'existence avec de charmantes allures de caïd.

— Irène et ma mère se sont brouillées il y a de nombreuses années. J'ignore pour quelle raison. Peut-être cela avait-il un rapport avec le mariage d'Irène et de William.

Elle s'interrompit un instant.

— William n'est pas un aristocrate, tu comprends. Rien qu'un paysan sans instruction et sans classe. Du moins selon ma mère. Je pense qu'elle nourrissait de grandes espérances concernant Irène.

Du bout de sa chaussure, elle repoussa une branche dans le feu.

— Côté mariage, nous l'aurons déçue toutes les deux, ajouta-t-elle. Mais j'ai eu au moins l'excuse de la guerre pour justifier le fait de ne pas avoir remis mon destin entre les mains d'un bel aviateur. Je travaillais. Hors de question pour moi de prendre les affaires de cœur au sérieux. Combien ai-je vu d'infirmières épouser un Américain?... Je suis certaine qu'aujourd'hui elles le regrettent amèrement.

— Curieux qu'Eva n'ait pas changé son fusil d'épaule avec les années, intervint Gilles. Après tout, leur union semble fonctionner plutôt bien.

— Une fois qu'Eva s'était fait son opinion sur un sujet, quel qu'il fût, elle ne changeait plus d'avis. Tu la connaissais. Absolument déraisonnable. Et jamais elle n'aurait admis qu'elle pouvait s'être trompée.

Les jeunes gens s'abîmèrent un moment dans le silence, l'œil perdu en direction des flammes.

— Voilà ce qui m'attriste tellement, reprit Olivia. Peu avant son décès, elle a tenté de réparer ses torts, mais le mal était fait. Il était trop tard. Irène n'a jamais répondu à ses lettres.

Elle écouta le bois craquer; un nuage d'étincelles s'éleva dans le ciel nocturne. Ses souvenirs ne la quittaient plus. Elle regrettait à présent d'avoir rendu visite à sa sœur.

— Tout à l'heure, déclara Gilles, je t'ai raconté une histoire. À ton tour de m'en raconter une. Dis-moi ce qui s'est passé après les retrouvailles de tes parents.

La jeune femme adressa à son ami un sourire reconnaissant. Il trouvait toujours le moment opportun pour l'extraire de ses plus sombres pensées. Que deviendrait-elle s'il lui prenait l'envie de s'éloigner d'elle pour se marier? Elle chassa aussitôt de son esprit cette éventualité. Ils étaient des amis. Des amis très proches. Et cette amitié, rien ne viendrait la ternir.

Il lui semblait entendre à nouveau la voix de sa mère. Au cours des derniers mois de sa vie, elles avaient beaucoup parlé, de sorte qu'Olivia en avait appris davantage sur ses parents qu'elle n'en connaissait jusqu'alors.

— Mon père était passé par-dessus bord, mais il avait réussi à saisir dans sa chute une ceinture de sauvetage, à laquelle il est resté cramponné toute la nuit. Juste avant l'aube, les vagues l'ont précipité sur le rivage avec d'autres passagers. Aussitôt, les gens de Manjimup ont volé à leur secours. Après leurs retrouvailles, mes parents se sont installés dans le petit village de la côte ouest, le temps que guérissent les brûlures que le soleil avait infligées à Eva et qu'elle se sente assez robuste pour reprendre son voyage. Père a tenté d'acheter des places sur un bateau, mais mère a refusé tout net d'embarquer.

Olivia sourit.

— Je la comprends. Après ce qu'elle venait d'endurer...

La plaine de Nullarbor était un immense désert aride, où l'on ne discernait ni arbres ni oiseaux, où seuls les graminées les plus robustes et les buissons les plus résistants parvenaient à survivre. Leur guide avait d'ailleurs appris à Eva que le terme de *Nullarbor*, d'origine latine, voulait dire «sans arbre», tandis que les Aborigènes avaient donné à cette région le nom d'Oondiri, qui signifiait «sans eau».

Leur guide était un garçon enjoué aux cheveux poil de carotte appelé Bluey MacDonald. Fils d'un pionnier écossais, Bluey, âgé de dix-huit ans, goûtait le silence qui régnait dans cette horrible contrée. Il évoqua pour les rescapés les vastes troupeaux qu'il avait la tâche de conduire d'un endroit à un autre au cœur de ces terres désolées; il leur parla des points d'eau qui, un jour hélas, tarissaient ou se gorgeaient d'argile.

Lorsqu'il contemplait son pays natal, son regard se réduisait à deux fentes sous le bord de son chapeau. Il enchaîna, décrivant à ses auditeurs les pauvres bêtes contraintes de cheminer en direction du point d'eau suivant, puis du suivant encore, jusqu'à ce qu'enfin l'on trouvât de l'eau potable. Lors de ces périples, plusieurs milliers de têtes de bétail succombaient, mais l'aventure consistait à mener l'expédition à son terme coûte que coûte, en sauvant le plus grand nombre d'animaux.

Le garçon concevait toute cette entreprise comme un combat. Contre la terre. Contre les éléments. De quoi jauger un peu son courage et sa résistance. Les hommes qui avaient su mater la plaine de Nullarbor étaient devenus des légendes, que leurs pairs évoquaient à l'envi dans les hôtels de toutes les villes de l'outback. En dépit de sa jeunesse, Bluey MacDonald semblait résolu à rejoindre un jour les rangs de ces héros mythiques.

De leur côté, Eva et Jessie frémissaient à ces épouvantables récits – la première se demandait quelle mouche avait bien pu piquer ces garçons pour qu'ils s'en repaissent autant. Car chaque fois qu'il parlait de ces interminables pistes vides, il naissait de la passion dans la voix de Bluey. Des désirs d'épopée embrasaient une étincelle dans le fond de ses yeux, au coin desquels le soleil infernal avait déjà creusé de profondes pattes-d'oie.

La jeune femme ne tarda pas à comprendre que Frederick se laissait fasciner par ces narrations. Tenant Bluey en haute estime, il l'accablait de questions. Eva frissonna. Son époux appartenait donc à cette race d'hommes capables de tout quitter pour mener l'âpre existence des pionniers. Mais elle, que deviendrait-elle une fois qu'il aurait pris ses fonctions d'arpenteur de Sa Majesté? De longs mois solitaires l'attendaient, qui la navraient d'avance.

Les jours passèrent. Se muèrent en semaines. Chevaux et mules progressaient sur une terre blanchie par le sel accumulé dessous. On passait la nuit autour d'un feu de camp. Les repas se composaient de gros morceaux d'un pain étouffant appelé «pain du bush», ainsi que de viande très salée – Eva avait soif en permanence. Le thé, que Bluey faisait bouillir dans une gamelle en fer-blanc, n'était buvable que parce que le jeune homme l'additionnait d'une copieuse quantité de sucre.

Ils cheminaient à présent depuis près de deux semaines. Dans la fournaise, le ciel avait perdu toute couleur, des cris de mouettes leur parvenaient cependant de temps à autre, quand les oiseaux se laissaient porter par les vents chauds, au-dessus des contours déchiquetés du littoral lointain.

Lorsqu'elle découvrit l'océan, Eva conclut que leur expédition touchait à sa fin. Mais à peine eut-elle mis pied à terre pour s'approcher du bord de la falaise qu'elle déchanta : ils se trouvaient encore à de nombreux kilomètres de toute civilisation.

Le désert s'interrompait net. De luisants rochers noirs émergeaient d'une mer étincelante, dont les vagues s'écrasaient contre eux dans un fracas. Ici hélas, pas le moindre petit village. Rien que les cris des oiseaux et l'aveuglant éclat de cet océan vide à la puissance traîtresse.

— Dieu merci, c'en est fini des bateaux, observa Jessie, qui venait de la rejoindre. C'est pas que je me réjouisse de passer mes journées sur le dos d'un canasson, mais c'est toujours mieux que le mal de mer.

Elle se massa le bas du dos.

— J'ai les fesses en compote.

Eva, qui cramponnait son chapeau que le vent tentait de lui ravir, s'éclaircit la voix :

— Même une chasse à courre ne m'a jamais autant rompue que ces chevauchées-là.

Leur amitié naissante s'était approfondie à la faveur de ce long périple. Elles étaient deux femmes, qui luttaient pour supporter les conditions difficiles dans lesquelles le sort les avait placées. Deux femmes qui comprenaient que les obstacles à surmonter tenaient entre autres à leur sexe. Les hommes en effet se souciaient à peine d'elles – Frederick et Bluey cheminaient côte à côte sans cesser de parler, leur respect et leur camaraderie mutuels augmentant à chaque kilomètre.

Eva, de son côté, avait peu à peu appris à apprécier Jessie, dont elle goûtait maintenant la compagnie. Assurément, elle était issue des bas-fonds, mais elle avait surmonté le décès de son époux avec vaillance, et son optimisme se révélait sans faille. Elle était dure, invincible, et s'il y avait une personne, au sein de la petite compagnie, dont on pût être certain qu'elle arriverait à bon port, c'était Jessie.

— Je connais que dalle à la chasse, répondit-elle en plissant les yeux vers l'océan. Mais comme disait mon homme, on sait jamais de quoi on est capable tant qu'on n'a pas essayé.

Olivia opina en lui tapotant l'épaule. La jeune femme citait souvent son époux défunt ; son évocation la réconfortait.

Elle baissa les yeux sur ses jupes, qui sous l'effet du vent fouettaient ses mollets ronds.

— Qu'est-ce qu'il me manque. Je me demande ce que je vais bien pouvoir faire de ma peau une fois arrivée à Adélaïde. Il était censé bosser pour un bonhomme dans une région qui s'appelle la Barossa. On devait nous fournir une maison. Mais maintenant qu'il est parti, va falloir que je me dépatouille toute seule.

Eva se remémora soudain les deux bras protecteurs qui s'étaient refermés sur elle au fond de la chaloupe. Elle se rappela la rage avec laquelle Jessie était partie à l'assaut de la dune. Elle songea au bavardage enjoué de la jeune femme, qui lui avait changé les idées pendant les trajets éprouvants d'un village à l'autre. À Melbourne, elle aurait besoin de quelqu'un comme Jessie. Il y aurait tant à faire avant que Frederick et elle pussent s'installer pour de bon.

— Que diriez-vous de nous accompagner à Melbourne et d'y travailler pour moi ?

L'œil de sa compagne pétilla un instant mais, déjà, elle se rembrunissait.

— On m'a rien appris, laissa-t-elle tomber. Je sais pas tenir une maison.

— Je vous apprendrai.

La tâche à n'en pas douter serait lourde, mais du moins pourrait-elle faire confiance à Jessie qui, depuis leur rencontre, s'était révélée d'une probité irréprochable.

— Ce ne sera pas bien compliqué. D'autant plus que je suis certaine que vous savez déjà à peu près tout. Vous devez bien être capable, par exemple, de prendre soin du linge?

— Ça, répliqua Jessie en haussant un sourcil, pour sûr que j'aurai pas trop à me fouler, vu qu'il nous reste plus rien à nous coller sur le dos!

Un éclat farceur brillait dans son regard.

— En effet.

Il allait en revanche falloir apprendre les bonnes manières à la jeune femme – pour l'heure, Eva préféra oublier son joli trousseau, qui gisait sur les fonds marins. Oublier qu'elle portait les vieilles frusques mitées qu'une autre survivante lui avait données.

— Merci, madame Hamilton, dit Jessie, la mine inhabituellement grave. Vous êtes une femme en or.

— Voilà une affaire réglée, commenta avec brusquerie sa compagne, qui avait en réalité la gorge nouée.

— Ils ont atteint Melbourne presque six semaines après avoir quitté la côte, enchaîna Olivia. Eva a eu le plaisir de découvrir qu'on leur y avait attribué une fort jolie maison. De plus, on avait déjà embauché des domestiques et acheté des meubles pour remplacer ceux qui avaient été perdus au cours du naufrage. Jessie s'est empressée de remonter ses manches pour prendre la direction de la maisonnée et des servantes, avec une énergie qui n'a pas surpris mes parents.

— C'est cette même Jessie dont tu as demandé des nouvelles à Deloraine? s'enquit Gilles en réprimant un bâillement.

Il était tard. Le jeune homme se sentait fourbu.

— En effet. Elle est restée au service de ma mère jusqu'à ce qu'elle se remarie et parte s'installer plus au nord. Je l'ai toujours considérée comme une vieille dame, mais elle n'avait en réalité qu'un an ou deux de plus qu'Eva.

Elle jeta une branche au milieu des braises; le feu reprit vie. La jeune femme le contempla un moment.

— Durant les premiers mois, ma mère a coulé des jours heureux. En sa qualité d'arpenteur de Sa Majesté, Frederick

112

était à tu et à toi avec le gouverneur. Sans compter que leur statut de rescapés d'un naufrage leur valait d'être invités partout. Mère se sentait comme un poisson dans l'eau. Dès que les nouveaux vêtements qu'elle avait commandés en Angleterre lui ont été livrés, elle s'est mise à fréquenter assidûment la bonne société locale.

Gilles s'abîma dans ses pensées pendant de longues minutes.

— Elle ressemblait davantage à Jessie qu'elle ne l'imaginait, finit-il par déclarer. Elle aussi possédait une résistance et une volonté à toute épreuve : à peine remise de la catastrophe maritime, la voilà qui entame une nouvelle vie dans un pays qui a dû lui paraître passablement étrange, par comparaison avec ce qu'elle connaissait.

— Tu as raison. Melbourne avait beau aspirer à un certain prestige, la ville n'arrivait pas à la cheville de Londres. Elle commençait à peine à prendre son essor : la plupart des habitations n'étaient guère que des cahutes en bois. Quant aux gens qu'Eva s'est mise à coudoyer, ils possédaient peu en commun avec les nantis londoniens. Mère a dû accepter de nombreux compromis.

La jeune femme sourit.

— À Melbourne, il suffisait en effet d'être commerçant, capitaine dans la marine, explorateur ou ancien forçat pour avoir ses entrées dans les cercles un peu huppés. Autant te dire qu'Eva a éprouvé quelques difficultés à s'adresser sur le ton adéquat à des hommes et des femmes dont elle n'ignorait pas les origines douteuses, mais qui avaient fait fortune à la tête d'un ranch ou d'un vignoble. Ces gens-là, par ailleurs, ne cachaient pas leur passé de bagnards. Quelquefois même, ils s'en glorifiaient.

Olivia se tut pour admirer la lune avant de poursuivre son récit :

— Puis père est parti pour une mission dans le Territoire du Nord. Son absence devait durer près d'un an. Bien sûr, il a emmené Bluey MacDonald avec lui – c'était un défi trop tentant pour le jeune homme. Eva et Jessie ont continué leur vie routinière. Frederick rentrait de temps en temps, il passait quelques semaines auprès de son épouse, puis il la quittait de nouveau. Eva a d'abord fait deux fausses couches, mais trois ans après leur arrivée à Melbourne, elle a donné naissance à Irène.

Olivia ferma les paupières, prit une profonde inspiration.

— C'était en 1897. Cette enfant, dont elle avait envie depuis si longtemps, est devenue le cœur de son existence. Jessie l'adorait. À elles deux, elles l'ont gâtée plus que de raison. Et quand père est rentré, il s'est aussitôt entiché de cette petite fille aux cheveux blonds. Mais l'appel de l'outback est resté le plus fort : même s'il s'affligeait de devoir quitter sa famille, il a continué à disparaître régulièrement pendant plusieurs mois.

— Il y a une grande différence d'âge entre Irène et toi, observa Gilles. Ça n'a pas dû être facile pour elle de voir arriver un second bébé, elle qui était demeurée pendant si longtemps l'unique enfant de la maison.

Olivia grimaça et se remit debout. Ayant glissé les mains dans les poches de son pantalon, elle enfouit son menton dans la chaleur de son col.

— Dix-huit ans de règne, en effet, c'est très long. Je ne peux décemment pas lui reprocher de m'en avoir voulu. Ma naissance a dû constituer pour elle un terrible choc.

Elle souleva le rabat de la tente pour s'introduire au prix de quelques contorsions à l'intérieur du sac de couchage.

— Ton père, en revanche, devait être aux anges, supposa Gilles, qui jeta son mégot dans le feu avant de se lever avec peine.

Olivia ne répondit pas. Pelotonnée dans le sac de couchage, elle tentait en vain de se réchauffer.

— Je ne pense pas que père ait jamais su que j'existais, murmura-t-elle.

Irène n'avait pas faim, et elle n'était pas d'humeur à supporter une discussion approfondie avec William. Elle repoussa son assiette.

— Je vais voir les chevaux, dit-elle à mi-voix en quittant la table.

— Tu ferais mieux de te rasseoir et de m'exposer les raisons de la scène à laquelle j'ai assisté aujourd'hui, répliqua son époux en la saisissant par le bras.

Après s'être libérée avec un mouvement sec, elle le considéra d'un œil noir.

— Toute cette histoire ne te regarde en rien, cracha-t-elle.

— Si, dans la mesure où c'est moi qui suis obligé de supporter ta face de carême. Tu comptais récupérer une plus grosse part du gâteau à la suite du décès de ta mère, c'est ça?

William se situait plus près de la vérité que sa femme consentirait jamais à l'admettre. Pour toute réponse, elle claqua la porte derrière elle en sortant. Après avoir enfilé ses bottes, elle se dirigea vers les écuries. L'odeur de paille fraîche, d'avoine et de foin, mêlée à celle des montures l'apaisa. Suivant la rangée de stalles, elle salua chaque animal au passage, en l'appelant par son nom.

C'était Eva tout craché. Mourir en ne lui léguant que quelques vieux bijoux. Cette petite garce d'Olivia devait jubiler. Comme elle vérifiait que les verrous étaient correctement tirés, elle s'aperçut que sa main tremblait. Olivia était depuis toujours la cause de ses tourments. Irène la haïssait. Eva n'en avait que pour elle, elle l'avait gâtée; Irène s'était sentie rejetée. Bien fait pour cette vieille bique si elle avait rendu l'âme dans d'atroces souffrances, seule avec sa petite sainte nitouche. Jamais Eva n'aurait dû abandonner Irène.

Mille pensées se bousculaient à l'intérieur de sa tête. Il devait bien exister certaines démarches à entreprendre pour mettre la main sur l'héritage qui lui revenait de droit. Il devait bien exister un moyen de s'opposer au testament, puis de récupérer l'argent d'Eva. Pourquoi Olivia devrait-elle obtenir quoi que ce soit? Elle ne le méritait pas.

Un peu apaisée, Irène demeura dans les ténèbres. Elle se remémorait les clauses du testament. Bien sûr, elle n'ignorait pas les raisons qui avaient poussé sa mère à ne lui léguer que les bijoux, mais là n'était pas la question. Dès demain, elle se rendrait à Cairns pour prendre conseil auprès d'un notaire.

Songeant à la mine d'Olivia quand elle lui avait assuré ne rien savoir des papiers qu'elle lui avait ensuite remis, elle sourit.

«Pauvre idiote, murmura-t-elle. Comme si j'allais tout lui raconter.» Elle souriait encore en quittant les écuries pour rejoindre un box isolé de l'autre côté de la cour. Elle connaissait une vérité que jamais elle ne révélerait à personne. À cette pensée, un sentiment de puissance l'envahit. Elle possédait là une arme redoutable, dont elle n'hésiterait pas à se servir au besoin.

Plus-que-parfait avait passé la tête à l'extérieur de sa stalle, l'oreille dressée, l'œil pétillant de malice. Dix-huit paumes de force pure. L'étalon à la robe d'un noir lustré secoua la tête en montrant les dents. C'était un colérique, un méchant, qu'il avait fallu séparer de ses congénères, mais Irène l'adorait. William, lui, avait d'abord voulu le vendre, puis il avait menacé de l'abattre après qu'il eut démoli sa stalle dans un accès de fureur, manquant au passage de tuer l'un des palefreniers. Mais Irène se moquait bien de tout cela. Plus-que-parfait était à elle; ils se comprenaient à merveille.

Elle caressa son museau velouté, sentit sur sa paume la chaleur de son haleine. La joue contre celle du cheval, elle huma son odeur.

— Tu es un bon garçon, chuchota-t-elle. Nous n'allons pas nous laisser faire par cette petite peste, n'est-ce pas?

L'animal secoua de nouveau la tête en tapant du sabot. Il roula des yeux, rabattit ses oreilles vers l'arrière.

Si Irène demeurait trop près de lui, il la mordrait. Elle recula d'un pas.

— C'est bien, le félicita-t-elle. Nous allons lui montrer de quel bois nous nous chauffons.

Elle repoussa la partie supérieure de la porte, qu'elle verrouilla, puis se dirigea vers la maison. Pourvu que William dorme déjà; il avait éteint les lumières. Elle avait besoin de temps pour ourdir son plan. Car le choc qu'elle avait éprouvé en revoyant la jeune femme aujourd'hui ne représentait rien, par comparaison avec celui qu'elle avait reçu presque un an plus tôt.

William, par bonheur, n'était pas au courant, et son épouse ne tenait nullement à lui apprendre quoi que ce soit. Mais elle devait à présent prendre des mesures contre Olivia, dont la présence sur ce continent ne vaudrait à Irène que des ennuis.

8

— Maggie.

La voix, douce, la tira d'un rêve agréable.

— Réveillez-vous, Maggie. Vous êtes en train de rôtir.

Elle souleva une paupière, réticente à quitter ses songes, et fâchée qu'on la dérange ainsi. Elle se tourna pour voir qui venait de lui parler, et s'aperçut qu'en effet, après deux merveilleuses journées passées à paresser sur la plage, ses épaules la cuisaient.

Olivia se tenait agenouillée auprès d'elle, sur une serviette colorée. Elle lui sourit.

— Asseyez-vous. Je vais vous enduire de crème. Sinon, vous risquez de souffrir.

Maggie, qui somnolait encore à demi, s'exécuta sans broncher.

— Quand est-ce que vous êtes revenue? s'enquit-elle d'une voix pâteuse en tâchant de se recoiffer un peu et d'essuyer son visage couvert de sueur et de sable.

— Ce matin, répondit Olivia qui, de ses mains fraîches, commençait à faire pénétrer doucement la crème dans les épaules de Maggie. Vous allez arborer un bronzage superbe, mais il faut faire attention. Le soleil est très chaud en ce moment.

Maggie acquiesça. Je dois avoir fière allure, tiens. En nage, à moitié saoulée par le soleil et le sommeil dont elle vient de me tirer. Et merde, se fâcha-t-elle en silence. Qu'est-ce qu'elle va penser de moi, la belle Anglaise?...

Elle jeta un coup d'œil en direction de cette dernière, dont la peau légèrement hâlée se trouvait mise en valeur par un tailleur blanc. Elle possédait de longues jambes élancées, des chevilles et des poignets délicats. De sous son chapeau de paille, ses cheveux noirs et nattés retombaient sur l'une de ses épaules. Maggie, qui se sentait particulièrement rebutante, en voulut à la jeune femme d'une telle élégance.

— Voilà qui est mieux, observa celle-ci en se rasseyant sur sa serviette. Mais vous devriez vous couvrir les épaules. Le soleil vous a brûlé la peau.

— Merci, grommela Maggie entre ses dents.

Elle se reprocha aussitôt sa grossièreté. Tout ça parce que l'Anglaise représentait ce qu'elle avait toujours rêvé de devenir. Elle était injuste. Elle jeta sur ses épaules un mince chemisier de coton, avant de sourire à sa compagne.

— Ce truc est au poil, observa-t-elle en désignant d'un regard la crème solaire dont, à son tour, Olivia s'enduisait.

Celle-ci lui tendit le flacon dans un sourire.

— Gardez-le, j'en ai apporté plusieurs.

Maggie fixa l'objet, tentée mais réticente. Elle ne souhaitait pas que l'Anglaise lui fît ce cadeau. Elle essayait simplement de se montrer aimable.

— Je sais pas…, commença-t-elle.

— Allons, répliqua Olivia en lui fourrant d'office la bouteille dans la main. J'adore faire des cadeaux. Vous m'en donnez enfin l'occasion. Cela faisait si longtemps. Gardez la crème solaire. Utilisez-la. Toutes les jeunes femmes ont besoin de se chouchouter un peu.

Maggie examina le flacon bleu pâle, muni d'un bouchon doré et d'une étiquette couverte d'une écriture tarabiscotée. Ce bidule-là devait coûter un prix fou… Mais qu'est-ce que ça sentait bon…

— Merci… Et pardon pour l'autre jour, j'ai pas été très polie.

Olivia la considéra quelques instants avant de hausser les épaules.

— Je n'ai rien remarqué, répondit-elle. Je pensais à autre chose.

La jalousie de Maggie rappliqua au triple galop : sans doute la demoiselle avait-elle alors l'esprit occupé par sa séance de flirt avec Sam. Mais déjà, elle repoussait cette hypothèse déplaisante. Pourquoi diable gâcher une belle journée? Olivia était charmante, elles avaient toutes les deux le même âge... Il aurait été dommage de ne pas sympathiser.

Il y avait néanmoins plusieurs questions que Maggie souhaitait poser. Elle se tourna discrètement vers Olivia qui, allongée sur le dos, en appui sur les coudes, offrait son visage aux rayons du soleil.

— Je suis surprise que vous soyez déjà de retour, commença-t-elle. D'ici à Deloraine, ça fait une sacrée trotte.

L'œil sombre d'Olivia se posa sur elle, énigmatique.

— Le voyage n'est pas si long, une fois que vous avez compris combien vous aviez été sotte de seulement songer à l'entreprendre. Gilles et moi avons campé hier soir, sinon nous serions rentrés encore plus tôt.

La curiosité de la gérante était piquée ; elle ne put s'empêcher de poursuivre :

— Vous avez de la famille là-bas, hein?

— Personne dont le nom vaille la peine qu'on le mentionne.

La jeune femme s'étira sur sa serviette, avant de poser sur ses yeux son chapeau de paille.

Maggie aurait dû saisir le message, mais le secret d'Olivia l'intéressait plus encore à présent. Forcément, il existait une raison logique qui avait poussé la jeune femme à se rendre là-bas, mais pas un seul Anglais ne vivait dans ce secteur. À qui diable avait-elle rendu visite?...

À quoi pouvait-elle bien penser en cet instant? Elle semblait si calme. Si maîtresse d'elle-même. Et pourtant, quelque chose la tourmentait, cela sautait aux yeux. Maggie s'allongea à son tour, sentit se réchauffer sa peau. En revanche, le sommeil l'avait fuie : sa cervelle bouillonnait.

Olivia ferma les paupières et se détendit. Elle la connaissait certes fort peu, mais elle appréciait Maggie, au point qu'elle aurait presque désiré se confier à elle. Mais elles demeuraient des étrangères l'une pour l'autre, or jamais Olivia n'ouvrait son cœur aisément.

Elle écouta les clameurs des enfants sur la plage, les criailleries des mouettes qui étouffaient le doux murmure des vagues sur le sable. Elle était chez elle. Elle possédait le droit de se trouver ici. Dans ce cas, pourquoi continuait-elle à se faire l'effet d'une usurpatrice? Pour quelle raison se sentait-elle si peu à sa place? On aurait cru un navire à la dérive. L'ancre de son enfance, sa visite à Deloraine s'était chargée de l'arracher. Elle allait devoir désormais chercher un sens à toute cette aventure.

Le souvenir récent de ses retrouvailles manquées avec Irène l'empêchait de se relaxer. Elle rouvrit les yeux, se tourna vers Maggie ; le besoin qu'elle éprouvait de parler se révélait trop fort pour qu'elle pût continuer à se taire.

— Habitez-vous Trinity depuis longtemps?

La jeune femme plissa les yeux dans le soleil.

— Un peu plus d'un an. C'est une chouette ville, hein?

— En effet, soupira Olivia. Je finis par regretter de l'avoir quittée.

— Quittée? Mais vous venez à peine d'arriver.

Lisant de la curiosité dans le regard de la gérante, Olivia lui décocha un sourire. Il était si facile de bavarder avec Maggie. Elle aurait eu tort de ne pas se livrer à elle. De toute façon, cela ne pouvait pas lui faire de mal.

— J'ai grandi ici, lui expliqua-t-elle. Nous vivions dans l'une de ces maisonnettes, le long de la plage, et je fréquentais l'école d'Adélaïde Street.

Stupéfaite, Maggie s'assit, les yeux écarquillés.

— Mais vous êtes anglaise, observa-t-elle.

— Je possède en fait la double nationalité.

Elle écarta les mèches de cheveux qui lui balayaient le visage, avant de fixer l'île étincelant sous le soleil.

— J'avais dix ans lorsque j'ai quitté Trinity. C'est pour cette raison que je n'ai pas conservé mon accent. Force m'est d'avouer qu'aujourd'hui je suis sans doute plus anglaise qu'australienne. Je le regrette beaucoup, car je me suis toujours considérée comme une Australienne. Or, il me paraît important de rester soi-même. Vous n'êtes pas de mon avis?

La serveuse opina.

— Pour sûr. Mais c'est pas toujours facile. Surtout si on n'a pas grand-chose à quoi se raccrocher.

Maggie plongea une main dans le sable pour le regarder ensuite couler entre ses doigts. De la tristesse se peignait soudain sur ses traits. De la mélancolie, se dit Olivia.

— Mais vous êtes heureuse à Trinity, non?

Le sourire de sa compagne lui parut forcé.

— Disons que ça faisait bien longtemps que je m'étais pas sentie autant chez moi qu'ici. À peu près chez moi.

Olivia, dont le désarroi entrait en écho avec celui de la jeune femme, ressentit pour elle une profonde empathie.

— La guerre a cet effet sur beaucoup de gens, remarqua-t-elle d'une voix douce. J'ai vécu pendant plusieurs années dans des meublés minuscules, quand je ne partageais pas avec d'autres infirmières un logement sordide qu'aucune d'entre nous n'aurait eu seulement l'idée d'appeler «chez-soi». Par-dessus le marché, à deux reprises un bombardement m'a chassée de l'endroit où j'habitais. Les deux fois j'ai perdu tout ce que je possédais.

— Moi, j'avais onze ans le jour où j'ai tout perdu, déclara Maggie. Après ça, j'ai pas arrêté de bouger. Mais ici, c'est pas pareil. Je m'y suis sentie bien tout de suite.

— Certains lieux possèdent ce pouvoir, commenta Olivia d'un air pensif. Comme si vous leur apparteniez. Comme si vous aviez passé votre existence à les chercher. Le jour où vous dénichez un tel endroit, vous savez que c'est là qu'il vous faudrait vivre jusqu'à la fin de vos jours.

— Je suis pas aussi douée que vous pour exprimer les choses. Mais vous avez raison. Je me sens chez moi ici, même si j'avais encore jamais mis les pieds aussi au nord. C'est bizarre, hein?

— Qu'est-ce qui vous a amenée à Trinity?

Olivia avait provisoirement laissé de côté ses propres tracas. Elle comprenait d'instinct que Maggie avait besoin de parler, besoin de se délester de son fardeau, quelle qu'en fût la nature. Elle avait déjà observé maintes fois ce phéno-mène chez des soldats, des marins ou des aviateurs, dans les hôpitaux et les maisons de convalescence qu'elle avait fréquentés. Effarés par un avenir incertain, les blessés les plus graves se muraient dans le silence, craignant, s'ils parlaient, qu'on les taxât de faiblesse. Les pousser à la confession tenait de la gageure, et c'était Maggie qu'Olivia allait à présent travailler au corps, à l'autre bout du monde…

La jeune femme continuait à faire couler du sable entre ses doigts, perdue dans ses pensées.

— J'aurais jamais dû venir ici, laissa-t-elle enfin tomber d'un ton neutre. Comme vous avec votre escapade à Deloraine.

Elle sourit à l'Anglaise.

— J'ai quand même tiré mon épingle du jeu, enchaîna-t-elle. J'ai dégoté ce boulot à l'hôtel, j'ai mon petit logement. Et puis, bien sûr, il y a Sam.

— Un homme absolument charmant, commenta Olivia.

— Charmant, j'en ai pas la moindre idée. Je sais seulement que c'est le type le plus horripilant et le plus décevant que cette chienne de vie m'ait donné l'occasion de croiser.

Elle pouffa.

— Mais je le changerais pour rien au monde.

Elle planta son regard dans celui de l'Anglaise :

— Un jour, il se mettra du plomb dans la cervelle. À condition que personne s'avise de le distraire.

Olivia saisit immédiatement la menace voilée.

— Je devine ce qui vous plaît chez lui, dit-elle. Mais personnellement, je préfère les blonds, et les garçons un peu plus… affinés.

— Comme Gilles ?

L'Anglaise demeura songeuse un moment. Gilles assurément était beau, d'une beauté discrète, avec sa chevelure brun clair et sa moustache entretenue avec soin. Il avait aussi de jolis yeux, ainsi qu'une bouche sensuelle. Olivia contempla l'océan, surprise de n'avoir jamais, jusqu'à ce jour, considéré le jeune homme sous l'angle de la séduction.

— Nous nous connaissons depuis longtemps, finit-elle par répondre. Gilles est mon meilleur ami. Il est le frère que je n'ai jamais eu. Nos relations se résument à cela.

Elle adressa à Maggie un sourire en coin.

— Le problème avec Gilles, c'est que, quand je pose les yeux sur lui, j'ai tendance à revoir le petit garçon en culottes courtes qu'il était jadis. Avec des traces de confiture autour des lèvres et une boîte d'asticots au fond de la poche. On ne fabrique pas un héros romantique avec de telles images…

Les deux femmes éclatèrent de rire en chœur. Peut-être, se dit alors Olivia, deviendraient-elles bientôt d'excellentes amies. Elles décapsulèrent des bouteilles de soda, qu'elles entrechoquèrent pour trinquer.

— Aux hommes de notre vie, déclara Olivia. Puissent-ils apprendre à nous comprendre mieux.

— Bien vu ! Mais pas un bonhomme au monde est capable de comprendre les nénettes. Déjà qu'on a bien du mal à se comprendre nous-mêmes.

— En effet. Mais il faut vivre d'espoir, n'est-ce pas ?

L'eau était fraîche. Après avoir nagé, les deux jeunes femmes se précipitèrent vers leurs serviettes, qu'elles installèrent à l'ombre. Le soleil était haut, le ciel d'un bleu aveuglant. Une brume de chaleur tremblotait au-dessus du sol et des arbres ; les mouettes elles-mêmes paraissaient épuisées par cette canicule.

Maggie se sentait bien. Ces deux journées de vacances l'avaient revigorée et, contre toute attente, elle goûtait beaucoup la compagnie d'Olivia. Après sa baignade, elle n'était plus que détente et harmonie avec le monde… mais elle mourait de faim. Elle consulta sa montre, stupéfaite de constater la vitesse à laquelle le temps s'écoulait aujourd'hui.

— Il est un peu tard, mais je vais retourner à l'hôtel pour essayer de nous dénicher un en-cas.

— Inutile, répondit Olivia en plongeant la main dans un volumineux sac de plage. J'ai demandé à Lila de nous préparer des sandwichs lorsque Sam m'a expliqué que je vous trouverais sur la plage.

La gérante exultait. Depuis deux jours elle évitait l'hôtelier, au cas où il aurait changé d'avis et exigerait qu'elle reprît le travail au plus vite.

— Comment il se débrouille ?

— Bien, répliqua l'Anglaise en mordant dans un casse-croûte à la betterave et au poulet. Il ne chôme certes pas, mais plusieurs personnes lui ont tendu une main secourable. Je pense qu'il apprécie maintenant à sa juste valeur le mal que vous vous donnez pour lui. En tout cas, cela ne le tuera pas de se démener un peu jusqu'à ce que vous repreniez le collier.

— Je vais m'ennuyer si je retourne pas bosser, avoua la jeune femme d'un air contrit. Y a pas grand-chose à faire dans le secteur. Je reconnais que je m'éclate depuis deux jours, mais je vais pas tarder à avoir des fourmis dans les guiboles si je retourne pas derrière le bar.

Elle laissa échapper un petit rire désenchanté.

— Ça en dit long sur la puissance de mon imagination, hein?

— Je ne suis pas d'accord, répondit Olivia en terminant son sandwich. Si vous appréciez votre travail, je comprends que vous ayez envie de le reprendre.

L'œil brun de la jeune femme semblait noir au soleil.

— Cependant, accordez-vous un peu de bon temps. L'existence ne se réduit pas à distribuer des pintes de bière.

— Peut-être bien, maugréa Maggie.

Elle rejoignit sa compagne au bord du petit bassin cerné de rochers, où elles se lavèrent les mains. La gérante préférait ne pas insister – comment aurait-elle pu expliquer à la jeune Anglaise qu'à l'intérieur du pub elle se sentait en sécurité? En sécurité dans le lieu qu'elle connaissait le mieux? C'était grotesque, elle ne l'ignorait pas, mais le pub était devenu sa maison – la première véritable demeure qu'elle eût pu nommer telle depuis de nombreuses années. Elle n'aimait pas s'en éloigner.

— Vous m'avez dit tout à l'heure que vous aviez commis une erreur en venant à Trinity, reprit Olivia une fois qu'elles se furent réinstallées à l'ombre. Mais qu'est-ce qui vous a amenée ici?

— La curiosité. Je cherchais quelque chose, mais quand je l'ai trouvé, je me suis rendu compte qu'en fait j'en voulais pas.

Elle poussa un soupir.

— Y a un dicton dans ce genre-là, non? Faites gaffe aux vœux que vous faites, ils risquent de se réaliser…

Olivia acquiesça.

— Je vois très précisément ce que vous voulez dire.

Maggie la considéra avec stupeur :

— Qu'est-ce que vous pourriez bien souhaiter que vous avez pas déjà? Vous êtes belle, vous êtes élégante, vous avez confiance en vous. Vu vos tenues et vos manières, vous êtes riche, et Gilles est dingue de vous.

L'Anglaise écarquilla les yeux, puis renversa la tête en arrière et partit d'un grand rire.

— Oh Maggie…, parvint-elle à articuler. Vous ne savez pas le tiers du quart.

— Alors mettez-moi au parfum, la pressa la gérante, les genoux contre la poitrine.

Olivia la fixa longuement avant de reporter son attention sur les coquillages qu'elle avait ramassés. Maggie se demanda si elle n'était pas allée trop loin; peut-être la voyageuse ne se sentait-elle pas encore assez à l'aise en sa compagnie pour partager les épisodes les plus pénibles de sa vie… Après tout, elle-même avait éludé les questions concernant Trinity. Mais si Olivia consentait à se dévoiler un peu, la serveuse s'épancherait sans doute plus aisément, elle aussi.

— J'avoue que j'ai joui d'une enfance privilégiée par rapport à beaucoup d'autres. Ma mère était une femme fortunée, je n'ai jamais manqué de rien.

Le regard de la jeune femme se perdit en direction de la mer.

— Cependant, les apparences sont trompeuses. Je n'ai rien d'une petite fille gâtée. On m'a dès longtemps fait comprendre qu'une fois adulte il me faudrait gagner ma vie et suivre ma voie sans l'aide de personne. Ma mère tenait plus que tout à l'indépendance des femmes. Je confectionne donc moi-même mes vêtements, je fais la cuisine, le ménage… Je n'ai pas d'enfants, pas d'époux. Et plus la moindre famille.

»J'exerce le métier d'infirmière, enchaîna-t-elle, en sorte que durant la guerre, j'ai assisté à des scènes tellement épouvantables qu'elles m'ont longtemps poursuivie dans mes cauchemars. J'ai entendu des choses qui m'ont fait douter de ma santé mentale, et de celle de ce monde effarant dans lequel nous vivons. Le Blitz a réduit à néant notre société. Des milliers d'Anglais ont perdu leur logement, ils se sont retrouvés seuls, errant d'un endroit à un autre, cherchant partout des compagnes ou des compagnons d'infortune susceptibles de leur tenir lieu de famille. J'ai habité pour ma part dans des meublés infects, je vous l'ai déjà dit, dans des dortoirs, j'ai dormi parfois à même le sol de certaines stations de métro, où les rats vous passaient sur le corps.

Maggie frissonna.

— Comme dans les champs de canne à sucre, observa-t-elle. Des rats énormes qui grouillent partout.

Plusieurs émotions contradictoires se disputaient les traits d'Olivia, qui s'était tue.

— Je vous demande pardon, fit la gérante. Je voulais pas vous obliger à vous replonger dans les mauvais souvenirs. Ça a dû être l'enfer, à Londres.

— Avec un peu de chance, repartit son interlocutrice avec un haussement d'épaules, on parvenait à survivre. Je me trouvais à l'hôpital le jour où on y a amené Gilles. Voilà bien ce que les infirmières redoutaient le plus : compter l'un de leurs proches parmi leurs patients. Il était d'une maigreur effarante, et couvert de plaies. Quelqu'un lui avait pansé le bras à la hâte ; le bandage était très sale.

La jeune Anglaise cligna des yeux pour en chasser les larmes. J'aurais mieux fait de la boucler, songea Maggie. Néanmoins, Olivia semblait désireuse de se confier encore. Alors sa compagne fit silence – il était important, pour qui s'épanchait, de trouver une oreille attentive.

— Son avion avait été abattu. Après quoi les Allemands l'avaient capturé, sans se soucier le moins du monde de son bras cassé. Résultat, le membre s'est gangrené. Le temps qu'il réussisse à s'évader avec deux de ses compagnons, puis qu'ensemble ils regagnent l'Angleterre, les chirurgiens ont été contraints de l'amputer.

— Il a l'air d'avoir accepté la situation, remarqua Maggie.

— Il en a l'air, en effet, mais je le connais trop bien pour ignorer qu'il souffre encore beaucoup, et que cette blessure a largement émoussé son assurance. Il s'apprêtait à entamer sa carrière quand la guerre a éclaté. Aujourd'hui, il reste persuadé que personne ne prendrait au sérieux un avocat manchot.

Elle émit un sourire chargé de tristesse.

— Quel idiot. Si je devais un jour me retrouver sur le banc des accusés, je n'en voudrais pas d'autre que lui pour me défendre. Il se révèle aussi acharné à la tâche que les rats de vos champs de canne à sucre.

Maggie ne s'étonna pas que le jeune homme fût avocat. Il y avait quelque chose, dans sa physionomie, qui inspirait d'emblée la confiance. Et puis on le sentait accessible.

— Beaucoup de jeunes gars ont vu leur existence bouleversée à cause de cette satanée guerre, maugréa-t-elle. Ils ont arrêté l'école, ou bien ils ont perdu leur boulot… Plus rien sera jamais comme avant. Sam en parle rarement, mais quand il est rentré d'Europe, son ranch avait brûlé avec sa femme et leur gamin à l'intérieur. Il faut un sacré cran pour se relever d'un truc pareil.

— Et vous, Maggie? Quels démons sommeillent en vous?

Olivia lui effleura l'avant-bras.

— Je sais qu'ils existent, dit-elle doucement. On devine leur présence dans vos yeux.

Maggie fixa sans ciller la jeune Anglaise. Cette fois, elle allait parler, c'était plus fort qu'elle.

— Je suis venue ici pour mettre la main sur un de ces démons, commença-t-elle. Mais je me suis bientôt rendu compte que ça servait à rien. Maintenant, il faut que j'accepte de jamais connaître les réponses aux questions que j'avais pourtant besoin de poser. C'est pas si facile. Le passé veut pas me lâcher. Je voudrais pourtant tout oublier pour redémarrer de zéro.

— Allons, Maggie, dites-m'en plus. Vos secrets vous rongent.

Alors la jeune femme lui raconta la mort d'Elizabeth, puis la perte de Waverly Station. Elle lui rapporta ensuite le long périple en direction du nord à bord du chariot.

— Je savais pas du tout où on allait. Mais papa m'avait promis que c'était des gens au poil, qui s'occuperaient bien de moi en attendant qu'il dégote un boulot fixe.

Elle prit une profonde inspiration.

— Si j'avais eu la moindre idée de ce qui m'attendait, j'aurais sauté du chariot et j'aurais pris mes jambes à mon cou.

Les terres appartenant à la Congrégation catholique des Sœurs de Notre-Dame se déployaient, dans un splendide isolement, à l'ouest de la Cordillère australienne. Des kilomètres et des kilomètres de fétuques s'étendaient dans toutes les directions, à l'ombre de la chaîne montagneuse, vaporeuse et bleutée. Le bétail avait le poil soyeux.

L'eau abondait, même en ces terribles années de sécheresse, car on trouvait ici des rivières, des cascades et des lacs. D'élégantes aigrettes arpentaient l'herbe en piochant leurs proies du bout du bec, tandis que des perruches querelleuses et des cacatoès à la crête soufrée se disputaient à grands cris, pour venir se percher dans les plus hautes branches des saules australiens, qui offraient au bétail et aux troupeaux de kangourous leur ombre bienfaisante.

— C'est une belle région, murmura son père. Ça me botterait de m'installer ici.

Il tapota le genou de sa fille.

— Tu vas être aux petits oignons, la rassura-t-il. Les sœurs s'occuperont bien de toi.

Maggie lorgna l'imposante grille en fer, ainsi que les hauts murs de briques cernant la demeure dont ils se rapprochaient. Un décor peu accueillant. La bâtisse était énorme, les briques trop rouges et la peinture trop blanche. On avait ratissé et désherbé l'allée de gravier menant au perron. Deux colonnes d'un blanc immaculé flanquaient la porte d'entrée.

— Faut vraiment que je reste là-dedans? s'enquit l'adolescente. Tu peux pas leur demander si elles ont pas un travail pour toi? On pourrait installer notre campement près de la rivière, à l'ombre des arbres.

Harold rentra le menton dans son col.

— Y a rien pour moi ici. J'ai déjà posé la question.

128

Sur quoi il fit silence ; le chariot se rapprochait de la grille.

— Je veux pas habiter ici, finit par laisser tomber Maggie, qu'un effroi croissant avait saisie. Je peux sûrement aller ailleurs.

Son père secoua la tête en faisant claquer les rênes sur la croupe du vieil Hector.

— Je suis désolé, ma poulette. On n'a pas le choix.

Maggie regarda un homme ouvrir la grille, puis saluer les visiteurs en effleurant d'une chiquenaude le bord de son chapeau. Elle découvrit bouche bée des pelouses impeccables et de vastes parterres colorés. Elle s'interrogea sur la présence de plusieurs statues de la Vierge Marie, à l'abri du vent sous des arbres à la ramure tombante. Elle détesta d'emblée cet endroit. Mais pourquoi donc ? Il se révélait pourtant si vert, et puis tellement paisible… Un paradis, par comparaison avec les ranchs qu'elle avait eu jusqu'alors l'occasion de fréquenter.

Il émanait cependant une étrangeté malsaine de ces fenêtres qui, de leurs regards aveugles, contemplaient ce décor idéal. Quant aux statues muettes, leur perfection glaçait l'adolescente jusqu'aux os.

Le cheval s'immobilisa. C'était une vieille bête, qui venait d'accomplir un long voyage ; à peine Harold eut-il lâché les rênes pour descendre du véhicule qu'Hector ploya la nuque. Maggie le caressa, posa la joue contre celle du cheval, puis ferma les paupières. Jamais elle ne le reverrait.

— Bonjour, ma sœur. Je m'appelle Harold Finlay. Vous nous attendez, je crois ?

Maggie se retourna : une religieuse se tenait à la porte de la grande maison. Sa cornette encadrait un visage mince. Quant à la guimpe amidonnée, elle était d'un blanc de neige, qui contrastait avec sa robe d'un noir profond. Les grains de son chapelet, noirs aussi, alternaient avec d'autres grains du même argent que le crucifix ouvragé qui, suspendu au cou de la nonne, lui arrivait presque aux genoux.

— Bonjour, lança-t-elle gaiement – elle possédait l'accent chantant des Australiens d'origine irlandaise. Je suppose que voici Margaret. Bienvenue, ma chère enfant.

— Bonjour, ma sœur, répondit poliment Maggie en esquissant une révérence.

— Entrez, entrez.

Les deux visiteurs la suivirent dans le vaste hall ombreux et frais, qui embaumait l'encens. Maggie entendit au loin des enfants réciter leurs tables de multiplication. Au même moment, elle s'aperçut que le sol était de marbre, à l'aplomb d'un très haut plafond en dôme. Du fait de ses dimensions exceptionnelles, le moindre son s'y trouvait capté, puis amplifié. La jeune fille ne repéra ni tapis ni fleurs, seulement une statue d'un Christ affligé en train de saigner sur la Croix, ainsi qu'un tableau aux proportions gigantesques où la Sainte Vierge serrait un cœur entre ses mains.

Maggie détourna le regard. Élevée dans la foi catholique, elle avait fréquenté depuis son plus jeune âge une minuscule église en bois, située dans la ville la plus proche du ranch de ses parents. Sur les murs de cet édifice ne se donnaient à voir que les stations du chemin de croix, cependant que sur l'autel trônaient un crucifix de fer et un tabernacle resplendissant. Jamais encore elle n'avait contemplé d'images aussi terribles, qui la choquèrent.

— Allons, venez, mon enfant, ne traînez pas. La mère supérieure nous attend.

S'avisant alors que son père et la nonne avaient déjà presque atteint l'extrémité du hall, elle se dépêcha de les rejoindre. Peut-être prendrait-elle plaisir à étudier au sein d'une véritable école, se dit-elle en entendant les élèves reprendre la récitation de leurs tables de multiplication. Jusqu'ici, elle n'avait guère fait que se pencher, à la table de la cuisine, sur les livres que ses parents avaient commandés par correspondance à Melbourne, et souvent elle se demandait ce que l'on éprouvait à s'asseoir dans une classe, parmi d'autres enfants, sous l'égide d'une institutrice.

La porte à deux battants, en bois sculpté, atteignait presque le plafond. Elle s'ouvrit sans bruit. Aussitôt, l'effroi saisit de nouveau l'adolescente.

La mère supérieure trônait derrière un grand bureau, le dos très droit, le menton plissé par sa cornette. Des yeux gris dans un visage gris. Sans vie. Sans rire. Rien qu'une infinie réprobation...

Maggie leva le nez vers son père, qui la poussa en avant.

— Elle va pas te mordre, murmura-t-il.

Sa fille n'en était pas si sûre – lorsque la religieuse ouvrit la bouche pour parler, elle révéla des dents pointues.

— Entrez, Margaret, énonça-t-elle d'une voix qui doucha d'un coup le vague espoir que la jeune fille nourrissait encore de parvenir à couler ici des jours heureux.

Hélas, elle n'avait pas le choix. Elle rejeta ses cheveux vers l'arrière, haussa le menton et redressa les épaules, résolue à ne rien laisser paraître de sa terreur.

L'œil gris dénué d'émotion la toisa. La nonne avait sur les lèvres un rictus de dégoût. Pour un peu, les poils de son menton se seraient dressés sous l'effet de l'aversion que lui inspirait la future pensionnaire.

— Orgueilleuse, commenta-t-elle. Cabocharde, par-dessus le marché. Nous nous chargerons de vous remettre au pas.

— Maggie est une gentille fille, ma mère, plaida Harold, qui torturait entre ses mains son chapeau poussiéreux. Très obéissante.

— J'en jugerai, le moucha la religieuse.

L'œil gris de nouveau se posa sur l'adolescente.

— Veuillez suivre sœur Claire. Votre père et moi avons à discuter.

Maggie ne comprenait rien. Harold posa sur son épaule une main maladroite.

— Je vais revenir te voir, promis. J'ai pas l'intention de filer sans t'avoir dit au revoir.

Maggie adressa un sourire tremblant à sœur Claire, qui lui sourit en retour avant de l'entraîner hors du bureau.

9

Gilles ne se sentait pas très bien. Son membre fantôme lui faisait mal, il le démangeait. De quoi le vider du peu d'énergie que la chaleur torride ne lui avait pas encore ôtée. Il avait passé le plus clair de la journée allongé sur son lit, dans cette chambre dont il avait fermé les volets au nez d'un soleil inflexible. Cependant, il ne parvenait qu'à somnoler de loin en loin.

Enfin, la température commença à diminuer un peu. Le jeune homme se leva, se lava, puis se vêtit avant de descendre boire une bière glacée.

— Vous m'avez l'air vanné, lui fit observer Sam en le servant. Allez, buvez, ça va vous remettre d'aplomb.

Gilles leva sa pinte en direction de l'hôtelier, avant d'en vider la moitié. Cela faisait longtemps qu'il n'avait rien bu d'aussi délectable, se dit-il. La bière dorée était légère, couronnée d'un mince faux col. Rien à voir avec les bières anglaises, noires, amères et servies légèrement chaudes.

Le jeune homme profita de ce que Sam s'occupait à présent d'un autre client pour examiner les lieux. Pas plus que la bière, ce pub ne ressemblait à ceux de Grande-Bretagne, que leurs propriétaires s'ingéniaient à décorer de leur mieux. Ici, pas de fioritures, pas de casseroles en cuivre suspendues aux poutres de chêne, pas de fenêtres à petits carreaux ni de lithographies dans des cadres, figurant des scènes champêtres. Rien d'autre ici que du linoléum sur le sol, des murs couverts de peinture marron, ainsi que plusieurs tabourets branlants devant le bar, dont personne ne se servait jamais – à l'évidence, les Australiens préféraient boire debout.

— Les filles devraient pas tarder, déclara Sam en essuyant un verre, qu'il rangea ensuite sur une étagère.

— Savez-vous où elles sont allées?

Olivia ne lui avait même pas laissé un mot pour expliquer à quoi elle comptait s'occuper; cela le chagrinait.

— À la plage. Votre amie a demandé à Lila de leur préparer un en-cas. Je crois qu'elles y ont passé la journée.

Il sourit à son interlocuteur.

— Pourquoi vous enfilez pas votre maillot pour les rejoindre? À l'heure qu'il est, elles ont dû tout se raconter. Un peu de compagnie leur ferait pas de mal.

Gilles imagina Olivia dans son maillot de bain blanc, qui lui faisait la taille encore plus fine, et les jambes démesurément longues. Mais il avait trop chaud pour s'aventurer sous ce brûlant soleil – d'autant plus qu'il ne souhaitait pas se déshabiller ni se baigner en public.

Il but une autre gorgée de bière, tâcha de se détendre. Jadis, il adorait nager, au point d'avoir représenté son lycée, puis son université, dans plusieurs championnats de natation. Aujourd'hui, il éprouvait de la honte à se montrer à demi nu, doutant par ailleurs de savoir encore se débrouiller dans l'eau.

— Il fait meilleur ici, murmura-t-il à l'adresse de Sam, qui continuait d'attendre une réponse.

— Vous faites pas de mouron à cause de votre bras. Smokey Smith et Wally Burns ont tous les deux perdu une jambe pendant la guerre, et ils vont piquer une tête chaque jour.

Il décocha un large sourire au jeune homme.

— Wally, on l'a surnommé Cloche-Patte, mais il s'en fiche. Comme il avait pas envie d'attendre indéfiniment qu'on lui déniche une prothèse à sa taille, il s'est fabriqué une jambe de bois avec une vieille pièce dégotée dans sa scierie.

Il gloussa, s'empara d'un autre verre à essuyer.

— Il a coupé le morceau trop court, mais ça le tannait de recommencer.

Le verre rejoignit le précédent sur son étagère.

— Demain matin, je leur parlerai de vous. Comme ça, vous pourrez aller à la plage ensemble.

Gilles avala sa salive. Cet Australien avait lu dans ses pensées, mais en dépit de ce qu'il venait de lui raconter au sujet de ses deux compères, lui-même ne se sentait toujours pas prêt à exposer son corps mutilé à tous les regards. Il refusait davantage encore d'infliger ce spectacle à Olivia, qui ne manquerait pas de vouloir l'accompagner.

— Ce n'est pas une bonne idée, lâcha-t-il dans un souffle.

— Vous avez encore l'impression d'être bancal, pas vrai? Vous minez pas. Dites-moi quand vous vous sentirez d'attaque, et alors seulement, j'en toucherai deux mots à mes potes.

Une heure plus tard, l'hôtelier lui présenta Cloche-Patte et Smokey, qui traversèrent la salle dans de grands choquements de métal et de bois. Après que Sam eut offert à ses clients une tournée de bière, Gilles se surprit à converser sans effort avec les deux garçons, qui comprenaient mieux que personne les tourments qu'il avait endurés.

— On fait un sacré trio d'estropiés, décréta soudain Cloche-Patte, qui pouvait avoir une trentaine d'années.

— Parle pour toi, répliqua Smokey en riant – celui-là était jeune aussi, bien que ses tempes fussent déjà grises. Tu ferais mieux d'acheter une jambe en fer-blanc comme la mienne pour remplacer ton truc en bois, si tu veux pas que les termites finissent par te grimper jusqu'au ciboulot.

— Trop tard, intervint Sam.

Ils rirent tous les quatre. Gilles appréciait leur compagnie. Ni son accent ni le bras qu'il avait perdu ne semblaient les troubler; pour un peu, il se serait cru de retour dans la maison de convalescence, auprès des amputés qu'il avait coudoyés là-bas. Ces hommes partageaient quelque chose d'unique, et cela représentait pour chacun un immense soulagement.

La cloche sonna dans la salle à manger. Gilles, qui avait levé les yeux, aperçut Olivia et Maggie dans le boudoir. Smokey lui effleura le bras.

— Paraît que tu serais partant pour quelques brasses demain matin? Si tu te lèves assez tôt, on pourrait y aller ensemble.

L'Anglais secoua lentement la tête.

— Je...

— Écoute, le coupa Cloche-Patte. On en est tous passés par là, et Smokey et moi, on sait bien que c'est coton. Mais il nous manque un morceau depuis plus longtemps que toi. Autant dire qu'on a plus d'expérience. Alors écoute-moi bien : si y a quelqu'un à qui ça plaît pas, eh ben il regardera ailleurs. Pas de lézard.

Il souleva la jambe de son pantalon.

— Chez moi, j'ai des belles médailles qui brillent, mais la seule médaille dont je sois vraiment fier, c'est celle-ci, déclara-t-il en tapotant son membre de bois. Ça me rappelle chaque jour que ces salauds ont eu beau m'arracher une guibole, ils ont pas réussi à me faire la peau.

Il sourit d'une oreille à l'autre.

— Alors, qu'est-ce que t'en dis, mon pote? Tu viens avec nous demain?

Gilles se mit à rire.

— Présentée comme cela, mon cher Cloche-Patte, je ne peux décemment pas décliner votre invitation.

Ils se serrèrent la main.

— Alors, topons là. Demain à 6 heures. T'as intérêt à mettre ton réveil à sonner. Sur ce, allons grailler. Je pourrais avaler un canasson entier.

Maggie avait apprécié de dîner dans la salle à manger. Cette fois, elle se sentait pour de bon en vacances. Comme à l'accoutumée, Cloche-Patte et Smokey avaient monopolisé la conversation, multipliant les récits farfelus – leur fibre comique égayait sans peine les convives d'un bout à l'autre d'un repas. Sam les avait alors rejoints pour boire une tasse de thé avec eux; il était tard lorsque la gérante salua la compagnie pour regagner sa maisonnette.

Elle se déshabilla, se débarbouilla pour faire disparaître la crème solaire et les grains de sable qui lui collaient encore à la peau, se lava les cheveux… Pendant tout ce temps, elle pensa à Gilles. Au contact des deux garçons, il était enfin parvenu à se détendre ; quelle bonne idée avait eue Sam de leur suggérer d'aller demain matin nager tous les trois. Quand Olivia avait annoncé son intention de les accompagner, Cloche-Patte avait réagi par un silence éloquent ; l'Anglaise s'était rapidement avisée que Gilles avait besoin, cette fois au moins, d'accomplir seul cette expérience. Le tact de Wally avait surpris les deux femmes, et suscité leur admiration.

Maggie se glissa entre les draps ; ils étaient frais. Elle posa la tête sur ses oreillers. Elle venait de vivre une bien curieuse journée. Gilles commençait à retrouver l'assurance qu'il avait perdue, Olivia l'avait écoutée d'une oreille compatissante. Depuis combien de temps n'avait-elle pas évoqué son existence au pensionnat ? En fait, jamais encore elle ne s'en était ouverte à personne. Et pourtant… Elle s'était confiée sans effort. Et à présent, elle se sentait mieux.

À peine eut-elle fermé les yeux que les images affluèrent. Elle n'avait certes pas tout raconté à Olivia. De certaines choses, jamais elle ne pourrait parler. Ces choses se trouvaient enfouies trop profondément dans ses ténèbres intimes. Elle les emporterait dans la tombe. Cependant, les souvenirs étaient là ; ils s'empressèrent de chasser le sommeil et plongèrent la jeune femme dans une tristesse infinie qui vint hélas ternir la merveilleuse journée qu'elle venait de passer.

La poussière que le chariot de son père avait soulevée en partant n'était pas encore retombée qu'une cloche se mit à sonner. Maggie ravala ses larmes. Papa reviendrait bientôt, décréta-t-elle en silence sur un ton de défi. Il lui suffirait, d'ici là, de faire bonne figure.

D'innombrables bruits de pas résonnèrent dans l'immense demeure, et Maggie se trouva bientôt entourée de garçons et de filles qui se hâtaient en direction de la cour carrée. Hors ces pas pressés, il régnait un silence absolu, qui troubla l'adolescente et la glaça – il y avait dans ce déferlement muet quelque chose d'étrange et de désespéré. Ne sachant que faire, elle resta figée sur le seuil.

La mère supérieure traversa le hall à la façon d'une bourrasque, le voile gonflé, les grains de son chapelet cliquetant contre sa robe tourbillonnante.

— Dehors, ordonna-t-elle.

Maggie se retourna pour découvrir face à elle plusieurs rangées d'élèves silencieux et attentifs. Sur leurs traits impassibles elle ne lut rien ; elle ne savait toujours pas où aller.

La mère supérieure referma sur son bras des doigts comme un étau pour la contraindre à descendre les marches.

— Je vous présente Margaret Finlay, tonna-t-elle. Elle s'est rendue coupable du péché d'orgueil.

Il y avait à présent de l'électricité dans l'air ; l'œil gris balaya les rangs immobiles.

— Quelle punition inflige-t-on en pareil cas ?

— L'humiliation, ma mère.

La jeune fille considéra la marée de visages devant elle, mais tous les regards demeuraient rivés à un point au-dessus de sa tête. Elle s'adressa à la bonne sœur :

— Je suis pas orgueilleuse, plaida-t-elle. Je connais pas encore les règles, c'est tout.

L'œil gris se changea en silex, tandis que la religieuse obligeait Maggie à affronter de nouveau les élèves.

— Ici, décréta-t-elle sur un ton sinistre, nous allons vous enseigner l'humiliation et la liturgie. Et vous les apprendrez l'une et l'autre, Margaret Finlay, je puis vous l'assurer.

Une autre nonne parut dans le dos de la nouvelle pensionnaire, qui n'eut que le temps d'entendre cliqueter des ciseaux avant qu'on défît ses tresses sans ménagement. Des larmes l'aveuglèrent, qui se mirent à rouler sur ses joues sans que personne daignât s'en émouvoir. Ciseaux en main, la mère supérieure lui coupa les cheveux, dont une bonne partie gisait bientôt en boucles luisantes à ses pieds.

— Ramassez-les, commanda-t-elle.

Maggie s'agenouilla, s'exécuta d'une main tremblante ; ses larmes une à une maculaient de taches sombres la terre rouge de la cour. Soudain on la releva, avant de lui faire parcourir les rangs sur lesquels régnait toujours un silence de mort, sa chevelure sacrifiée entre les mains, les paupières baissées.

L'adolescente se sentait nue et humiliée, terrorisée par ce qu'on lui réservait pour la suite. Le soleil tapait dur. Il sécha certes ses pleurs, sans réchauffer son cœur que la mère supérieure avait glacé d'effroi.

On finit par ordonner aux autres élèves de regagner leur classe. Les tortionnaires, en revanche, n'en avaient pas terminé avec Maggie, que l'on contraignit à demeurer debout au beau milieu de la cour jusqu'à plus ample informé.

Les jambes en coton, assommée par le soleil, elle se sentait plus apeurée et plus seule que jamais. Elle mourait de soif.

— Ursula? chuchota-t-elle. Tu es là?

Son amie imaginaire s'approcha. Rassurée, Maggie songea que tant qu'Ursula resterait auprès d'elle, elle survivrait aux terribles conditions en vigueur au pensionnat.

Le soleil avait depuis longtemps sombré derrière le toit de la grande maison quand son calvaire prit fin. Elle n'avait pas osé bouger. Pas même osé s'évanouir, alors que la tête lui tournait et que de petits points noirs lui brouillaient la vue. Lorsqu'elle voulut passer la langue sur ses lèvres sèches, elle s'aperçut que celle-ci avait enflé à l'intérieur de sa bouche. Elle avait mal aux jambes, dansant d'un pied sur l'autre pour tenter de les soulager, mais rien n'aurait su atténuer l'ankylose qui, apparue au niveau de ses chevilles, lui engourdissait peu à peu les mollets.

— Rentrez, lui indiqua une voix douce.

Maggie observa la religieuse de sous ses paupières gonflées, puis la suivit à l'intérieur de la bâtisse, dont elle accueillit la fraîcheur comme un baume. Elle la suivit au long d'interminables couloirs, qui les menèrent à la cuisine.

— Quand vous aurez fini de manger, vous laverez votre vaisselle, puis vous la rangerez. Vous irez ensuite vous coucher dans le dortoir, que vous rejoindrez en empruntant cette porte.

La nonne croisa les bras; ses mains disparurent dans ses manches.

— Faites vite. La cloche va bientôt retentir. Dès lors, tous les élèves devront avoir gagné leur lit.

Maggie se laissa tomber sur une chaise, tandis que la religieuse quittait la pièce. Elle observa le pain, le morceau de viande de mouton, ainsi que le gobelet en fer-blanc rempli d'eau. Elle n'avait pas faim, et l'eau étancha à peine sa soif. Elle se rendit jusqu'à l'évier, où elle remplit son quart un nombre incalculable de fois jusqu'à ce qu'elle sentît enfin qu'elle avait assez bu. La viande et le pain, elle les fourra dans ses poches pour plus tard – elle ignorait quand serait servi le repas suivant.

Après avoir lavé son assiette et son gobelet, elle balaya les lieux du regard pour tenter de deviner où elle devait les ranger. Ce faisant, elle aperçut son reflet dans une vitre : elle ouvrit de grands yeux effarés en découvrant ce petit visage aux traits tirés qui la fixait. De son épaisse chevelure brun clair ne subsistaient que des touffes qui, dressées ici et là sur son crâne, paraissaient le nimber d'un halo démoniaque ; elle arborait des paupières énormes et rougies, et l'on distinguait encore la trace de ses larmes sur ses joues. Maggie Finlay n'existait plus.

— Je constate que vous n'avez pas retenu la leçon.

L'adolescente fit volte-face pour se retrouver nez à nez avec la mère supérieure.

— Je... je...

— Il va s'agir d'éliminer les péchés maternels, décréta la religieuse en empoignant ce qui restait de cheveux sur la tête de Maggie pour l'entraîner hors de la cuisine.

— Ma mère était pas une pécheresse, sanglota la nouvelle venue. Et moi non plus. J'étais seulement en train de...

— Silence, siffla la bonne sœur.

La douleur et l'effroi submergeaient l'adolescente. Les doigts osseux de sa tourmenteuse lui blessaient le cuir chevelu. Où l'emmenait-elle ?...

C'était une porte épaisse et cloutée. La nonne introduisit dans la serrure une grosse clé, qu'elle tourna avant de précipiter Maggie dans les ténèbres.

— Je vais prier pour vous, lâcha-t-elle sur un ton de mépris glacé.

Sur quoi elle claqua la porte et la verrouilla.

Maggie se pelotonna dans un coin. Les bruits de pas refluèrent jusqu'à s'éteindre tout à fait, la laissant aux prises avec un silence absolu et noir. Elle enfouit son visage entre ses mains. Seule la présence d'Ursula allait lui permettre de ne pas sombrer dans la folie.

La jeune femme ramena ses genoux contre sa poitrine. Ses souvenirs l'agressaient avec une telle violence qu'ils dissipèrent la chaleur ambiante pour imposer à sa place la froidure de cette première nuit de cauchemar au pensionnat.

Au fil de son séjour là-bas, elle avait passé d'autres nuits solitaires à l'intérieur de cette cellule que tous les élèves redoutaient. Mais peu à peu, elle s'était accoutumée à la cruauté de la mère supérieure. Son courage, elle l'avait puisé dans le constat selon lequel d'autres souffraient aussi au cœur de cet enfer. Et même si elle haïssait chaque instant de son existence chez les sœurs, elle avait tôt compris que mieux valait se plier au règlement que de chercher en vain à s'y opposer.

Le matin, on étudiait. On travaillait l'après-midi, les garçons rejoignant les champs, les filles la blanchisserie ou le jardin potager. Les amitiés, fragiles, étaient considérées d'un mauvais œil par la direction de l'établissement.

Si ces enfants se trouvaient là, c'était parce que personne d'autre ne voulait d'eux. Ils étaient orphelins, ou bien on les avait abandonnés à la naissance. Lorsqu'ils atteignaient l'âge requis, les sœurs louaient leurs services à des éleveurs, ou bien à des habitants de la ville en quête de domestiques. Ainsi Maggie attendait-elle avec impatience de fêter ses quatorze ans car, enfin, elle échapperait à cette prison.

Son père d'abord lui écrivit par intermittence puis, comme les mois défilaient, les lettres se firent de plus en plus rares. Un jour, elle cessa d'en recevoir. Elle devait découvrir, bien des années plus tard, qu'à cause de la Grande Dépression Harold avait perdu son emploi et qu'il n'avait eu d'autre choix que de prendre la route avec son baluchon ; il était devenu chemineau.

Ils étaient alors plusieurs milliers à mener la même existence. À la fin, il ne possédait plus de nom, plus de visage, il se réduisait à un amas de haillons qui dormait sur le bas-côté des pistes, un homme d'une saleté repoussante, privé de tout, sans plus d'espoir ni personne auprès de qui chercher de l'aide.

Maggie ignorait où il se trouvait maintenant, ou même s'il vivait encore. À la pensée qu'il eût pu s'éteindre seul, dans le dénuement le plus complet, la gorge de la jeune femme se noua, car elle se remémorait l'homme bienveillant et doux qui jadis avait été son père. De plus, à sa sortie du pensionnat, elle avait, comme lui, perdu toutes ses racines : au-delà des murs austères, un autre genre d'enfer l'attendait.

Lorsqu'elle eut quatorze ans, les religieuses lui dénichèrent un emploi d'aide cuisinière dans un grand ranch près de Wirra Wirra. Benny Granger, benjamin d'une fratrie de cinq garçons, n'en était assurément pas le membre le plus intelligent. Il avait quinze ans quand Maggie se présenta à Granger Hill Station.

Aussitôt, on s'arrangea pour qu'elle trimât du lever au coucher du soleil. L'été de 1929 se révéla exceptionnellement chaud ; la cuisine prenait des allures de fournaise, où Mme Granger veillait à ce que chaque tâche, dans ses moindres détails, fût effectuée dans les règles de l'art. Grande, grosse et malgracieuse, elle semblait avoir résolu de rendre la vie impossible à ses domestiques. Maggie ne trouvait de consolation que dans la vague amitié qui la liait à Mia, une jeune Aborigène avec laquelle elle travaillait et partageait un logis miteux.

L'activité de Maggie consistait à préparer les légumes, à laver le linge avant de le repasser, ainsi qu'à faire avec Mia le ménage dans la maison. Lorsque les tondeurs arrivaient, les deux jeunes filles nettoyaient en outre le dortoir de fond en comble, avant d'aider la cuisinière à confectionner les repas gargantuesques qu'il fallait, trois fois par jour, servir à ces hommes affamés. Maggie et Mia n'avaient pas le temps de se détendre. Pas même celui de s'asseoir pour gamberger un peu. Le soir, chacune s'écroulait sur sa couche étroite pour plonger aussitôt dans un sommeil de plomb.

Les jours se changèrent en semaines. Maggie craignait que son père, quand il reviendrait la chercher, ne parvînt pas à retrouver sa trace. Les religieuses lui avaient promis de lui communiquer l'adresse du ranch, mais l'adolescente se défiait d'elles. D'autant plus que, sur le plan financier, mieux valait pour les nonnes qu'elle demeurât au service des Granger plutôt que de jouer les filles de l'air avec Harold, car elles gardaient pour elles la moitié de ses gages. Il n'y avait que sœur Claire en qui elle plaçait quelque confiance – elle se montrait chaleureuse envers les petits pensionnaires, et manifestement aussi terrorisée qu'eux par la mère supérieure.

Maggie vivait à Granger Hill Station depuis huit mois. Ce jour-là, elle s'affairait au lavoir. Elle s'y trouvait seule, car Mia était partie sillonner le bush quelques semaines plus tôt, et personne ne savait quand elle rentrerait.

À l'intérieur de la chaudière de cuivre, sous laquelle rugissait un feu, l'eau bouillonnait; des nuages de vapeur envahissaient la minuscule cabane. Les pinces en bois se révélaient difficiles à manier, et le drap, trop lourd, ne cessait de retomber dans l'eau. Les éclaboussures brûlaient les bras de Maggie, mais elle ne s'en plaindrait à personne: Mme Granger estimait qu'une plaie ne guérissait jamais mieux ni plus vite que si on l'ignorait – après tout, les médecins coûtaient cher.

La sueur ruisselait sur le visage de l'adolescente, sa robe lui collait au corps. Enfin, elle parvint à engager le drap dans l'essoreuse à rouleaux. Elle se pencha sur la manivelle, qu'elle actionna en soufflant: le drap sortit lentement de l'autre côté de l'appareil, suffisamment séché pour qu'on pût l'étendre à présent sur la corde à linge.

Les voix des garçons lui parvinrent. Maggie se retourna d'un bond, les joues rouges et l'œil furibond. Ils avaient commencé à la harceler dès son arrivée au ranch. De prime abord, ils paraissaient inoffensifs, mais bientôt, les plus grands s'étaient permis certaines privautés – ils lui mettaient en catimini la main aux fesses quand elle servait à table, lorgnaient à sa fenêtre pour essayer de la surprendre en train de se déshabiller.

— Barrez-vous! brailla-t-elle avec plus d'assurance qu'elle n'en éprouvait.

Les quatre aînés ricanèrent en se poussant du coude.

— Elle a un sacré tempérament, hein? Elle aurait bien besoin d'une bonne petite leçon. Vas-y, Bennie, lance-toi.

Sur quoi ils poussèrent leur petit frère à l'intérieur de la cahute – si violemment que ce dernier faillit précipiter l'adolescente sur le sol. Ils claquèrent la porte derrière lui avec de grands encouragements et de gros rires. Plaqués l'un contre l'autre dans cet espace confiné, les deux jeunes gens titubaient pour éviter que le feu ou la chaudière les brûlât.

— Bas les pattes, siffla Maggie.

Elle posa les deux mains sur le torse de Benny pour tenter d'échapper à son étreinte.

Mais, comme tous les garçons de ferme, il possédait une puissance peu commune pour son âge. Épaules carrées, grands pieds et grandes mains... Ce petit jeu l'amusait beaucoup, son sourire béat ne faisant qu'accentuer l'imbécillité qui se lisait dans son regard.

— Allez, Maggie. Embrasse-moi. Tu sais bien que t'en as envie.

La jeune fille perçut la chaleur de ses grosses paluches autour de sa taille, elle vit se rapprocher ses lèvres molles et sa langue épaisse. Elle s'efforça de ne manifester ni terreur ni dégoût. Avec ce demeuré, il s'agissait de la jouer fine. Un geste inopportun, et l'adolescent s'imaginerait qu'elle prenait plaisir à ce jeu dangereux.

— Non, décréta-t-elle avec sévérité. Méfie-toi, je vais tout raconter à ta mère. Elle sera drôlement en pétard d'apprendre que tu es venu traîner tes guêtres par ici.

Aussitôt, Benny recula, la mine contrite.

— P... p... pardon, Maggie..., bredouilla-t-il. Dis rien à maman. Sinon elle va me flanquer une beigne.

Maggie acquiesça d'un signe de tête.

— File, maintenant, lui ordonna-t-elle en dépit de ses jambes en coton. Si tu te barres, je lui dirai rien, promis.

Benny lui décocha son plus beau sourire de crétin avant d'ouvrir la porte. Ses frères l'insultèrent copieusement avant de s'éloigner en direction des enclos, leur benjamin sur les talons.

143

Maggie, elle, tremblait de la tête aux pieds. Mais du moment qu'on se rappelait combien il craignait sa mère et le gros bâton qu'elle rangeait toujours dans un coin de son salon, on maîtrisait aisément Benny. Ses quatre frères, en revanche, étaient de fieffées ordures – comme leur père. L'adolescente pressentait qu'ils ne s'avoueraient pas vaincus.

La pièce qu'elle partageait avec Mia était tout juste assez grande pour contenir deux étroits châlits de fer, une chaise et une commode bancale sur laquelle trônait une cuvette avec son pot à eau – c'était là que les deux jeunes filles se lavaient. La cabane, qui se dressait à l'écart des autres dépendances, menaçait ruine. Maggie avait masqué l'unique fenêtre à l'aide d'un sac en toile de jute et, ce soir-là, elle cala le dossier de la chaise contre la poignée de la porte. Comme elle aurait aimé que Mia fût rentrée déjà de son équipée dans le bush – pour la première fois, les ronflements de sa compagne lui manquaient, de même que la puissante odeur de la graisse animale dont elle s'enduisait volontiers le corps et les cheveux.

Maggie s'allongea sur son lit, mais son cœur battait si fort contre ses côtes qu'il lui semblait qu'il allait jaillir hors de sa poitrine. Plongée dans les ténèbres, elle tendait l'oreille vers le plus petit craquement, le plus menu frou-frou.

Elle ne dormit que d'un œil, éveillée au moindre bruit. Lorsque l'aube se leva, bien qu'épuisée, elle poussa un soupir de soulagement. Ils n'étaient pas venus. Elle était saine et sauve.

Elle quitta son lit, versa de l'eau dans la cuvette, devant laquelle elle ôta sa chemise de nuit. L'eau fraîche apaisa son corps fiévreux. Elle ferma les yeux un moment pour se préparer à affronter cette nouvelle journée de labeur.

La porte s'ouvrit à toute volée ; la chaise glissa à travers la chambrette.

Maggie n'eut pas même le temps de hurler : déjà, on la jetait sur le lit. L'homme, qui avait plaqué une main sur sa bouche, l'écrasait de tout son poids – elle était impuissante. Elle écarquilla les yeux sous le coup de la terreur en s'avisant qu'à présent les cinq garçons la cernaient. L'un d'eux referma la porte d'un coup de pied, un autre replaça la chaise. Une lueur mauvaise brillait dans leurs cinq regards et, à son âge, l'adolescente comprenait parfaitement ce qu'ils étaient venus chercher.

— Non, fit-elle sous la main qui la bâillonnait. Non, je vous en supplie. Non...

— La ferme, cracha l'aîné, qui l'immobilisait.

Le garçon se mouvait contre son corps nu ; il empestait la sueur. Il la retourna soudain sur le ventre, jusqu'à l'étouffer presque contre l'oreiller.

Il la prit crûment, ses deux mains lui écartant les fesses pour mieux la pénétrer. Il la prit comme aucun homme ne devrait prendre une femme et, une fois sa besogne achevée, il s'éloigna un peu pour laisser la place à son frère.

Maggie pleurait en silence. Elle tentait de bouger, d'appeler au secours, d'échapper aux atrocités qu'ils lui faisaient subir. Une douleur insoutenable la déchirait, jamais elle n'en avait ressenti de telle. Mais le cauchemar ne cessait plus.

Benny était le dernier. Il pleurnichait, tenait des propos incohérents où l'excitation le disputait à la peur. Ses frères ayant d'autorité baissé son pantalon, ils le précipitèrent sur Maggie.

Celle-ci mordit l'oreiller, les paupières hermétiquement closes. Un hurlement muet résonnait à l'intérieur de sa tête et lui obstruait la gorge ; elle priait pour que son calvaire prît fin.

Et puis ce fut terminé. La porte claqua une dernière fois. Dehors, les garçons se mirent à rire très fort en plaisantant sur ce qu'ils venaient de faire – ils n'oublièrent cependant pas de menacer Benny pour s'assurer qu'il ne raconterait rien à personne. Maggie serait à la fois leur joujou et leur secret.

La jeune fille gisait sur son lit, trop rompue et trop endolorie pour bouger. Ses larmes avaient séché, ses sanglots l'étouffaient. Ils reviendraient. Ils recommenceraient. Elle se mit à trembler de tous ses membres. Il fallait qu'elle s'enfuie. Le plus tôt possible.

Un bruit ténu se fit entendre sur le seuil. Maggie gémit, tirant le drap sur son corps nu. Elle se recroquevilla en chien de fusil.

— Toi venir avec moi, murmura Mia en s'asseyant sur le lit. Des méchants sont entrés ici.

145

La jeune Aborigène posa son regard d'ambre sur sa compagne.

— Mia sait. À elle aussi ils ont fait du mal.

Maggie s'assit à grand-peine. Elle n'était que souffrance ; des traces de sang souillaient le drap et sa peau.

— Où est-ce qu'on peut aller ? s'enquit-elle. On se trouve à plusieurs kilomètres de tout. Et dès qu'ils se seront rendu compte qu'on a filé, ils se lanceront à notre recherche.

Mia entreprit de nettoyer le sang, avec des gestes aussi affectueux que rapides et précis.

— Toi venir avec moi. Ils nous trouveront pas.

Elle aida son amie à s'habiller, avant de rassembler leurs maigres affaires.

Bientôt, elles se glissaient hors de la bicoque. Les choses s'étaient déroulées à une vitesse effarante, songea Maggie. Il lui semblait avoir vécu une pleine éternité de tourments, quand pourtant son martyre n'avait pas duré plus de quelques minutes. Car le soleil commençait à peine à poindre…

De la fumée s'élevait de la cheminée de la cuisine, tandis que plusieurs hommes quittaient le dortoir d'un pas nonchalant, pour fumer leur première cigarette et boire leur première tasse de thé. Ils ne prêtèrent guère attention aux deux jeunes filles qui se tenaient à l'autre extrémité de la cour.

Maggie titubait, les jambes toujours tremblantes, le crâne assailli par une migraine trépidante qui l'aveuglait presque.

Mia la saisit par le bras.

— Vite, souffla-t-elle en jetant un coup d'œil par-dessus son épaule en direction de la demeure. Patronne va arriver. Vite, vite.

À l'idée que Mme Granger pût bientôt lui infliger une bastonnade, Maggie hâta le pas. Elles ne tardèrent pas à atteindre l'enclos, où broutaient des chevaux. Cachée derrière un arbre, elle regarda Mia siffler doucement pour attirer l'attention d'une des montures.

Le cheval dressa les oreilles, avant de s'avancer vers l'Aborigène, dont il renifla la paume ouverte. L'adolescente lui saisit la crinière et, d'un mouvement souple, se hissa sur son dos.

— Viens vite, murmura-t-elle en se rapprochant d'une souche, puis en tendant la main vers Maggie.

Cette dernière quitta les herbes hautes en boitillant et monta sur la souche. Jetant sur son épaule le baluchon qui contenait ses affaires, elle prit la main offerte par Mia. Ce fut pour elle un terrible effort mais, bientôt, elle rejoignait son amie sur le large dos du cheval. Cramponnée à l'Aborigène, elle ferma les yeux pour tenter d'oublier la douleur atroce qui la déchira dès que la monture s'élança au galop.

Le soleil se levait, mais la chaleur accablait déjà les jeunes filles, dont la tête était nue. Mia commanda au cheval de ralentir peu à peu, jusqu'à se mettre au pas quand elles eurent enfin franchi les limites de la propriété, par-delà l'horizon. Elles chevauchèrent en silence, chacune perdue dans ses pensées, chacune abrutie de terreur.

Le calvaire de Maggie, tant moral que physique, ne cessait pas. Les Granger devaient s'être aperçus de sa disparition, à présent. Sans doute étaient-ils même déjà partis à sa recherche. Si on les rattrapait, on les battrait. L'adolescente n'ignorait pas non plus que Mme Granger refuserait de croire à la culpabilité de ses fils – à ses yeux, ils étaient parfaits.

Comme midi approchait, une chaleur écrasante prit possession des vastes plaines. Mia immobilisa sa monture, avant d'en descendre. Maggie, pour sa part, se laissa glisser jusqu'à terre dans un gémissement; elle manqua de défaillir sous le coup de la douleur. Son amie la mena à l'ombre d'un saule australien, après quoi elle entreprit, en s'aidant d'un bâton, de creuser au pied d'un cactus. Elle ne s'arrêta que quand de l'eau se mit à sourdre. Alors elle plaça ses mains en coupe pour se désaltérer, indiquant à sa compagne qu'elle devait l'imiter.

Maggie se régala, bien que de la terre se mêlât à l'eau.

— On va aller où? finit-elle par demander lorsqu'elles s'écartèrent pour permettre au cheval de boire à son tour.

— Mia dans le bush. Trouver la grotte des esprits.

Elle scruta l'horizon pour y repérer d'éventuels poursuivants.

— Les hommes arriver bientôt, enchaîna-t-elle. Viens avec moi. Les esprits nous aideront.

Maggie la fixa. La peau de la jeune Aborigène se révélait si noire qu'elle se réduisait presque à une simple silhouette contre le soleil. Elles devaient avoir à peu près le même âge, mais Mia était petite et maigre, le visage couronné d'un halo de cheveux d'un brun roux, d'une indomptable tignasse aux mèches dressées. Elle portait une robe en coton que Mme Granger lui avait offerte cinq ans plus tôt, informe désormais et retenue à la taille par une ficelle.

— Tu savais qu'ils s'attaqueraient à moi un jour ou l'autre, hein? s'enquit sa compagne. Tu le savais dès le début.

Mia haussa les épaules.

— Ils m'ont prise beaucoup, beaucoup de fois. Mia avait peur, alors elle a cherché un lieu avec des esprits.

Elle décocha un large sourire à Maggie, dévoilant de belles dents.

— Les esprits, c'est pour aider à trouver ma tribu. Mia reviendra pas ici.

Son amie la regarda ramasser des graines et des feuilles, qu'elle réduisit en une pulpe épaisse, dont elle couvrit ensuite les plaies et les ecchymoses de Maggie. Celle-ci se sentit à peine gênée lorsque l'Aborigène lui soigna les fesses: elle se contenta de jouir sans mélange du soulagement que lui apportait cette étrange pâte verte.

Elles finirent par se remettre en selle. Mia cramponnait avec adresse la crinière de sa monture, dont elle frappa les flancs de ses pieds nus pour qu'elle reprît sa course. Maggie commençait enfin à oser croire qu'elles avaient peut-être réussi à distancer leurs tortionnaires.

Tandis qu'elles progressaient vers l'est, le décor autour d'elles se métamorphosa. Les plaines herbeuses cédèrent le pas à d'épais buissons, à d'amples enchevêtrements d'arbres et de fougères. De cette verdure jaillissaient des collines rocheuses, ainsi que des colonnes dentelées qui jetaient sur le sol des ombres démesurées. Maggie les contempla. Frissonna. C'était là de noirs géants à l'air mauvais, aux visages couturés de cicatrices d'un rouge si profond qu'on aurait cru du sang séché. Mia, à l'inverse, semblait paisible, parfaitement à l'aise au sein de ce curieux paysage.

Au coucher du soleil, l'Aborigène descendit de leur cheval.

— Reste ici, ordonna-t-elle à sa compagne en arrachant une longue liane prise dans les branches d'un arbre, dont elle fit une longe improvisée.

Demeurée seule sur la monture, qu'à présent Mia tirait après elle, Maggie se pencha vers l'avant pour venir poser sa joue sur l'encolure de la bête. Elle agrippait sa crinière, tremblant sous l'effort consenti pour ne pas tomber. Les deux femmes sinuaient entre de gros rochers, suivant un itinéraire que seule Mia discernait ; elles gravissaient la colline austère.

Le soleil à présent formait un arc sur l'horizon, cependant que le ciel immense se teintait d'orange et de violet. On fit halte. Il régnait sur le coteau un silence absolu – Maggie n'entendait guère que le souffle de leur cheval, de même que son cœur qui battait fort. Elle se redressa, considéra le territoire qu'elles venaient de traverser. Il s'étendait dans toutes les directions, teinté de bleu par les eucalyptus au milieu des ténèbres qui peu à peu s'amassaient.

La jeune femme contempla la colline qu'elles venaient de gravir, considéra les affleurements déchiquetés, ces rochers en cascades.

— Je vois pas de grotte, observa-t-elle. Tu es sûre qu'on est au bon endroit ?

Mia sourit, grimpa comme un chat sur l'éboulis et, déjà, elle avait disparu. Quelques secondes plus tard, elle surgit de derrière un buisson.

— Viens, dit-elle.

Tirant le cheval circonspect par sa liane, elle l'obligea à s'engager entre les fourrés et la paroi rocheuse. Les sabots de l'animal glissèrent. Il regimba, secoua la tête mais, à force de caresses et d'encouragements, la jeune Aborigène parvint à lui faire emprunter l'étroit tunnel.

Maggie les suivit, serrant contre elle son baluchon. Il régnait ici un noir d'encre ; elle tendit les doigts, ne sentit face à elle qu'un mur humide, jusqu'à ce que Mia lui prît la main pour la conduire à petits pas vers la grotte principale.

Stupéfaite, Maggie s'aperçut alors qu'au plafond troué de la cavité se donnaient à voir les stries colorées qui, toujours, accompagnaient le coucher du soleil. La grotte elle-même baignait dans une lueur rose, qui révélait les dessins millénaires peints sur ses flancs avec de l'ocre et de l'argile. Des silhouettes rudimentaires y chassaient des kangourous à l'aide de boomerangs, de lances et de *nullas*[1]. Il y avait des empreintes de mains, minuscules et blanches. Maggie s'extasia devant le gigantesque serpent peint, qui sinuait sur la roche jusqu'à se perdre dans les recoins les plus obscurs de la grotte. Bientôt, elle éprouva la paix qui seule émanait des lieux sacrés.

Mia, de son côté, ramassait des branchettes, probablement tombées par l'ouverture supérieure de la grotte. Ayant ôté sa robe de coton, elle ne portait plus, autour de la taille, qu'un panier en fibres végétales, ainsi qu'un tout petit cache-sexe. Elle arborait des seins menus, des hanches étroites. Assise en tailleur face aux branchettes en tas, elle en fit tourner une entre ses paumes jusqu'à ce qu'une mince volute de fumée bleue commençât à s'élever ; une étincelle ne tarda pas à jaillir, qui embrasa le petit bois rassemblé. Des flammes montèrent.

Depuis plusieurs centaines, plusieurs milliers d'années, songea Maggie, on devait, un peu partout sur ce continent, observer de telles scènes. Mia appartenait à cette grotte, à la longue histoire de l'Australie, à sa mythologie… Elle se rapprocha du feu, car le froid s'intensifiait : le soleil avait disparu, et le bout de ciel qu'elle distinguait en levant les yeux ne cessait plus de s'assombrir.

— Comment tu as déniché cet endroit ? demanda-t-elle à sa compagne.

L'œil de l'Aborigène semblait de topaze à la lueur dansante des flammes. Elle contemplait les dessins sur les murs.

— L'esprit du Serpent arc-en-ciel m'a amenée. Être mon totem.

De son petit panier elle sortit des baies cueillies plus tôt en chemin. Elle en offrit quelques-unes à Maggie.

Celle-ci s'apprêtait à poser une question concernant le Serpent arc-en-ciel lorsqu'un bruit se fit entendre. Les jeunes femmes se figèrent.

---

1. Massues de guerre aborigènes.

Des sabots sur les rochers. Des voix d'hommes parmi l'éboulis. Une odeur de sueur. Celle de la fumée de cigarette…

Mia aussitôt jeta quelques poignées de terre sur les flammes pour les étouffer ; le noir se fit à nouveau.

Ils se rapprochaient de l'entrée du tunnel. Maggie comprenait à présent leurs paroles, elle identifiait un à un les frères Granger. Une autre voix lui parvint tout à coup, qu'elle ne connaissait pas :

— Femmes pas être allées si loin, patron. Ici, c'est mauvais endroit. Avec esprit mauvais.

— Me les brise pas avec tes légendes à deux sous ! brailla l'aîné. Tu as suivi leur trace jusqu'ici. Elles se cachent forcément dans le secteur.

— Non, patron, insista l'Aborigène. Mia appartient tribu Wombat. Ennemie du Serpent arc-en-ciel. Jamais elle venir ici.

Les bottes raclaient le roc. Sur l'épaule de Maggie, qui s'était mise à trembler, sa compagne posa une main douce.

— Manuwa dira rien, souffla-t-elle. Nous deux même totem. Il sait que l'esprit chantera pour le rappeler à lui si lui pas respecter la loi du Serpent arc-en-ciel.

Maggie ne comprenait pas grand-chose. Elle savait seulement que ses tourmenteurs se trouvaient à quelques mètres d'elle, et qu'ils risquaient à chaque instant de découvrir l'entrée de leur cachette. Elle trembla plus fort, serra les mâchoires pour empêcher ses dents de claquer. Plongées dans l'obscurité, les jeunes femmes se tenaient blotties l'une contre l'autre.

— Tu nous as fait perdre notre temps, grogna l'un des frères. Vous, les Abos, vous vous serrez toujours les coudes, bande d'ordures. Si je m'aperçois que tu nous as roulés dans la farine, parole, Manuwa, tu le paieras cher.

— Le patron est le patron, répliqua celui-ci. Mais ici, c'est lieu tabou. Si on reste là, la mort venir.

Les deux recluses s'étreignirent plus fort, tandis qu'elles tendaient l'oreille pour saisir l'intégralité de la conversation. Elles entendirent de petits cailloux rouler à l'entrée du tunnel ; le bruit des bottes résonnait. Les garçons fouinaient. Ils finiraient bien par débusquer leurs proies. Déjà, Maggie se représentait ce qu'il adviendrait d'elles s'ils les capturaient. Elle ferma hermétiquement les paupières pour tenter de chasser de son esprit ces visions d'horreur.

— Mieux vaut redescendre pour camper, patron, suggéra Manuwa. Continuer demain. Je crois qu'elles sont parties vers la rivière. Bon endroit là-bas. Plein d'eau.

— On en aura perdu, du temps! rugit l'aîné des Granger. Allez, mieux vaut se barrer d'ici avant de se rompre le cou.

— Et si on les retrouve pas?

— On s'en fout. Les religieuses nous en enverront d'autres.

Les garçons partirent en chœur d'un gros rire gras, avant d'entamer leur descente en continuant à plaisanter. Leurs voix diminuèrent peu à peu, jusqu'à s'éteindre tout à fait.

Mia pressa l'épaule de son amie, puis relâcha son étreinte.

— Manuwa même tribu que moi.

— Et moi? s'enquit Maggie. Qu'est-ce que je vais devenir?

— Tu es avec moi. L'esprit te protège aussi.

Maggie s'endormit en pensant à la jeune Aborigène et au long périple qu'elle venait d'accomplir depuis leur départ de Granger Hill Station. L'esprit du Serpent arc-en-ciel les avait protégées; la jeune femme en percevait d'ailleurs la présence bienfaisante. Au cœur de cette grotte, ses souvenirs enténébrés perdaient leur pouvoir de nuisance.

10

Lorsque Gilles eut quitté sa chambre, il découvrit Olivia dans le petit salon voisin, un magazine sur les genoux.

— Bonjour, lança-t-il le plus gaiement possible.

— Bonjour, répondit-elle. Tu n'as rien oublié?

Il fit non de la tête, puis jeta la serviette sur son épaule. Vêtu d'une chemise et d'un maillot de bain qu'on lui avait prêté, il se sentait parfaitement ridicule. Bonté divine, ces jambes blafardes et maigrichonnes... Et dire qu'il avait jadis tiré fierté de sa musculature.

— Je ferais mieux de filer, fit-il entre ses dents. Les autres risquent de m'attendre.

Olivia se leva pour lui piquer un baiser sur la joue.

— Bonne chance, murmura-t-elle.

Son ami opina avant de quitter la pièce en hâte. Il dévala l'escalier, sortit de l'hôtel par la porte latérale avant de se diriger d'un pas résolu vers la plage. Il était tôt. Le jeune homme avançait sous un ciel gris perle zébré de bleu; le soleil se lèverait un peu plus tard. Les lieux étaient déserts. Gilles en éprouva du soulagement, car il restait pétri de doutes. Mais il s'était engagé à nager ce matin, or il était temps pour lui de se reprendre en main s'il voulait encore croire en l'avenir, quel que fût celui que le destin lui réservait. Aujourd'hui, il accomplissait le premier pas. Mais Dieu du ciel, comme ce premier pas le rendait nerveux...

— Salut, mon pote! lancèrent en chœur les garçons lorsqu'il foula enfin le sable avant de laisser tomber sa serviette sous un palmier.

Gilles salua les deux unijambistes d'un signe de tête en leur adressant un sourire crispé.

— Je ne sais pas…, commença-t-il.

— Tout ira bien, le rassura Cloche-Patte, qui s'assit sous le palmier pour déboucler les sangles de sa jambe de bois, qu'il posa sans précaution à côté de lui. Toi, au moins, tu peux marcher dans l'eau. Nous, on est obligés de se traîner sur le cul.

Smokey acquiesça pour encourager à son tour le nouveau venu. Il ôta sa prothèse. Un large sourire aux lèvres, Gilles déboutonna sa chemise puis, après quelques instants d'hésitation, la retira pour l'abandonner auprès de sa serviette. Il jeta un coup d'œil par-dessus son épaule : la plage restait déserte.

— Prêt ? s'enquit Smokey.

L'Anglais opina. D'un même mouvement, les trois garçons parcoururent la courte distance qui les séparait du bord de l'eau. Ce devait être là un bien étrange attelage, mais pour Gilles, cela n'importait plus – l'attention qu'il portait aux deux autres lui avait presque permis d'oublier sa propre infirmité.

Cloche-Patte et Smokey se traînèrent en crabe jusqu'à flotter, après quoi ils s'élancèrent en direction des rochers, à l'autre extrémité de la baie. Gilles, de l'eau jusqu'à la taille, les considérait avec envie. Il aurait aimé les suivre, fendre les flots à grandes brasses puissantes…

Il lorgna les vaguelettes, prit une profonde inspiration et plongea.

L'élément liquide lui fit l'effet d'une caresse, il se mouvait dans la soie. Il progressait sous l'eau, quoique du fait de son handicap il perdît fréquemment l'équilibre. Lorsqu'il eut l'impression que ses poumons menaçaient d'éclater, il émergea, crachant, toussant avant de s'ébrouer ; il avala une large goulée d'air frais. Ensuite, il balaya les environs du regard. Toujours personne. Le soleil paraissait à l'horizon, tandis que ses compagnons avaient presque achevé leur traversée de la baie – ils se réduisaient à deux taches minuscules dans un arc-en-ciel de gouttelettes projetées.

Lorsque Cloche-Patte et Smokey l'eurent rejoint, Gilles avait eu le temps d'apprendre à flotter dans l'eau, puis à s'y propulser avec les jambes. Il claquait des dents, il avait la chair de poule, mais il tint cependant à montrer aux deux autres de quel bois il se chauffait.

— Épatant, le félicita Cloche-Patte. On t'avait bien dit que ça rentrerait comme dans du beurre.

— Il est temps de grailler, annonça un Smokey hors d'haleine. T'as perdu la course, c'est toi qui régales, ajouta-t-il à l'adresse de son compère.

Les trois garçons regagnèrent le palmier, sous lequel Gilles se laissa tomber. Il se sentait à la fois épuisé et heureux, après tous ces mois d'inaction. Il mourait de faim.

— Nous remettons ça demain, n'est-ce pas? s'enquit-il.

— Vous faites pas de mouron, Olivia, dit Maggie en posant sur la table l'assiette contenant le petit-déjeuner de l'Anglaise. Tout ira bien. Les deux autres vont veiller sur lui.

Lorgnant la monumentale assiettée, Olivia s'aperçut qu'elle manquait d'appétit.

— Je ne peux pas m'empêcher de m'inquiéter, répliqua-t-elle en repoussant l'assiette. Gilles n'est pas aussi robuste qu'il l'imagine.

Maggie l'observa en secouant la tête.

— Avalez-moi ça, ordonna-t-elle. Je vous dis que tout va se passer au poil.

Sur quoi elle alla servir les autres clients. La gérante ne comprenait rien, songea Olivia, la mine sombre. Elle se sentait responsable de Gilles. Elle aurait dû l'accompagner. Elle aurait dû insister pour nager avec lui.

La porte de la salle à manger s'ouvrit avec bruit pour laisser entrer les trois garçons, qui criaient famine. Gilles prit une chaise et s'assit, rayonnant.

Lorsqu'il rapporta à Olivia le récit de son bain de mer, la jeune femme crut revoir face à elle le garçonnet d'autrefois. Son enthousiasme était intact, et il brillait dans son œil une lueur qu'elle n'y avait plus vue depuis longtemps. Il reprenait goût à l'existence, et à peine eut-il engouffré sa platée qu'il se rua sans vergogne sur celle de son amie, qui n'y avait pas touché.

155

Elle se pencha vers lui en souriant avec tendresse.

— Bravo, murmura-t-elle. Je suis très fière de toi.

Il soutint longtemps son regard avant de retourner à son petit-déjeuner.

— Et ce n'est qu'un début, répondit-il. Quand nous serons repartis en Angleterre, je tâcherai de renouer avec ma profession d'avocat.

Il considéra de nouveau Olivia.

— J'ai perdu trop de temps à m'apitoyer sur mon sort. Ces deux types viennent de me prouver que rien n'est impossible. L'heure est venue pour moi de regagner le monde réel.

Son amie sentit les larmes lui monter aux yeux. Enfin, elle retrouvait ce bon vieux Gilles. Le Gilles fourmillant de projets.

— C'est merveilleux, commenta-t-elle avec douceur, puis, le regard humide, elle plongea le nez dans sa tasse de thé.

Ils évoquaient à présent la possibilité de retourner à la plage en fin de journée, quand un terrible cri résonna à travers tout l'hôtel. Puis ce fut un fracas, et chacun bondit sur ses pieds.

Maggie surgit, blanche comme un linge :

— Olivia… On a besoin d'aide…

La jeune Anglaise se rua vers la cuisine. Lila hurlait en s'arrachant les cheveux, tandis que sa fille poussait d'horribles clameurs. Le bruit était assourdissant, la chaleur dégagée par le vieux fourneau pratiquement insoutenable. Olivia prit la mesure du drame avec un œil de professionnelle. Elle exigea que Lila quittât la pièce, avant de piétiner les tessons de porcelaine pour rejoindre l'adolescente blottie dans un coin.

Le couteau gisait sur le sol, couvert de sang jusqu'au manche. De la bouche grande ouverte de la malheureuse s'échappaient sans interruption des cris de plus en plus perçants ; elle se balançait d'avant en arrière en serrant son bras blessé.

— Cesse un peu ce raffut, ordonna Olivia sur un ton d'autorité qui, instantanément, fit taire l'Aborigène.

Celle-ci écarquilla des yeux effarés lorsque l'Anglaise lui prit la main pour examiner la plaie profonde.

— Retirez votre ceinture, demanda l'infirmière à Sam. Et allez me chercher une serviette propre, de l'eau et des bandages.

De la ceinture, elle fit un garrot, qu'elle serra autour du bras de l'adolescente.

— Il faut qu'un médecin recouse ta blessure, lui indiqua-t-elle en nettoyant l'entaille. L'artère est touchée.

— Vous allez devoir vous dépatouiller toute seule, commenta Sam à mi-voix, en lui remettant plusieurs serviettes, ainsi qu'un bol empli d'eau. On n'a pas de toubib à Trinity.

Olivia se tourna vers lui, hagarde :

— Quoi ?...

Mais déjà, elle reportait son attention sur la victime, qui s'était remise à geindre.

— Je ne possède pas les compétences nécessaires pour pratiquer une anesthésie. Si l'on n'agit pas très vite, elle va se vider de son sang, précisa-t-elle en resserrant le garrot improvisé.

— On n'a que vous, répondit Sam d'un ton neutre. Vous feriez mieux de vous y faire.

Olivia grinça des dents en le fusillant du regard.

— Comment ? Je ne dispose d'aucun matériel médical.

Sam laissa tomber un carton sur le sol, à côté d'elle.

— Vous devriez dégoter là-dedans tout ce dont vous avez besoin.

Elle posa un œil éperdu sur les bandages en rouleaux, sur les flacons poussiéreux qui, sans doute, contenaient des potions périmées ; les aiguilles, probablement, n'avaient jamais vu l'intérieur d'un stérilisateur.

— Continuez à serrer ce garrot à ma place, ordonna-t-elle à l'hôtelier pendant qu'elle explorait le contenu du carton.

Elle y dénicha de la morphine, une boîte en métal recelant des aiguilles rouillées et du catgut, des disques de coton et des pansements. Il y avait encore de la teinture d'iode, de l'aspirine, une demi-bouteille de cognac, ainsi qu'une scie à métaux, qu'elle brandit d'un air interrogateur en direction de Sam.

— L'ancien propriétaire s'en est servi une fois, expliqua-t-il sombrement. Un coupeur de canne à sucre avait confondu sa guibole avec une des tiges. Il a fallu l'amputer.

— Nom de Dieu..., jura-t-elle entre ses dents. Vous vivez au Moyen Âge.

Ayant rassemblé les accessoires indispensables à sa tâche, elle se tourna vers la foule agglutinée à l'entrée de la cuisine.

— Maggie, vous restez avec moi. Mais je souhaiterais que les autres s'en aillent.

Elle s'accroupit, écarta tendrement les mèches d'un brun roux qui cachaient le visage de l'adolescente.

— Bientôt, nous t'aurons remise sur pied, lui assura-t-elle. De ton côté, essaie de ne surtout pas bouger.

Il régnait dans la pièce une chaleur accablante, mais Olivia possédait une solide expérience en matière de soins infirmiers, de sorte qu'elle demeurait lucide en dépit des circonstances; elle connaissait d'instinct l'ordre dans lequel accomplir ses gestes.

— Ouvrez la porte et les fenêtres, commanda-t-elle à Maggie, puis plongez-moi ça dans l'eau bouillante (Elle lui tendit une seringue et une aiguille, des ciseaux, des pinces et deux bandages en rouleaux.) Vous essaierez ensuite de me trouver une aiguille à repriser, ainsi que du fil de coton.

Après quoi elle serra de nouveau le garrot et s'adressa à Sam:

— Pendant ce temps, vous allez me récurer la table à l'eau de Javel. Puis vous irez chercher des serviettes de toilette propres.

Tandis que l'hôtelier et sa gérante s'affairaient, Olivia examina encore la plaie. Pour le moment, elle avait réussi à stopper l'hémorragie et, par bonheur, l'adolescente s'était évanouie.

— Pourvu qu'elle reste inconsciente assez longtemps...

— Je vous ai déniché une aiguille et du fil de coton, annonça Maggie, les bras chargés de serviettes. Vous allez tout de même pas la recoudre avec ça, hein?

L'Anglaise posa les yeux sur la bobine de fil noir et l'aiguille à repriser, avant d'opiner, puis de plonger le tout dans l'eau bouillante.

— La table est-elle prête, Sam? Dans ce cas, aidez-moi à relever la petite. Et vous, Maggie, posez ces serviettes.

Sam se pencha, prit l'Aborigène dans ses bras pour l'allonger doucement sur la table. Olivia se fit une queue-de-cheval, avant de se couvrir les cheveux d'un torchon propre. Elle alluma une bougie, se lava les mains avec le plus grand soin, en exigeant de ses deux assistants qu'ils fissent de même. Au moyen des pincettes, elle retira un à un les objets de l'eau bouillante, puis les déposa les uns à côté des autres sur une serviette propre avant de passer l'aiguille à la flamme jusqu'à ce qu'elle eût noirci.

Elle prit une profonde inspiration. Souffla lentement.

— Allons-y.

Maggie se trouva chargée de passer les ciseaux à la jeune Anglaise, de glisser le fil dans le chas de l'aiguille et de tamponner la plaie. Sans comprendre au juste pourquoi, elle se sentait très fière d'Olivia. C'était une étrange fierté cependant, mâtinée de jalousie – jamais elle n'aurait osé se lancer dans pareille entreprise, et sans doute se serait-elle affolée. Les mains de son amie, au contraire, ne tremblaient pas, elle agissait sans hâte ni lenteur.

Enfin, elle desserra le garrot en poussant un soupir de soulagement.

— J'ai l'impression que nous avons réussi, déclara-t-elle avant d'injecter à la blessée une dose de morphine.

Elle alla se laver les mains à l'évier.

— Mieux vaut l'installer dans l'une des chambres disponibles à l'étage, ajouta-t-elle. Ainsi, je pourrai surveiller son état.

Maggie et son employeur échangèrent un regard.

— Je crois qu'elle se sentirait mieux chez elle, observa l'hôtelier.

— Où habite-t-elle?

— Dans l'outback.

— Dans ce cas, elle aurait plus de chances de guérir au fond d'un lit bien propre.

— Si on fait ça, intervint Maggie, on va perdre tous nos clients. Elle, elle serait mal à l'aise, et les gens verraient sa présence ici d'un mauvais œil.

— Êtes-vous en train de m'annoncer qu'elle n'est pas autorisée à se rendre à l'étage?

Il y avait dans le ton d'Olivia un calme qui annonçait la tempête.

La gérante avala sa salive.

— Pas exactement, finit-elle par lâcher. Mais c'est une petite ville. Les Aborigènes restent entre eux.

Face au regard courroucé de l'Anglaise, elle s'empourpra.

— On les empêche pas de venir boire un verre, hein…, bredouilla-t-elle en manière d'excuse. C'est eux qui préfèrent pas entrer, pour pas poser de problèmes.

Olivia considéra l'adolescente allongée sur la table.

— Si un médecin exerçait à Trinity, se serait-il déplacé jusqu'ici pour la soigner?

Maggie haussa les épaules.

— Sans doute. Mais en général, ils aiment mieux s'en remettre à leurs guérisseurs.

L'Anglaise haussa un sourcil en tâtant le pouls de la jeune fille.

— Je vois…

Maggie brûlait de savoir ce qu'elle pensait au juste, mais elle n'osa pas lui poser la question.

— Les guérisseurs, ils sont fortiches, se dépêcha-t-elle de préciser. Ils en connaissent un sacré rayon sur les herbes, les feuilles et tous ces machins-là.

Sa voix mourut. Il s'agissait là d'un sujet épineux, et elle n'ignorait pas que l'incident qui venait de se produire jetait sur Trinity une lumière peu flatteuse.

Dans le salon contigu à leur chambre, Olivia faisait les cent pas. Gilles lui préparait un verre.

— Je reconnais que c'est un endroit charmant, observat-elle. Pour autant, il ne s'agit guère que d'un amas de bicoques.

— Dis-m'en un peu plus, lui suggéra son ami.

La jeune femme, qui venait de se planter devant une fenêtre, contempla la mer scintillant au-delà des toits.

— Pour y accéder, il faut quitter l'hôtel par l'arrière, puis suivre un étroit sentier. Les lieux sont ombragés, les cahutes se trouvent toutes alignées du même côté du chemin.

Elle se tut, se remémorant les regards curieux qui les avaient dévisagés, tandis qu'en lente procession ils ramenaient la blessée jusqu'à sa masure. De petits enfants nus jouaient dans l'herbe haute, tandis que les hommes paressaient à l'ombre de leurs vérandas. Sous les arbres, les femmes papotaient.

— Ils disposent d'un lavoir et d'une cuisine. Quant aux maisonnettes, elles se révèlent assez grandes. En revanche, leur conception de l'hygiène m'effare.

— Au moins, on veille sur eux, commenta Gilles à voix basse en ajoutant du tonic au gin. Cela vaut toujours mieux que d'errer dans les rues, non?

Olivia prit le verre qu'il lui tendait.

— Tu as sans doute raison. Mais on continue à les traiter en citoyens de seconde zone.

— Bonté divine, soupira gentiment son ami en prenant un siège. Ne me dis pas que tu vas repartir en croisade?

Elle l'observa, se rappela leur décision commune, quand ils étaient enfants, de sauver l'ensemble des clochards de Londres en leur offrant leur argent de poche.

— Non, répondit-elle avec un sourire. Mais il faudrait envoyer ces enfants à l'école, sinon ils ne deviendront jamais autre chose que des domestiques.

Le sourire ironique de Gilles l'incita à poursuivre.

— Et d'un point de vue médical, la situation est catastrophique. J'ai posé ouvertement la question à Sam, qui a fini par m'avouer que le médecin le plus proche habitait à plusieurs kilomètres d'ici et qu'il n'appréciait guère qu'on l'appelle pour soigner un Aborigène.

Son ami goûta son cocktail.

— Je suis prêt à parier que tu as déjà un plan, dit-il avec résignation. Je me doutais bien que tu ne te tiendrais pas tranquille longtemps.

Elle fit mine de lui administrer, pour rire, une calotte.

— C'est vrai, avoua-t-elle. J'ai un plan. Mais pour le mettre à exécution, il faudrait que nous nous installions à Trinity pour une période beaucoup plus longue que nous ne l'avions prévu.

Le jeune homme se lissa la moustache.

— Combien de temps, au juste?

— Aussi longtemps qu'il le faudrait pour mettre sur pied un dispensaire. Un dispensaire qui accueillerait à la fois les Aborigènes et les Blancs.

Irène n'appréciait pas qu'on la contrarie. Lorsque Eva était partie pour l'Angleterre, de nombreuses années plus tôt, elle avait certes perçu un héritage substantiel, mais elle avait espéré qu'à la mort de sa mère elle ferait main basse sur une somme plus importante encore. Mais la clause numéro quinze était venue doucher cette belle expectative : elle stipulait en effet que l'héritage auquel pouvait prétendre Irène lui avait déjà été versé, en sorte qu'il ne lui restait plus rien à recevoir, à l'exception des bijoux. Elle était allée jusqu'à se rendre chez son notaire, qui lui avait hélas affirmé qu'elle ne pouvait intenter aucune action. Elle avait pris conseil auprès d'un second homme de loi, qui avait confirmé le verdict de son confrère. Eva et Olivia lui avaient damé le pion.

Debout sur la véranda de sa maisonnette de Cairns, elle contemplait la mer. Cairns était une jolie ville, abritée par des montagnes disposées en fer à cheval et bordée par un large croissant de sable jaune. Quelques centaines d'habitations s'éparpillaient autour d'un quartier commerçant plein d'attrait, cependant que des palmiers oscillaient dans la brise tropicale… Pour le reste, malgré ses prétentions, il ne s'agissait guère que d'une station balnéaire pareille à tant d'autres.

Irène se navrait de savoir que de sa mère elle ne toucherait plus rien, mais elle n'avait pas tout à fait perdu son temps en venant à Cairns, songea-t-elle avec une amère satisfaction. Elle y avait en effet vendu les bijoux d'Eva. Une fois la somme placée à la banque, elle posséderait de quoi acquérir une autre propriété. Elle souriait surtout parce que de ces transactions, son époux ne savait rien. William ignorait qu'elle disposait d'une véritable fortune. Il ignorait qu'elle avait créé plusieurs sociétés si astucieusement entremêlées, et se livrant chacune à des activités si diverses, qu'il faudrait un petit génie pour remonter jusqu'à leur propriétaire commune.

Par le biais de ces entreprises, Irène gérait un copieux portefeuille d'actions. Elle avait également fait de nombreux investissements immobiliers à Sydney. Tout cela constituait le bas de laine auquel elle aurait recours le jour où elle serait lasse de vivre à la campagne, et ce jour se rapprochait à grands pas.

Elle passa les mains sur ses hanches étroites et prit une profonde inspiration. Justin, son fils, avait choisi pour sa part de s'installer à Sydney. Elle le comprenait ô combien. Dans l'outback on finissait par suffoquer, en dépit des dizaines de kilomètres qui séparaient les ranchs les uns des autres. Quant à partager l'existence d'un homme qui ne se révélait ni très malin ni particulièrement séduisant, Irène le supportait de moins en moins. C'est pourquoi elle profitait de ces escapades au bord de la mer pour souffler un peu – de quoi lui rappeler qu'il y avait une vie en dehors de Deloraine –, et tant pis si Cairns se situait à trois jours de route du ranch.

À Cairns, elle avait des amis, elle y connaissait un bon coiffeur, une bonne manucure, ainsi qu'une couturière. À Cairns, elle se choyait ; elle aimait s'asseoir en bonne compagnie avec un verre de vin dans l'un des restaurants du bord de mer.

Mais une bouffée de dédain la submergea soudain. Cette ville restait confite dans ses petites habitudes, et l'on n'y croisait guère que des esprits étroits. Une station balnéaire miteuse, voilà ce qu'était Cairns en réalité, qui se traînait aux beaux jours pour fermer durant la saison humide. Sydney. C'était à Sydney qu'il fallait se rendre pour faire du shopping. Pour dîner avec des hommes de goût, pour danser, pour fréquenter les théâtres. C'était là-bas qu'elle pourrait croiser Justin et sa nouvelle conquête. Là-bas qu'elle pourrait jouir de tout ce qui lui manquait si cruellement à Deloraine Station.

Elle quitta la véranda. Justin et Sydney attendraient. Arthur également ; elle avait des choses plus importantes à faire avant de passer quelques heures dans un lit avec son amant. Elle ourdissait des plans, et tant qu'elle ne les aurait pas mis sur pied dans leurs moindres détails, rien ne l'en distrairait. Elle s'empara de son sac à main et quitta la maison.

Elle possédait une Holden flambant neuve, à la carrosserie vert pâle et blanc. Équipée de pneus à flanc blanc, d'ailettes à l'arrière, ainsi que d'un pare-soleil teinté, c'était un petit bijou trop élégant pour qu'elle daignât la conduire jusqu'à Deloraine. Au volant de son bolide, Irène éprouvait un délicieux sentiment de puissance...

11

Olivia s'agitait. Il régnait une chaleur si épouvantable que le sommeil ne cessait de la fuir, en dépit de l'exténuante journée qu'elle venait de passer. Elle quitta son lit, enfila un short et une chemise en coton puis, ses souliers à la main, elle sortit de sa chambre et descendit l'escalier.

Il était tard, l'hôtel se trouvait plongé dans l'obscurité. Ayant tiré le verrou de la porte latérale, l'Anglaise se retrouva dans la cour, où elle enfila ses mocassins. Elle huma l'air étouffant de la nuit, puis leva les yeux en direction de la pleine lune, dont la face lui parut si bienveillante qu'elle n'eût pas été surprise d'y discerner un sourire. Elle finit par fourrer les mains dans les poches de son short et se mit à marcher.

Comme à l'accoutumée, ses pas la menèrent jusqu'à la plage. Ses pensées s'y envolèrent au rythme des vaguelettes qu'elle entendait lentement clapoter. Eva l'avait un jour surnommée « la fille de l'océan », au point qu'Olivia, si jeune alors, avait cru qu'elle était une superbe sirène échouée, comme tant d'autres, sur la terre des mortels. Elle sourit au souvenir de cette fable. À l'époque, tout lui paraissait si simple. Comme il était aisé de croire aux sirènes, ou à la magie, quand des lucioles dansaient dans les buissons alentour, quand cette plage de rêve lui tenait lieu de cour de récréation.

Elle s'immobilisa pour lever le nez vers le ciel. À Londres, pendant le Blitz, on aurait en découvrant cette pleine lune parlé de « lune des bombardiers », et au lieu de ce silence apaisant, on aurait entendu rugir par centaines les avions ennemis – puis les bombes auraient émis leur plainte affreuse en tombant, elles auraient explosé, et un autre quartier de la capitale serait devenu la proie des flammes. Mais ici, dans le nord du Queensland, le calme qui prévalait se trouvait encore ennobli par le froissement des palmes, par la petite scie des grillons, par le chuintement des vagues sur le sable mouillé.

De nouveau, le charme du lieu opérait. Olivia gardait l'œil rivé à la mer. Les contours de l'île se donnaient à voir entre le ciel nocturne et les eaux étincelantes… Rien n'avait changé depuis qu'enfant elle avait pris l'habitude de l'admirer à sa fenêtre. Elle se retourna, sachant déjà où ses pas allaient la mener.

Au cœur des ténèbres, la maison, blottie contre ses voisines sur une légère élévation, dominait la plage. Le silence régnait en maître et, cette fois, aucune enfant ne se tenait à la fenêtre. Car entre-temps l'enfant était devenue femme. Une femme assaillie de questions auxquelles personne n'avait encore répondu. Une femme qui ne croyait plus aux sirènes ni aux contes de fées. La magie s'en était allée – le jour où cette enfant devenue femme avait appris que rien de ce en quoi elle avait cru jusqu'alors n'était vrai.

Olivia demeura longuement plantée face à cette maison qui, jadis, avait été la sienne. Elle lui parut abandonnée, et triste de surcroît. Comme moi, songea-t-elle. Les maisons possèdent-elles une âme? S'aperçoivent-elles un jour qu'on les a mal aimées?…

— Pauvre sotte, se gronda-t-elle à mi-voix. Tu divagues complètement, ma pauvre fille.

Elle s'assit en tailleur sur le sable, une épaule appuyée contre la palissade blanche. De là, elle scruta l'habitation. En dépit de tout, il lui semblait que celle-ci saluait son retour, qu'elle l'accueillait de nouveau. Assise là, dans la paix d'une nuit tropicale australienne, elle laissa affluer les souvenirs…

La demeure lui paraissait beaucoup plus grande à l'époque, avec ses pièces spacieuses auxquelles on accédait par le hall, et sa cuisine qui occupait tout l'arrière.

Sa chambre, qui au contraire se situait à l'avant, donnait sur la mer et le ciel immense. Juste à côté de la sienne se trouvait la chambre de sa mère ; il fallait traverser le hall pour rejoindre celle d'Irène. Olivia se rappela le salon carré, le sofa défraîchi, les fauteuils, l'aspidistra dans son abominable pot de porcelaine. L'hiver, un feu brûlait dans la cheminée – la fillette alors s'habillait devant l'âtre pour se tenir chaud car, la nuit, les températures chutaient parfois beaucoup.

Olivia avait l'impression de feuilleter un album de photographies. Des images surgissaient dans son esprit, si fugaces qu'elle peinait à les saisir, mais à la fois si réalistes qu'elle frissonnait à leur vue.

Olivia savait qu'elle n'aurait pas dû se trouver dans la chambre d'Irène, mais sa sœur était sortie en laissant la porte ouverte ; la cadette avait cédé à la tentation. Ayant grimpé sur le tabouret de la coiffeuse, elle se rendit compte qu'il lui fallait s'agenouiller dessus pour pouvoir se contempler dans le miroir. Elle rajusta sa coiffure comme elle avait vu Irène le faire, se livra à quelques grimaces jusqu'à se lasser de ce petit jeu, après quoi elle se mit à fourgonner parmi les trésors entassés sur le meuble.

Elle piocha une paire de clips d'oreilles, dont le fermoir lui pinça les lobes ; elle grimaça. Il y avait des colliers – ils seraient du plus bel effet sur le coton bleu de sa robe. Il y avait des broches, qui étincelèrent dans l'éclatant soleil dont les rayons pénétraient par la fenêtre. Avec beaucoup de précautions, elle passa les colliers à son cou, accrocha quelques broches à son col de dentelle, puis observa le résultat dans le miroir. Ayant décrété qu'il manquait encore un petit quelque chose, elle tendit la main vers la boîte contenant cette poudre dont elle avait vu maintes fois Irène se farder les épaules avant de se rendre à une soirée.

Mais ses mains potelées de petite fille se révélaient maladroites, et la boîte trop étroitement fermée. Elle ouvrit tout grand la bouche, saisie d'effroi, lorsque l'objet lui échappa soudain pour rebondir sur le sol, dispersant partout son contenu.

Elle resta longuement immobile, se demandant s'il valait mieux nettoyer immédiatement ce gâchis, ou s'en charger plus tard. Elle finit par lorgner les produits cosmétiques demeurés sur la coiffeuse… Elle céda aux appels du rouge à lèvres et de l'ombre à paupières. Irène ne rentrerait pas avant plusieurs heures. Elle avait tout le temps de réparer les dégâts.

Le rouge à lèvres, d'un rouge très vif, lui sembla collant. Elle imita la moue de sa sœur quand celle-ci contemplait son reflet dans la glace. Quant au crayon noir, il dessina de belles lignes sur ses sourcils, à quoi vint s'ajouter l'ombre à paupières, dont le bleu était le même que celui de sa robe. Elle s'était donné du mal, mais le jeu en valait la chandelle.

— Qu'est-ce que tu fabriques?

Olivia se figea, les yeux agrandis par l'horreur – elle regardait Irène dans le miroir.

— Espèce de petite garce, cracha cette dernière en examinant le jeune visage peint, avant de considérer la poudre de talc répandue sur le sol, puis le désordre qui régnait sur sa coiffeuse.

Elle se rua dans la chambre, arracha les colliers et les boucles d'oreilles, griffant au passage de ses longs ongles vernis de rouge, tandis qu'elle ôtait les broches sans ménagement, les joues rebondies de la petite Olivia.

Puis elle la tira d'un coup sec pour la contraindre à descendre du tabouret, avant de la gifler à toute volée.

— Dehors! hurla-t-elle. Sors d'ici et ne t'avise plus jamais de revenir!

Elle la poussa à l'extérieur de la pièce avec une telle violence qu'Olivia s'affala sur le sol de l'entrée. Le choc de cette chute, associé à la peur que lui inspirait son aînée, se résolut dans un immense cri.

— Que se passe-t-il?

Eva, qui venait de sortir de la cuisine, l'aida à se relever, les mains pleines de farine.

— Cette morveuse a fouillé dans mes affaires, déclara Irène, debout sur le seuil de sa chambre, la mine rageuse. Tu n'as qu'à venir voir. Regarde ce qu'elle a fait.

— Ce n'est jamais qu'un peu de poudre et de fard, murmura Eva en consolant la fillette. Tout rentrera dans l'ordre en un tournemain.

— J'aurais dû me douter que tu prendrais sa défense, commenta l'aînée d'un ton sec. Sale petite garce trop gâtée.

Elle fusilla Olivia du regard.

— Boucle-la! hurla-t-elle. Tu n'as mal nulle part.

L'enfant se recroquevilla entre les bras de sa mère.

— Pardon, sanglota-t-elle. Je suis pas une garce…

Eva l'embrassa, ramena ses cheveux vers l'arrière, puis la reposa sur le sol.

— Va chercher un biscuit, mon ange, dit-elle doucement. Irène et moi avons besoin de parler.

Olivia alla chercher le biscuit, avant de se mettre à danser d'un pied sur l'autre à l'entrée de la cuisine; elle écoutait la terrible querelle qui venait d'éclater entre sa mère et sa sœur dans la chambre de cette dernière. Elle ne comprenait pas la teneur de leurs propos. Elle soupira, songea qu'il pourrait être plus opportun pour elle de quitter la maison – peut-être, ainsi, les disputes cesseraient-elles.

On lui avait offert pour Noël un petit landau, ainsi qu'une poupée baptisée Emily, qu'elle aimait avec passion. Emily possédait un adorable visage clair, dont les yeux se fermaient quand on l'allongeait dans son lit, un visage qu'encadraient de beaux cheveux blonds et bouclés. Elle était vêtue d'une robe jaune ornée d'un nœud derrière la taille. Des jupons mousseux, une culotte en dentelle et de minuscules souliers blancs complétaient sa tenue. Emily se révélait même capable de dire «Maman», comme l'aurait fait une vraie petite fille – Olivia la tenait d'ailleurs pour un être bien réel.

Hors de question pour elle d'abandonner la poupée, devenue sa meilleure amie. D'autant plus qu'Irène, quelques jours plus tôt, avait manifesté toute la haine qu'elle nourrissait contre Emily en la jetant à travers la chambre.

Ayant glissé la poupée sous la couverture et le drap, l'enfant se mit à pousser lentement son landau pour gagner le jardin. Elle s'arrêta dans la cuisine pour y prélever un autre biscuit. Bientôt, elle poussait fièrement son landau sur le petit chemin sableux qui la mènerait en ville. Elle allait montrer les boutiques à Emily. Peut-être parviendraient-elles ensemble à prendre l'autocar pour Cairns, comme il lui arrivait quelquefois de le faire avec Eva.

La fillette et la poupée s'amusaient beaucoup. De nombreux passants s'arrêtèrent pour leur parler un peu et leur demander où elles comptaient se rendre. Une femme particulièrement affable alla jusqu'à offrir à Olivia un morceau de gâteau, ainsi qu'un verre de citronnade, qu'elle l'autorisa à consommer assise à l'ombre d'un grand parasol.

Mais l'enfant déchanta en voyant sa sœur franchir la grille de la propriété.

— Merci d'avoir pris soin d'elle, dit-elle. Mère et moi étions folles d'inquiétude.

— Notre cher ange a essayé votre maquillage, répondit la femme. J'ai bien tenté de lui débarbouiller la figure, mais sans grand résultat.

Irène lui décocha un sourire radieux.

— Il faut bien que les petites filles se livrent à certaines expériences… Allons, viens, Olivia, il est temps de rentrer à la maison.

La fillette glissa à bas de sa chaise, essuya quelques miettes autour de sa bouche. Irène ne semblait plus fâchée. Elle avait fière allure dans sa robe rouge, et le soleil jetait des lueurs dans ses cheveux. Olivia continuait cependant de craindre ses longs ongles très rouges, et l'étrange éclat qu'elle vit soudain briller dans son œil quand elle se chargea de la poupée et du landau lui glaça le cœur. Elle n'avait pas oublié la gifle magistrale que son aînée lui avait assenée tout à l'heure; elle se méfiait beaucoup de cette Irène bienveillante et tout sourire.

— Pourquoi faut-il toujours que tu te fasses remarquer? siffla bientôt celle-ci.

— Désolée, souffla Olivia. Emily avait envie de se promener.

La mâchoire d'Irène se crispa. Elle s'empara du landau, de l'autre main obligeant sa cadette à traverser la route, en direction du sentier sableux.

Emily tomba du landau sous l'œil épouvanté d'Olivia; elle s'écrasa sur le béton, juste à côté du poteau télégraphique.

L'enfant se mit à pleurer, les larmes se changèrent en sanglots, puis elle commença à hurler en tentant de se soustraire à la poigne de fer de sa sœur.

— Emily…, hoqueta-t-elle. Elle est toute cassée.

Du bout du pied, Irène récupéra la poupée, qu'à plusieurs reprises elle projeta contre le poteau télégraphique. Bientôt, il ne restait plus rien du visage d'Emily.

Olivia, qui venait d'assister au meurtre de sa meilleure amie, se trouva réduite au silence. Elle ne bougeait plus, fixant la poupée que sa sœur lui agitait sous le nez – on découvrait à présent l'intérieur du crâne : la malheureuse avait les yeux crevés. Paralysée par le choc, l'enfant leva le regard vers Irène.

— Je te ferai bientôt subir le même sort si tu ne te tiens pas tranquille, menaça celle-ci. M'as-tu bien comprise ?

Olivia opina.

— Et si tu t'avises de raconter quoi que ce soit à maman, je te tuerai dès ce soir.

Sa cadette ne doutait pas qu'elle en fût capable. Ainsi Irène instaura-t-elle ce jour-là un régime de terreur qui, à peu de chose près, ne devait prendre fin que quand Olivia et sa mère embarqueraient pour l'Angleterre.

Maggie ne dormait pas non plus. Il faisait chaud dans sa cabane, au point qu'elle se tourna et se retourna dans son lit jusqu'à s'emberlificoter dans un drap maintenant trempé de sueur. Sans allumer la lampe au kérosène, elle se leva, ouvrit la porte et se planta sur le seuil. L'air demeurait lourd. La jeune femme souleva ses cheveux pour tenter de se rafraîchir un peu la nuque – il soufflait une légère brise.

Le silence était total. Maggie huma, dans le clair de lune, l'odeur de la terre chaude mêlée à celle des fleurs exotiques ; des lucioles dansaient parmi les buissons. Les lucioles, dont les minuscules graines lumineuses ne connaissaient jamais de repos, fascinaient la jeune femme – elles ajoutaient selon elle une touche de magie à la nuit, une magie qui la ramenait aux contes de son enfance, une magie à laquelle même le cœur le plus endurci n'aurait su résister.

Une clé tourna dans une serrure, des gonds grincèrent. Maggie sursauta. Il lui sembla repérer un mouvement. Puis des bruits de pas sur le gravier lui parvinrent; quelqu'un s'éclipsait par la porte latérale de l'hôtel.

Elle se retrancha dans l'ombre. Ces pas se révélaient trop légers pour qu'il pût s'agir de Sam. Mais à qui d'autre prenait-il donc l'envie de se promener au beau milieu de la nuit?...

Maggie identifia tout à coup Olivia, qui sortait à présent de la cour. À l'évidence, l'Anglaise n'avait pas trouvé le sommeil non plus. La gérante fut tentée de la rejoindre. Mais quelque chose, dans le comportement d'Olivia, la retint sur son seuil – cette jeune femme-là semblait avoir besoin de solitude.

Maggie la regarda se diriger vers la plage. Elle avait donc vu juste – la plage était propice à la contemplation, elle soulageait celui ou celle qui la fréquentait de nuit.

La gérante finit par rentrer dans sa maisonnette. L'océan avait été pour elle une révélation, après tant d'années passées dans l'outback aride et brunâtre. Elle était demeurée de longues heures sur la plage de Manly, à l'époque où elle vivait à Sydney. Maintenant qu'elle habitait Trinity, elle avait acquis la certitude que jamais plus elle ne parviendrait à se réinstaller dans l'incommensurable région poussiéreuse qui occupait le centre de l'Australie.

La mer la captivait pour ses aspects mystérieux et changeants. Paisible, fraîche et bienveillante en été, elle ne laissait alors rien deviner de la toute-puissance qu'il lui arrivait de libérer en d'autres saisons – dans ces moments-là, ses eaux bouillonnaient sous la surface, tandis que ses vagues s'écrasaient contre les rochers dans un bruit de tonnerre. Elle sifflait sur le sable. Et Maggie exultait.

Elle se prépara une tasse de thé, s'assit à la table, où elle feuilleta un magazine qu'elle avait déjà lu une bonne douzaine de fois. Lorsqu'elle eut terminé son thé, puis repoussé le magazine, elle contempla son lit: le sommeil continuait à se refuser à elle. Olivia ou pas, il fallait qu'elle sorte de cette cahute. Elle avait besoin de marcher, de sentir le sable entre ses orteils, ainsi que la fraîcheur de l'eau.

Ayant enfilé son maillot de bain, elle se vêtit d'un chemisier et d'un short. Quelques minutes plus tard, elle quittait l'enceinte de l'hôtel. Olivia était sortie depuis un bon moment déjà, les deux jeunes femmes ne risquaient guère de se retrouver nez à nez. Du moins Maggie l'espérait-elle, car elle ne souhaitait pas que l'Anglaise pût s'imaginer qu'elle l'avait suivie. C'est pourquoi elle ne tarda pas à quitter la route principale pour s'engager entre les maisons qui bordaient la plage.

Toujours pieds nus, elle longeait sans bruit les demeures plongées dans l'obscurité. Les fleurs exhalaient un parfum capiteux, tandis que des ombres s'étiraient sous le clair de lune. Bientôt, elle atteignit l'extrémité du chemin. Jamais elle n'aurait eu l'idée de l'emprunter si Olivia ne s'était pas éclipsée avant elle; elle ne le regrettait pas. Car l'heure était venue pour elle de repousser les fantômes du passé. Il était temps de se lancer à corps perdu dans cette nouvelle existence, sans plus se soucier de ce qu'elle aurait pu devenir en d'autres circonstances.

Pas une fois elle ne tourna la tête, cependant qu'elle progressait à pas prudents sur les zostères échouées, à l'abri des palmiers. La mer se déployait face à elle, à la surface de laquelle étincelaient mille diamants embrasés par la pleine lune; de minces festons d'écume couronnaient les vaguelettes qui venaient mourir sur le sable. Émergeant du couvert des arbres, la jeune femme continua à fixer les eaux.

— Si je comprends bien, le sommeil vous a fuie également.

— Bon sang de bois, lâcha Maggie dans un hoquet. Vous m'avez flanqué une de ces frousses.

Olivia s'avança; le cœur de la gérante battait à rompre. Avant que l'Anglaise eût pris le temps de s'essuyer les joues, Maggie s'était rendu compte qu'elle avait pleuré.

— Je suis désolée, souffla-t-elle en reculant d'un pas. Je voulais pas vous déranger.

Olivia débarrassa ses jambes du sable qui y adhérait encore.

— Mais vous tombez à pic. J'en ai assez de dialoguer avec moi-même.

Elle passa un bras sous celui de Maggie.

— Promenons-nous un moment, suggéra-t-elle.

— Quelque chose vous tourmente, hasarda doucement la gérante, ça se voit comme le nez au milieu de la figure. Vous voulez m'en parler?

— Cela ne changerait rien à l'affaire. Les souvenirs ne s'effaceront jamais, quoi que je dise et où que j'aille.

— Des souvenirs? répéta Maggie, soudain mal à l'aise. Quels souvenirs?

— Je ne désire pas les évoquer maintenant, répondit Olivia avec un pâle sourire. La nuit est trop belle.

Mais Maggie ne pouvait pas attendre:

— Vos souvenirs, ils ont quelque chose à voir avec cette maison?

L'Anglaise se figea, observa longuement sa compagne.

— C'est dans cette maison que j'ai vécu lorsque j'étais enfant, finit-elle par lâcher. J'en garde forcément de nombreux souvenirs.

— Bien sûr, souffla Maggie – le sang avait reflué de ses joues. Hamilton. J'aurais dû m'en douter...

Olivia fronça les sourcils.

— Je vous ai donné mon nom dès mon arrivée à l'hôtel. Pour quelle raison semble-t-il tout à coup vous bouleverser à ce point?

La gérante secoua la tête pour tenter de remettre un peu d'ordre dans ses idées.

— C'est pour ça que vous êtes allée à Deloraine...

— J'y ai rendu visite à ma sœur, Irène. Mais je ne comprends toujours pas quel rapport cela entretient avec vous.

Les jambes de Maggie se dérobèrent sous elle; elle se laissa tomber sur le sable, où elle se couvrit le visage de ses mains.

— Votre sœur, murmura-t-elle. Oh mon Dieu...

Olivia, qui s'était agenouillée auprès d'elle, passa un bras autour de ses épaules.

— Maggie, dit-elle d'une voix tremblante. Maggie, que se passe-t-il? Éclairez ma lanterne, pour l'amour du ciel. Vous me faites peur...

Maggie secoua de nouveau la tête.

— Non… C'est impossible…

— Qu'est-ce qui est impossible ?

Cette fois, l'Anglaise saisit les épaules de sa compagne à deux mains pour la contraindre à lui faire face.

— Qu'essayez-vous de me dire, Maggie ?

Celle-ci frissonna, puis porta ses regards vers la mer. La douceur de la nuit ne l'avivait plus – elle se sentait soudain glacée jusqu'aux os.

— Vous refuseriez de me croire. Vous me croiriez pas…

— Essayez quand même.

Olivia gardait les mains posées sur ses épaules ; ses traits se faisaient sombres dans le pâle clair de lune.

Maggie se frotta les bras pour tenter de se réchauffer. Elle avait la cervelle en ébullition.

— Je sais pas par où commencer.

— Par le début.

— Le début, je le connais pas vraiment, s'excusa-t-elle en fixant l'île minuscule à l'horizon. Tout ce que je sais, c'est la poignée de bricoles que j'ai découvertes il y a quelques années.

— Dans ce cas, l'encouragea sa compagne, racontez-moi ces bribes. Allez-y.

Maggie évoqua sa fuite avec Mia, les longues semaines qu'elles avaient passées dans l'outback avant d'atteindre la très modeste colonie de Quilpie.

— Mia devait retourner dans sa tribu, et moi j'avais besoin de trouver du travail.

Elle soupira.

— On a pleuré toutes les deux comme des Madeleine au moment de nous séparer. C'était dur, parce qu'on avait peu à peu appris à s'apprécier vraiment, et on savait qu'on pouvait compter l'une sur l'autre.

— L'avez-vous revue ?

— Non, et je sais même pas si elle est encore de ce monde.

Au terme d'un court silence, la jeune femme s'essuya le visage et redressa les épaules. Lorsqu'elle reprit la parole, sa voix parut étrangement calme à Olivia :

— Quilpie se situe au beau milieu de l'outback du Queensland. On peut pas imaginer un bled plus loin de la mer que celui-là, et jamais j'ai connu de durs à cuire plus raboteux que les types qui élèvent des moutons dans les grands ranchs de la région. Ils passent le plus clair de leur temps à cheval, ou penchés sur les moutons qu'ils sont en train de tondre.

La jeune Anglaise l'écoutait en silence.

— À Quilpie, on trouvait un hôtel à chaque coin de rue. J'ai menti sur mon âge et sur mon expérience professionnelle, si bien que j'ai fini par dégoter un boulot dans l'un d'eux.

Elle se remémora la chaleur, la poussière, les mouches, et ces hommes au cuir épais qu'elle côtoyait là-bas chaque jour. Mais Quilpie ne se réduisait pas à une ville d'éleveurs, car sous cette terre aux tons de cannelle se dissimulaient d'inestimables richesses. Tels des œufs attendant qu'on les brisât, certains des gros rochers dispersés dans le paysage immense recelaient un formidable secret : des opales. Ces pierres fines attiraient mineurs, prospecteurs, vendeurs et acheteurs. En dépit de la Grande Dépression, les affaires, à Quilpie, étaient florissantes.

— Je logeais dans une chambre à l'arrière de l'hôtel. Peu à peu, j'ai sympathisé avec le propriétaire et sa femme, qui avaient une cinquantaine d'années. Il m'arrivait de travailler au bar, mais la plupart du temps je servais dans la salle à manger ou bien je donnais un coup de main en cuisine.

— Vous ne deviez pas avoir la vie facile, commenta Olivia. Vous étiez très jeune…

Maggie haussa les épaules.

— J'aimais bien l'effervescence qui régnait là-bas, et si les bagarres partaient quelquefois en sucette, la plupart du temps elles se terminaient autour d'une bière.

Ramenant ses genoux contre sa poitrine, elle les serra dans ses bras, sur l'un desquels elle posa le menton.

— Matt Foley s'est pointé en ville presque un an après mon arrivée. J'avais seize ans quand on s'est comme qui dirait mariés.

— «Comme qui dirait mariés»? Que voulez-vous dire?

Olivia n'y comprenait plus rien, et sa compagne la vit guigner subrepticement son annulaire, en quête d'une alliance.

— J'avais pas de papiers d'identité. Ils étaient restés au pensionnat, et j'ai pas eu le cran de retourner là-bas pour les récupérer. J'étais coincée.

Elle soupira.

— On fait tous des erreurs, pas vrai? La mienne a été de m'enticher d'un Irlandais aux cheveux bouclés et aux yeux sombres, qui avait la démarche chaloupée et un rire à se damner. C'était le meilleur tondeur du coin. Cette année-là, un type d'Eromanga accomplissait lui aussi des prouesses, mais Matt avait bien l'intention de préserver sa réputation. Il a fini par réussir son coup, et dans l'ivresse de la victoire, il m'a demandée en mariage.

Elle sourit d'une oreille à l'autre.

— J'ai sauté sur l'occasion, vous pensez bien. J'avais une vraie tête de piaf à l'époque, j'ai pas réfléchi, même si Mme Banks a essayé de me mettre en garde. Par-dessus le marché, pas un pasteur ne voulait célébrer officiellement notre union, parce que j'avais pas ces foutus papiers.

— Que s'est-il passé?

— On a organisé notre propre cérémonie mais, bien sûr, ça a pas marché. J'étais trop jeune, et lui, il était habitué à vivre seul. Et puis j'ai fini par piger sur quel genre de bonhomme j'étais tombée. Ce mariage, ça a vraiment été du flan.

Elle cligna des yeux en tâchant de se reconcentrer sur le décor devant elle – cette erreur de jeunesse continuait à la meurtrir.

— On a quitté Quilpie avec un cheval, un chariot bâché et deux sacs de couchage. Pendant les deux années suivantes, on a voyagé d'un ranch à l'autre, et j'ai passé le plus clair de mon temps dans la cuisine des tondeurs, à leur préparer des repas d'ogre.

Il y avait de l'amertume dans la voix de Maggie, pourtant les premiers temps de son union l'avaient rendue heureuse. Elle aimait l'entendre lui raconter des histoires – dans les yeux du jeune homme s'embrasaient alors des étincelles. La nuit, lorsqu'il l'étreignait, elle ronronnait de plaisir à sentir sa peau à lui contre sa peau à elle, puis ils faisaient l'amour sous le ciel étoilé… Peu à peu, néanmoins, elle se lassa de sillonner sans fin ces contrées vides. Elle avait à présent envie de posséder une maison bien à elle, érigée sur un terrain qui fût le leur, où auraient prospéré leurs moutons; elle rêvait d'avoir des enfants.

— Matt a refusé tous mes projets en bloc. Lui, il voulait devenir riche, c'est tout, à tel point que j'ai eu beau m'échiner dans ces maudites cuisines, j'ai jamais vu un seul penny des gages qu'on m'a versés.

Maggie se tortilla un instant sur le sable.

— J'ai eu du mal à avaler la pilule. Mais ça a été bien pire encore le jour où j'ai découvert qu'il m'avait entourloupée dans la plupart des villes où on s'était arrêtés : presque tout l'argent que j'avais si chèrement gagné, il l'avait perdu au jeu.

— Puisque vous êtes actuellement célibataire, commenta Olivia, je suppose que vous l'avez quitté?

— C'est pas comme ça que ça s'est passé, murmura la gérante. On se trouvait du côté de Dirranbandi. Il y avait de moins en moins d'embauche, parce que les éleveurs réduisaient petit à petit la taille de leurs troupeaux. Pour couronner le tout, la plupart des gens savaient que Matt avait le coup de poing facile et le gosier en pente. Pour ma part, même s'il avait jamais levé la main sur moi, j'étais persuadée qu'il finirait par me cogner un jour ou l'autre.

Maggie prit une profonde inspiration, puis fixa un point devant elle; les sons alentour, elle ne les entendait plus.

— On se disputait de plus en plus souvent, et comme le boulot manquait, nos économies fondaient à vue d'œil.

Elle se tut. Le ciel s'éclaircissait. Bientôt, l'aube poindrait.

— Un matin, quand je me suis réveillée, il avait mis les bouts en emportant son meilleur cheval, son sac de couchage et le reste de notre fric.

— Quelle ordure…

— Pour sûr. Mais je pouvais rien réclamer. Au moins, il m'avait laissé le chariot et le vieux canasson, presque toute la nourriture et nos réserves d'eau.

— Qu'avez-vous fait?

— J'ai grimpé à bord du chariot et j'ai roulé jusqu'au pensionnat. Il se trouvait qu'à quelques kilomètres. J'avais pensé que, peut-être, on aurait pu me dire ce que mon père était devenu.

— Avez-vous obtenu des résultats?

— Aucun. Mais j'ai découvert un truc bien plus intéressant.

Elle tourna vers sa compagne un regard qui ne flanchait pas.

— C'est ce truc-là qui a fini par m'amener jusqu'à Trinity.

— Je ne t'ai pas entendue rentrer cette nuit, déclara William en beurrant sa tartine grillée. Il devait être très tard.

— En effet, répliqua Irène. J'ai dormi dans la chambre d'amis pour éviter de te déranger.

— C'est adorable de ta part, fit son époux en leur versant à chacun une tasse de café.

Le sarcasme n'échappa nullement à Irène. Elle alluma une cigarette, dont elle souffla sciemment la fumée dans la direction de son mari, sachant combien il détestait qu'on fumât durant les repas.

— Absolument pas, laissa-t-elle tomber. Il fait plus frais dans la chambre d'amis, et tes ronflements m'empêchent de dormir.

Il la considéra un moment avant de retourner à son petit-déjeuner.

— J'apprécierais que tu me préviennes quand tu disparais pendant plusieurs jours. J'aurais aimé que tu sois là, hier soir, pour discuter avec moi des ventes de bétail de l'année.

— Une conversation passionnante, à n'en pas douter. Je suis certaine cependant que tu t'en es admirablement tiré sans moi.

Le café, chaud et fort, dissipa la fatigue d'une nuit sans repos. Si seulement William consentait à fermer son clapet, elle s'offrirait au moins un moment de calme avant de se rendre aux écuries. Il lui restait beaucoup de choses à régler.

Son époux reposa son couteau, puis s'essuya la bouche avec sa serviette. Il darda sur Irène un œil froid; il avait la mine sombre.

— Il faut que nous parlions, annonça-t-il.

— Je ne suis pas d'humeur à bavarder, le moucha sa femme en écrasant la seconde moitié de sa cigarette dans sa soucoupe.

— Tu ne l'es jamais.

William jeta sa serviette sur la table, se renversa dans son fauteuil avant de croiser résolument les bras sur sa poitrine.

— Pourquoi m'as-tu épousé?

Irène éprouva une telle surprise qu'elle ne sut d'abord que répondre.

— Quelle mouche t'a donc piqué ce matin?

— Je t'ai posé une question. J'attends une réponse.

Irène peinait à mettre de l'ordre dans ses pensées. Elle l'avait épousé parce qu'il était riche, parce qu'on le respectait et qu'on pouvait le manipuler à loisir. Mais elle ne pouvait décemment pas lui répondre cela. Elle ne pouvait pas davantage lui confier qu'elle l'avait utilisé pour fuir – pour échapper à Eva, à Olivia, pour échapper à l'atmosphère étouffante de leur petite maison de Trinity.

— Parce que je t'aimais, affirma-t-elle.

Il se leva d'un bond, mit les mains dans ses poches et baissa le regard sur sa femme.

— Tu ignores la signification de ce verbe, lui opposa-t-il avec douceur. La seule personne que tu aies jamais aimée, c'est toi.

— J'aime mon fils! s'emporta-t-elle.

— «Ton» fils?

William avait blêmi sous son hâle.

— Tu sembles oublier qu'il s'agit aussi du mien.

Il fit silence quelques instants.

— À moins que tu ne m'aies menti?

Il se pencha en avant, l'œil chargé de dégoût.

— Est-il mon fils? hurla-t-il.

Irène accusa le coup. Ce William-là ne ressemblait en rien à celui qu'elle connaissait. Jamais il n'avait élevé la voix contre elle, jamais il n'avait émis le moindre doute sur sa fidélité.

— Bien sûr qu'il est ton fils, siffla-t-elle. Comment oses-tu insinuer qu'il pourrait en aller autrement?

Il pencha la tête sans la lâcher du regard.

— Tu t'es offert de nombreux amants durant toutes ces années. Comment pourrais-je avoir la certitude de ma paternité?

Irène se leva à son tour. Elle dominait son époux de quelques centimètres, mais rien n'y faisait : elle continuait à se sentir en position de faiblesse.

— Parce que je te le dis, répondit-elle sèchement.

Il secoua la tête.

— Ta parole ne vaut rien. La tête sur le billot, tu serais encore capable de me mentir.

— Justin est ton fils, lâcha Irène avec froideur. Il te suffit de le regarder pour t'en convaincre.

Il considéra un moment son épouse, avant de jeter un coup d'œil en direction de la photographie posée sur le buffet. Il parut satisfait, mais il n'en avait pas fini avec leur querelle.

— Tu viens de prétendre que tu m'aimais. Dans ce cas, pourquoi diable as-tu éprouvé le besoin de prendre un amant quelques petites semaines seulement après notre mariage ?

Irène vacilla un instant. Il en savait davantage qu'elle ne l'avait imaginé…

— Si je n'obtiens pas ce que je désire sous mon propre toit, alors, bien sûr, je cherche ailleurs.

Elle s'était exprimée avec rudesse, résolue à le meurtrir.

— Tu es un homme ennuyeux, William. Ennuyeux au-delà de tout. Tant en dehors d'un lit que dedans. Je brûlais de m'amuser un peu. D'échapper à cette insoutenable routine.

— Alors, je suppose que tu n'émettras aucune objection si je t'annonce que je m'apprête à te quitter ?

— Me quitter ?… Qu'est-ce que tu racontes ? Deloraine nous appartient à tous les deux. Je n'irai nulle part.

— Deloraine m'appartient, repartit William d'un ton catégorique. Entièrement. Je l'administre en fidéicommis pour le bénéfice de Justin, s'il souhaite récupérer un jour le domaine. Sinon, c'est au fils de mon frère qu'il reviendra. Il s'agit à peu près de la seule chose que tu n'es pas en mesure de me voler, Irène.

Elle fronça les sourcils, anormalement déroutée.

— Cette conversation prend un tour grotesque, hasarda-t-elle pour s'efforcer de le calmer un peu. À quoi t'es-tu donc occupé depuis deux jours qui t'ait mis dans un pareil état ?

— J'ai enfin pris conscience de ma veulerie. Et échafaudé des plans dans lesquels tu n'as plus ta place.

— Mais…

Les mots lui manquaient. Personne ne lui avait jamais parlé sur ce ton. Cela la perturbait beaucoup.

— Quels plans? s'enquit-elle d'un ton moqueur. Tu ne vas tout de même pas me faire croire que tu dissimulais une maîtresse dans l'un de tes placards?

William ne répondit rien. Il regardait droit devant lui, fixant un point dans la distance.

— C'est donc cela…, souffla son épouse. Tu as le toupet de m'accuser de tous les maux pendant que tu t'envoies en l'air avec une autre femme!

Elle glapissait à présent. Elle se rua vers lui, toutes griffes dehors.

Il lui saisit les poignets pour l'empêcher de lui crever les yeux; il était robuste.

Irène se débattit quelques secondes avant de s'avouer vaincue.

— De qui s'agit-il? demanda-t-elle, à bout de souffle mais toujours écumante de rage.

— De quelqu'un qui m'est cher. De quelqu'un qui m'aime, qui ne me juge pas ennuyeux et ne me mentira jamais.

Il lâcha les poignets de son épouse, puis la repoussa.

— Et ce parangon de vertu a l'intention de s'installer dans cette demeure?

— Le moment venu, en effet.

— Il faudra d'abord qu'elle passe sur mon cadavre, gronda Irène. Tu devras commencer par me mettre dehors, William, et crois-moi, je ne te rendrai pas la tâche facile.

— Je te fais confiance.

— Tu vas me le payer, espèce de salopard. Une fois que j'en aurai terminé avec toi, je veillerai à ce qu'il ne te reste pas même un pot de chambre dans lequel pisser.

Il grimaça.

— Ta vulgarité ne t'honore pas. Ni ta cupidité.

— Il n'est nullement question de cupidité. J'ai droit à au moins la moitié de tout ce que nous possédons. Et tu le sais.

Les traits de William demeuraient immobiles ; il semblait avoir mis sur son visage un masque d'écœurement.

— Tu toucheras de l'argent, finit-il par dire en jetant deux feuillets sur la table. Voici le rapport rédigé par le détective privé que j'ai engagé, ainsi que la demande de divorce. Signe-la, et nos avocats n'auront plus qu'à discuter pour trouver un accord qui nous satisfasse tous les deux.

Irène s'empara prestement du rapport du détective, qu'elle parcourut. Elle pâlit : William en savait infiniment plus sur ses affaires qu'elle ne l'aurait jamais soupçonné. Elle considéra la demande de divorce avec dédain, puis la repoussa sans la lire.

— Je ne signerai rien.

— Mais si. Il se trouve dans ce rapport suffisamment de preuves pour me permettre de demander plusieurs fois le divorce pour adultère. Or, un scandale te ruinerait. Lis-la, cette demande de divorce. Elle représente pour toi une porte de sortie. À ta place, je saisirais ma chance.

Elle prit le document d'une main tremblante, l'examina avant de le reposer sur la table.

— Pourquoi fais-tu une chose pareille ?

— Parce que j'en ai assez, répliqua-t-il d'un ton neutre.

— Je suppose que la femme avec qui tu as passé la nuit à Brisbane n'est pas celle que tu baises maintenant ?

Il secoua la tête sans répondre.

Irène se trouvait prise au piège. Il lui fallait un peu de temps pour réfléchir à ce qui venait de lui arriver, un peu de temps pour choisir quel coup elle allait jouer ensuite. Pour ce faire, elle changea de tactique : elle tenta d'en appeler à la compassion de son époux.

— Mais où vais-je aller ? Je n'ai pas d'autre maison que la nôtre, et personne pour m'aider avec les chevaux. Je n'ai rien.

De vraies larmes lui montèrent aux yeux, qu'elle laissa rouler sur ses joues impeccablement maquillées.

William piocha un troisième feuillet dans la serviette posée sur son fauteuil.

— Je suis certain qu'Arthur volera à ton secours. Après tout, il s'agit d'un garçon extrêmement attentionné.

Il lança le document sur la table.

— Voici les titres de propriété relatifs aux limites orientales de Deloraine. Tout est à toi. Les terres, les écuries, la maison du régisseur... Tout. À condition que tu signes les papiers du divorce et que nous trouvions un accord concernant ta pension.

Il emplit ses poumons d'air, qu'il vida doucement.

— Mais je te préviens, Irène. Il ne s'agira pas d'une somme importante. L'essentiel de l'argent se trouve sur des comptes en fidéicommis et, par ailleurs, on tiendra compte de ta fortune personnelle.

Elle rêvait d'en découdre encore, mais elle décida de paraître céder pour le moment. Le détective privé avait accompli un travail moins minutieux qu'elle ne l'avait d'abord cru : une bonne part de son capital lui avait échappé, et si ses comptables s'y prenaient correctement, elle parviendrait à remettre la main sur presque tout le reste. Quant à William, elle veillerait à ce qu'il crachât au bassinet. Elle y veillerait personnellement.

— Tu as pensé à tout, on dirait, observa-t-elle.

— Je savais qu'avec toi je devais jouer serré.

Il y avait du regret dans la voix de son époux, dont le regard se trouvait à présent empreint de tristesse.

— Je t'aimais, Irène. J'étais persuadé qu'ensemble nous accomplirions de grandes choses. Mais tu ne m'as jamais offert que des mensonges, toujours plus de mensonges, et pour couronner le tout, tu me traitais comme un minable.

Il poussa un lourd soupir.

— Une fois séparés, nous vivrons plus heureux l'un et l'autre. Et si, pour une fois, tu consentais à faire preuve d'honnêteté, tu m'avouerais que tu avais prévu de me quitter depuis déjà un certain temps.

Comme elle allait se récrier, il l'arrêta d'un geste.

— Ça suffit, Irène.

Elle le regarda récupérer son chapeau suspendu à la patère de l'entrée, puis se tourner vers elle avant de sortir.

— Ma mère avait raison, remarqua-t-il d'un ton sec. Malgré tout ton argent, tu es toujours restée une méprisable paysanne. Et hargneuse, de surcroît.

Il affichait maintenant un sourire teinté de mélancolie.

— Eva, elle aussi, avait vu juste : elle m'avait déconseillé de t'épouser, m'affirmant que si je m'obstinais dans mes projets de mariage, je commettrais la plus grosse erreur de ma vie. Elle m'a expliqué quel genre de femme tu étais en réalité. Elle m'a dit que tu ne souhaitais m'épouser que pour la fuir. Que tu avais besoin d'un homme pour t'aider à t'occuper de tes chevaux. Un homme avec de l'argent et des terres. Un homme assez épris pour ne rien distinguer de ta véritable nature avant qu'il ne soit trop tard.

Il secoua de nouveau la tête ; le sourire continuait à flotter sur ses lèvres.

— À l'époque, ses paroles m'ont heurté, mais je n'ai pas tardé à comprendre qu'elle avait dit vrai. J'aimerais qu'elle soit encore de ce monde. J'aurais été heureux de la revoir.

Il hocha la tête, effleura le bord de son chapeau.

— Je m'en vais à Brisbane pour les ventes de bétail. Je te conseille de signer les papiers du divorce, puis de quitter cet endroit avant mon retour. Tu as deux semaines. Au revoir, Irène.

Elle patienta jusqu'à ce qu'elle eût entendu claquer la porte à moustiquaire, après quoi elle se laissa tomber dans son fauteuil, l'œil hagard. Ainsi sa propre mère l'avait-elle trahie. Garce, garce, garce… Comment avait-elle osé débiter toutes ces horreurs à William ? Comment avait-elle osé faire une chose pareille ?… Ah, elle avait souffert mille morts avant de passer l'arme à gauche ? Eh bien, tant mieux. Bien fait. Irène regrettait simplement de n'avoir pas été là pour la regarder se tordre de douleur…

Mais déjà, elle repoussait ces noires pensées pour se tourner vers l'avenir. Pour une fois, William s'était montré plus malin qu'elle. Cela tombait d'autant plus mal qu'Arthur n'avait pas encore quitté son épouse. L'idée lui vint que, peut-être, il la menait en bateau depuis toutes ces années. Elle songea soudain aux projets de mariage de Justin et de Sarah. Un divorce dans la famille risquait de tout gâcher.

Alors, Irène se mit à verser des larmes amères. Elle s'empara des titres de propriété pour les lancer avec violence

185

contre le mur. Quelle arnaque. Une maison ? Tu parles. Rien d'autre qu'une cahute. Un cabanon au beau milieu de nulle part, qui tomberait sans doute en morceaux dès la prochaine tempête. Les prairies possédaient certes une réelle valeur, mais on n'avait pas réparé les écuries ni les enclos depuis de nombreuses années ; à la pensée de se trouver exilée dans ces confins, elle eut envie de se mettre à hurler.

— Vous avez fini, patronne ?

Irène, que la voix avait tirée brusquement de ses songes, considéra l'Aborigène plantée sur le seuil. Les domestiques n'avaient probablement rien manqué de la dispute ; maintenant, ils devaient ricaner en cuisine. Irène saisit la théière, qu'elle jeta à travers la pièce.

— Dehors ! cria-t-elle. Dehors, dehors, dehors !

12

Dans l'église se pressaient leurs amis, le parfum des fleurs se faisait capiteux dans l'été anglais – un franc soleil pénétrait par les vitraux. La musique s'élevait en direction des poutres, tandis que Gilles, nerveux, attendait sa promise.

Olivia était splendide dans sa robe blanche, bien que son visage demeurât dissimulé sous des bouillons de dentelle d'une légèreté céleste. Elle s'avança jusqu'à lui. Ils échangèrent leurs vœux. Puis le jeune homme tendit la main vers le voile, qu'il souleva pour pouvoir enfin embrasser son épouse.

Mais c'est Irène qu'il découvrit face à lui. Elle le transperça de son regard haineux, avant d'entrouvrir ses lèvres rouge sang, puis d'éclater d'un grand rire de triomphe qui, bientôt, emplit l'église entière – ainsi que le crâne de Gilles, soudain glacé jusqu'aux os.

Il se réveilla dans un sursaut d'épouvante. Il se trouvait étendu dans les ténèbres chaudes et douces, le cœur battant la chamade et la sueur lui humectant la peau. Ce cauchemar lui avait paru si réel qu'il croyait humer encore le parfum d'Irène. Mais pourquoi diable avait-il rêvé cette scène? Il n'avait vu qu'une fois la sœur d'Olivia et, comme elle lui avait inspiré le plus profond mépris, il n'avait pratiquement plus pensé à elle depuis leur retour de Deloraine.

Il écouta le tic-tac de son réveil de voyage. Il finit par rejeter le drap, puis par se lever, pour se diriger nu vers la porte-fenêtre menant à la véranda. Les gonds gémirent lorsqu'il l'entrouvrit juste assez pour apercevoir l'extérieur. Aucune brise ne soufflait de la mer. Il s'ébouriffa les cheveux en arpentant la chambre. Il suffoquait. Cette pièce semblait se refermer sur lui comme la cellule où il avait croupi en Italie.

Il se remémora ces deux semaines d'incarcération, durant lesquelles il avait souffert le martyre : son bras se putréfiait sous l'action conjuguée de la gangrène et des mouches, au fond de cette geôle turinoise. Le long périple vers le nord s'était effectué en train, dans des wagons bondés où s'entassaient pêle-mêle prisonniers de guerre et réfugiés. Pendant deux jours, on ne leur avait donné ni à manger ni à boire, et les cadavres demeuraient debout, sans la moindre place où tomber. Il flottait dans l'air l'affreuse odeur mêlée des déjections humaines, de la terreur et de la mort – quelque chose qui ressemblait au parfum d'Irène dans le cauchemar que Gilles venait de faire. Le jeune homme avait survécu en se repliant comme à l'intérieur d'une coquille, repoussant loin de lui la douleur, l'effroi, l'horreur des scènes dont il était le témoin ; il ne pensait plus qu'à Olivia, et puis à l'Angleterre.

Il ferma les yeux, prit une profonde inspiration tremblante. Il se trouvait en sécurité à présent, loin de ce train, loin du camp de prisonniers, loin de la peur qu'il avait ressentie en s'évadant – durant des mois il avait redouté qu'on le reprît, redouté de n'atteindre jamais la côte où un petit bateau devait lui permettre de traverser la Manche. Tout cela était loin derrière lui. Il séjournait maintenant à l'autre bout du monde, en compagnie de la femme qu'il aimait. Il était vivant, et promis à un bel avenir. Il n'y avait plus de place dans sa vie pour ces ignobles souvenirs.

Il se détourna de la porte-fenêtre pour enfiler tant bien que mal le maillot de bain qu'on lui avait prêté. Il ne dormirait plus, mais en allant nager, il parviendrait sans doute à chasser une bonne fois pour toutes son vilain rêve, puis à renouer avec sa bonne humeur.

Une serviette sur les épaules, il passa dans le salon attenant à sa chambre pour y récupérer ses cigares et son briquet. Il se figea : par la porte entrouverte de son amie, il distingua un lit vide.

— Olivia ? appela-t-il doucement.

Pas de réponse. Gilles consulta sa montre. 5 h 30 du matin. Il n'était qu'un endroit où la jeune femme pouvait se trouver. Le garçon descendit l'escalier.

Debout sur la petite dune qui glissait vers la mer, il scruta la plage. Olivia n'y était pas. Sans doute avait-elle opté pour une longue randonnée. Car elle aimait marcher, et l'exercice physique l'aidait à réfléchir. Gilles, à l'inverse, n'appréciait de marcher que sur un terrain de golf – un plaisir, hélas, auquel sa blessure l'avait contraint à renoncer. Il choisit donc d'aller nager au lieu d'arpenter le sable à la recherche de son amie qui, de toute façon, préférait sans doute être seule.

Il laissa tomber sa serviette et plongea. L'eau était fraîche, le jeune homme barbotait sous un ciel piqué d'étoiles, qui peu à peu s'éclaircissait à mesure que se rapprochait l'aube. Gilles faisait la planche. Ses songes dérivaient, ils allaient fouir les zones les plus sombres de sa mémoire pour aussitôt filer vers une autre région. Car ce n'était ni l'heure ni l'endroit pour s'appesantir sur les années noires. C'était au contraire d'avenir qu'il fallait se préoccuper, il fallait échafauder des projets – des projets dont, qui sait, Olivia accepterait de faire partie.

Combien de temps était-il resté dans l'eau?... Il n'en avait pas la moindre idée, mais il se mit à frissonner ; mieux valait regagner la plage. Il courut en claquant des dents vers sa serviette, avec laquelle il s'essuya vigoureusement. De nouveau il la jeta sur ses épaules, s'assit sur le sable et alluma un cigarillo.

La fumée s'éleva. Les criquets stridulaient, tandis que des vagues minuscules léchaient le sable. Il régnait un tel silence que Gilles comprenait mieux, à présent, pour quelle raison Olivia se détendait si bien chaque fois qu'elle se rendait ici. De la mer émanait quelque chose de primitif, qui touchait le garçon jusqu'à l'âme ; ses tourments s'apaisaient. Peut-être cela tenait-il au rythme doux des vagues, qui répondait comme en écho à son pouls… Ou peut-être s'agissait-il d'une manière de retour au ventre maternel, au berceau liquide et ténébreux à l'intérieur duquel il avait pris forme…

Il finit par sourire de sa propre sottise. Cette nuit, décidément, se révélait propice aux élucubrations philosophiques.

Un son lui parvint de très loin, qui passa comme une écharpe de brume et, déjà, il s'était évanoui. Gilles aurait pourtant juré avoir entendu une voix.

Il tendit l'oreille un moment. Non. Il devait s'agir d'un oiseau perché dans l'un des arbres. Mais le son s'éleva de nouveau; cette fois, le doute n'était plus permis. Il rassembla ses affaires pour se diriger vers les voix.

Comme il se rapprochait des maisonnettes, il repéra les deux femmes assises sur le sable. Blotties l'une contre l'autre, elles paraissaient plongées dans une conversation des plus intimes.

Gilles se retrancha dans l'ombre d'un palmier. Il se faisait l'effet d'un intrus, ayant aussitôt deviné que Maggie et Olivia ne désiraient pas qu'on les interrompît. Il rejoignit à pas de loup le sentier.

À présent, il se hâtait en direction de l'hôtel. De quoi diable les jeunes femmes pouvaient-elles bien s'entretenir à cette heure indue? Et pourquoi cette complicité manifeste, alors qu'elles se connaissaient à peine? Olivia, pourtant, était en général peu portée sur les confidences, or il semblait que, cette nuit, elle fût en train d'ouvrir son cœur à une étrangère.

Gilles secoua la tête. Les femmes représentaient à ses yeux un insondable mystère.

Olivia, qui avait vu le garçon approcher, poussa un soupir de soulagement lorsqu'il fit demi-tour pour disparaître derrière les maisons. Elle se débattait déjà bien assez avec ses tourments pour ne pas avoir, par surcroît, à s'expliquer auprès de Gilles. Expliquer quoi, d'ailleurs? Comment expliquer cet effroi que rien de précis ne fondait? Comment expliquer qu'un sixième sens, qui se manifestait rarement chez elle, lui soufflait aujourd'hui que de terribles choses risquaient de se produire?…

Elle frissonna, comme si des doigts glacés venaient de lui parcourir l'échine, mais Maggie était elle-même trop bouleversée pour s'apercevoir de quoi que ce soit. Olivia garda donc le bras passé autour des épaules de la jeune femme, tâchant de la consoler au mieux, sans savoir cependant où son récit aboutirait.

Une fois les sanglots de Maggie changés en hoquets, sa compagne lui tendit un mouchoir.

— Vous sentez-vous mieux?

La gérante opina en se mouchant, avant d'essuyer ses dernières larmes.

— Un peu, oui. Pardon, Olivia. J'avais pas l'intention de tout vous déballer comme ça.

Elle haussa le menton, les yeux encore brillants.

— Mais j'ai pas pu m'en empêcher. Pas une fois que j'ai su qu'Irène était votre sœur.

L'Anglaise n'avait plus qu'une envie : déguerpir avant l'heure des grandes révélations. Au lieu de quoi elle se tut. Il n'était plus temps de fuir.

— Je ne vois toujours pas le rapport entre votre histoire et la mienne, murmura-t-elle. Vous vous êtes rendue au pensionnat avec l'espoir que les religieuses vous diraient ce qu'il était advenu de votre père, puis vous voilà soudain à Trinity, ébranlée d'apprendre que je suis la sœur d'Irène.

Elle soupira.

— Je suis navrée, Maggie, mais pour le moment, je nage un peu…

— Je venais d'avoir dix-huit ans quand je suis retournée au pensionnat, reprit la gérante après un long silence. Je peux encore sentir sous mes pas le marbre glacé, je continue à humer l'encens qu'elles brûlaient nuit et jour.

Maggie hésita avant de tirer sur le cordon qui ferait retentir la clochette à travers l'ensemble du hall. Les détenus de cette affreuse prison n'étaient pas autorisés à emprunter la porte d'entrée, sauf lorsqu'on les rassemblait dans la cour pour les contraindre à y rester plantés plusieurs heures durant.

Elle chassa les images de la première journée qu'elle avait passée entre ces murs, puis actionna la poignée de la sonnette. Elle avait dix-huit ans, après tout. Elle était une femme. Une femme sortie un jour de cet enfer pour se voir précipitée dans un autre. Elle ne possédait plus rien de commun avec la fillette d'autrefois, qu'on pouvait intimider sans peine. Plus rien de cette enfant qui, brusquement privée de la présence de son père, avait dû supporter d'emblée l'infinie cruauté de la mère supérieure.

La porte s'ouvrit. Sœur Claire lui adressa un large sourire.

— Maggie! s'exclama-t-elle. C'est bien vous? Cela fait si longtemps...

La jeune fille lui sourit en retour, soulagée de constater que la mère supérieure ne se trouvait pas dans les parages.

— Comment allez-vous, ma sœur? Vous avez l'air en forme.

La petite nonne grimaça.

— Peu de choses ont changé, ici. Il me semble seulement que la chaleur devient de plus en plus accablante.

Elle ouvrit plus largement la porte et s'écarta.

— Entrez, entrez. Je vais nous préparer un peu de thé, que nous allons boire en nous racontant ce qui s'est passé depuis votre départ.

Maggie la suivit jusqu'à la porte de la cuisine. Il régnait un calme étrange.

— Ils sont où, les gosses? s'enquit-elle pendant que la religieuse emplissait la bouilloire avant de la poser sur le fourneau.

— Partis, répondit sœur Claire d'une voix triste. Tous.

Maggie se laissa tomber sur une chaise.

— Partis? Mais où ça?

— Plusieurs garçons ont été envoyés dans une ferme pédagogique, dans le Territoire du Nord, tandis que les filles se sont rendues plus au sud. Nous vivons une époque difficile, ma chère enfant. L'Église a besoin d'âmes endurcies pour propager la parole de Notre Seigneur.

Elle s'assit de l'autre côté de la table, face à la visiteuse, les mains dans ses grandes manches.

— Mais d'autres bambins ne devraient pas tarder à redonner vie à cet endroit, enchaîna-t-elle. Tant de jeunes Australiens ont besoin de notre aide en ces temps troublés...

Ce que la nonne suggérait en réalité, songea Maggie, c'était qu'il fallait au pensionnat de la chair fraîche, de petits êtres corvéables à merci, dont les religieuses détruiraient l'enfance avant de les envoyer s'éreinter dans des lieux où, peut-être, on abuserait d'eux, où on les brutaliserait. La mission protectrice de l'Église… Tu parles…

Cependant, sœur Claire s'était toujours montrée aimable avec elle, en sorte qu'elle ne tarda pas à lui parler de l'emploi de serveuse qu'elle avait décroché, ainsi que des deux années qu'elle venait de passer avec Matt. Elle ne lui confia pas qu'elle se trouvait de nouveau seule à présent – cela lui était trop pénible –, et puis la compassion de la nonne, elle n'en voulait pas.

— Je suis venue au cas où mon père vous aurait donné de ses nouvelles. Je souhaite aussi récupérer mes papiers d'identité, car Matt et moi, on n'a pas pu se marier du fait que j'avais pas de certificat de naissance à présenter. Sans aucun document officiel, j'aurai aussi du mal à dénicher un vrai travail.

L'œil de sœur Claire se brouilla un instant, et elle commença par garder le silence. Enfin, elle se leva pour s'approcher du fourneau. Elle tournait le dos à Maggie.

— Nous n'avons qu'une unique lettre à vous remettre, déclara-t-elle enfin. Nous l'avons reçue voilà près de trois ans. Elle se trouve dans le bureau de la mère supérieure.

Elle s'interrompit un moment.

— J'irai vous la chercher tout à l'heure.

— Et mon certificat de naissance? Il est aussi dans son bureau?

La nonne continuait à tourner le dos à la visiteuse, la nuque ployée, le corps raidi.

— Il règne le plus grand désordre dans nos dossiers, finit-elle par avouer. Il y a eu tellement d'allées et venues depuis quelques années qu'il semble que nous ayons égaré certains documents.

Maggie se mit debout à son tour pour rejoindre sœur Claire, sur l'épaule de laquelle elle posa une main pour la contraindre à lui faire face.

— Sans ces papiers, c'est comme si j'existais pas. Impossible de me marier. Impossible de postuler pour une place digne de ce nom. Impossible de toucher l'allocation chômage. Qu'est-ce que vous me cachez, ma sœur?

Celle-ci secoua la tête, les joues empourprées et le regard brillant.

— Adressez-vous à la mère supérieure, répondit-elle en hâte, visiblement désireuse de clore cette conversation au plus vite. Je ne suis pas autorisée à consulter les dossiers de nos pensionnaires.

— Mais je vivais encore ici il y a quatre ans, insista la jeune fille, que le doute rongeait davantage à chaque seconde – sœur Claire lui dissimulait quelque chose. Vous savez quand même bien que sans ces papiers-là on est cuit. Comment vous avez fait pour les perdre ?

Voyant la nonne tressaillir, Maggie s'aperçut qu'elle venait de hurler. Elle s'excusa, et s'efforça de maîtriser sa fureur en serrant les poings, puis en se détournant.

— Je suis navrée, ma chère enfant.

La main que la religieuse venait de poser sur l'épaule de la visiteuse tremblait.

— Venez avec moi. La mère supérieure vous exposera la situation mieux que moi.

Le doute s'était si sournoisement insinué dans l'esprit de l'adolescente qu'il lui semblait être redevenue la fillette terrorisée à la perspective de devoir se présenter devant la directrice de l'établissement. Son pouls s'accéléra. Elle essuya ses paumes moites à sa robe de coton. Elles ne tardèrent pas à atteindre la grande porte en chêne.

Sœur Claire frappa doucement avant de pénétrer dans la pièce en refermant la porte derrière elle. Quelques minutes plus tard, elle revint chercher Maggie.

Le bureau n'avait pas changé. C'était comme si la jeune fille n'était jamais partie. Le tapis chatoyait sur le parquet ciré que Maggie avait passé tant d'heures à briquer. La table de travail demeurait aussi gigantesque, aussi nue qu'autrefois – de même que les murs, qu'ornait un unique crucifix. Quant aux hautes fenêtres, dont elle avait lavé les vitres un nombre incalculable de fois, elles continuaient à étinceler au soleil derrière leurs rideaux en dentelle. La mère supérieure, enfin, ne s'était départie ni de son œil cruel ni de son visage pincé au teint gris.

— Margaret Finlay. Je mentirais en disant que je me réjouis de vous revoir, après le comportement scandaleux dont vous vous êtes rendue coupable.

Maggie grinça des dents, soutenant sans flancher le regard de son interlocutrice.

— J'en ai autant à votre service, assena-t-elle avec froideur. D'ailleurs, j'espérais bien jamais remettre les pieds ici. Mais vous détenez quelque chose qui m'appartient, et que je veux récupérer.

L'œil de son hôtesse était de pierre, l'aversion flagrante dans chacun des traits de son visage osseux.

— Vous êtes arrivée dans cette maison sans rien. Vous la quitterez sans rien.

— Il y a une lettre de mon père. Ainsi que mon certificat de naissance. Donnez-les-moi, et je vous casserai plus jamais les pieds.

La mère supérieure l'examina longuement – sous le masque dédaigneux, son expression demeurait indéchiffrable. Elle ouvrit un tiroir, dont elle sortit la lettre, qu'elle jeta sur le bureau avant de se renverser dans son fauteuil, les bras croisés dans les profondeurs de son habit noir.

— Et le certificat de naissance, exigea Maggie en récupérant la missive.

— Toujours aussi arrogante, cracha la vieille nonne. De quel droit vous présentez-vous dans cet établissement avec de telles exigences?

— J'ai le droit de récupérer ce qui m'appartient. Rendez-le-moi.

Maggie, qui respirait avec peine, se demanda si la mère supérieure entendait son cœur cogner contre ses côtes.

La directrice se leva avec solennité. Elle n'avait pourtant plus que la peau sur les os. Elle s'approcha lentement d'une série d'étagères. Ses longs doigts maigres coururent le long des cartons contenant les dossiers de ses élèves, se figèrent, piochèrent l'une des chemises. Elle revint à sa table et se rassit.

— Quel âge avez-vous?

195

— Dix-huit ans. Assez grande pour me marier et pour gagner ma croûte. À condition qu'on me rende mon certificat de naissance.

— Votre arrogance vous perdra, commenta son vis-à-vis en ouvrant le dossier.

Une lueur malveillante embrasa son regard.

— Néanmoins, enchaîna-t-elle, cela ne saurait surprendre quiconque, au sein de cet établissement, connaît vos origines.

Maggie s'abstint de mordre à ce méchant hameçon. Elle ne comptait pas offrir à cette vieille bique la satisfaction de lui apprendre que chacune de ses remarques la blessait jusqu'à l'âme.

Les doigts de la mère supérieure s'agitèrent à nouveau entre les pages du dossier, dont elle finit par extraire un feuillet, puis un autre. Elle referma la chemise avec violence, avant de la mettre de côté.

— Votre père nous a confié ces documents en exigeant que nous ne vous les remettions qu'après son décès.

Le regard de silex plongea dans celui de la jeune fille.

— Puisque vous voilà majeure à présent, et que M. Finlay ne nous a donné aucune nouvelle depuis trois ans, je suis d'avis d'agir comme s'il était mort.

Alors que Maggie tendait la main vers le feuillet, son interlocutrice le retint hors de sa portée.

— Il s'agit de votre certificat de naissance, dit-elle. Ceci, ajouta-t-elle en saisissant le second document pour l'agiter sous le nez de l'adolescente, l'œil étincelant de mépris… Ceci est votre certificat d'adoption.

Sam avait mis en marche le générateur électrique. Il était en train d'allumer les lumières et de préparer la salle à manger, lorsque Gilles pénétra dans l'hôtel en réclamant un whisky sec.

— Il est un peu tôt, observa Sam. Le soleil commence tout juste à se lever.

— Tant pis, répondit l'Anglais en claquant des dents. J'ai besoin d'un verre.

L'hôtelier le dévisagea un moment avant de lui servir une double ration d'alcool.

— Est-ce que tout va bien?

Le jeune homme avait le teint verdâtre et tremblait des pieds à la tête.

— Je suis allé nager, réussit-il à articuler. Je suis complètement gelé.

Sam haussa les sourcils, mais s'abstint de répondre : si ce garçon avait eu envie de se baigner au beau milieu de la nuit, qui était-il pour lui reprocher d'avoir pris froid, puis de commander un whisky avec l'espoir qu'il le réchaufferait?

— Je vais m'habiller, murmura Gilles en récupérant sa serviette après avoir avalé son verre cul sec. J'espère que le petit-déjeuner sera bientôt prêt. Je meurs de faim.

— Moi aussi, j'espère qu'il sera bientôt prêt, maugréa l'hôtelier. Maggie a toujours pas pointé le bout de son nez, alors qu'elle m'avait promis d'être là aujourd'hui. Et Lila refuse de venir tant que sa fille est pas remise sur pied.

— Maggie se trouve sur la plage en compagnie d'Olivia, l'informa le garçon en s'engageant dans l'escalier.

— Qu'est-ce qu'elle fout sur la plage à cette heure-ci?

— Je n'en ai pas la moindre idée. Mais il m'a semblé, à les observer de loin, qu'elles risquaient d'en avoir pour un moment. Elles étaient en grande conversation.

— Mais moi, j'ai un hôtel à faire tourner, nom de Dieu! Ah les bonnes femmes…, souffla-t-il en se ruant dans la cour. Déjà qu'elles passent leurs journées à jacasser, voilà que maintenant, il faut qu'en plus elles caquètent la nuit.

Olivia avait blêmi.

— Vous avez été adoptée?

— J'ai appris qu'on m'avait abandonnée à la porte du pensionnat. J'avais à peine une semaine. Les Finlay m'ont adoptée peu après.

Elle ramassa une poignée de sable, qu'elle laissa couler entre ses doigts en contemplant la mer.

— Papa et maman m'ont rien dit. Jamais une allusion, rien.

Elle se tourna vers Olivia, les traits déformés par le chagrin.

— Pourquoi? Pourquoi ils m'ont fait croire que j'étais leur fille?

L'Anglaise avait la gorge serrée. Il lui semblait que Maggie venait de lui raconter un mauvais rêve.

— Peut-être vous aimaient-ils tant qu'ils craignaient de vous perdre en vous dévoilant la vérité? Peut-être ne souhaitaient-ils pas que vous partiez à la recherche de vos parents biologiques? Peut-être les Finlay redoutaient-ils qu'en les retrouvant vous cessiez de les aimer?

Maggie opina en ramassant une autre poignée de sable.

— Peut-être bien, murmura-t-elle. Mais ils auraient quand même mieux fait de me parler, plutôt que de me laisser découvrir le pot aux roses de cette façon-là.

La jeune femme ne pouvait deviner à quel point Olivia comprenait son tourment…

— Je suis certaine qu'ils vous auraient tout dit en temps utile. Ce sont les circonstances qui les en ont empêchés.

— Vous avez raison, renifla la gérante. Et je sais qu'ils m'aimaient. Même ce pauvre papa. C'est juste qu'il a lâché la rampe après la mort de maman. Il a fait ce qu'il croyait devoir faire.

Elle émit un petit rire désabusé.

— Il m'a ramenée à l'endroit où il m'avait trouvée. Comment il aurait pu savoir que ce pensionnat était pire que l'enfer?…

Olivia mourait d'envie de lui poser une question. Mais souhaitait-elle vraiment entendre la réponse? Parviendrait-elle à en assumer les conséquences, s'il s'agissait de celle à laquelle elle s'attendait? Elle détourna le regard, s'avisa qu'elle tirait peut-être des conclusions hâtives. De nombreuses années s'étaient écoulées depuis la triste naissance de Maggie – il n'y avait pas le moindre rapport, voyons… Elle se trouva ridicule ; ses propres affres trompaient son jugement.

Sam descendait à grandes enjambées le sentier sableux mais, comme il s'apprêtait à couper pour rejoindre la plage, il surprit la fin de la conversation des deux femmes... Il se figea.

Il ne fallait en aucun cas qu'elles le repèrent. Hors de question qu'elles s'aperçoivent qu'il avait entendu une part de cette discussion capitale... Cependant, ce qu'il venait de découvrir piquait sa curiosité, car cet échange faisait écho à un autre, qu'il avait eu peu avant... S'il voulait enfin terminer le puzzle, il devait en apprendre davantage.

Le soleil se levait. Les ombres s'évanouissant à toute allure, des nuées de mouches se matérialisèrent, qui déjà dansaient autour du visage en sueur de l'hôtelier. Adossé au mur de la maison, il ouvrit tout grand les oreilles.

— Pourquoi avez-vous abandonné vos recherches pendant si longtemps avant de venir à Trinity? demanda Olivia. Car les gens vont et viennent, ils déménagent, il leur arrive même de changer de nom. Vous avez dû avoir du mal à retrouver la trace de vos véritables parents.

Maggie, levant les yeux vers le visage de l'Anglaise, se demanda soudain pourquoi elle paraissait à ce point exténuée. Elle haussa les épaules.

— À l'époque, les choses étaient moins faciles pour moi qu'aujourd'hui, répondit-elle avec un calme qui contredisait son agitation intérieure. J'avais pas d'argent, pas de boulot, et pour tout moyen de transport, je disposais d'un vieux canasson et d'un chariot. Or, Dirranbandi se trouve à plusieurs centaines de kilomètres d'ici, au sud.

— Vous auriez pu écrire.

— J'y ai pensé. J'ai même rédigé un brouillon, mais j'ai jamais expédié la lettre.

Elle se tut un moment.

— Et j'ai fini par me dire qu'il valait mieux traiter ce genre d'affaire de vive voix. Une lettre, on peut toujours la mettre de côté, on peut la balancer sans la lire.

Elle prit une profonde inspiration.

— Je voulais la rencontrer, cette femme. J'avais besoin de me retrouver nez à nez avec elle pour qu'elle me dise, les yeux dans les yeux, ce qui l'avait poussée à me laisser tomber.

Elle s'abîma de nouveau dans le silence en se remémorant le vif désir qu'elle avait alors éprouvé de s'élancer plein nord, pour mettre la main sur cette prétendue mère qui l'avait collée entre les pattes de la mère supérieure.

— Je vous jure que, s'il avait fallu, j'aurais fait le trajet à genoux. Je voulais obtenir des réponses. Surtout, je tenais à lui expliquer à quel genre d'existence elle m'avait condamnée en m'abandonnant. Je voulais l'entendre me présenter des excuses.

Maggie souffla. Elle n'avait pas l'intention de meurtrir Olivia, mais l'Anglaise méritait d'apprendre la vérité. Une fois qu'elle lui aurait tout raconté, peut-être pourrait-elle entamer pour de bon cette nouvelle existence à laquelle elle aspirait. Car lorsqu'elle aurait énoncé pour la première fois son secret, l'angoisse refluerait, et avec elle la douleur.

— Je me suis dirigée vers la côte est. En cours de route, j'ai dégoté un boulot dans un ranch. Je m'occupais de la cuisine et du ménage – c'était à peu près tout ce que je savais faire.

Elle se mit à rire.

— Deux bons points aux yeux de Sam, cela dit.

— Il arrive que les savoir-faire qu'on accumule au fil de la vie se révèlent utiles au moment où on s'y attend le moins.

— Comme vous hier, avec la petite Aborigène.

Olivia, l'œil perdu vers l'océan, où le soleil émergeait lentement au-dessus de l'horizon, ne répondit rien.

Maggie, qui s'était remise debout, arpentait le sable, les mains dans les poches de son short. Elle se sentait trop énervée pour se rasseoir, trop à fleur de peau pour profiter du jour qui se levait.

— J'habitais Sydney quand la guerre a éclaté. À l'époque, le travail manquait pas. J'ai déniché un poste dans une manufacture de vêtements. On a commencé par coudre des costumes et des robes, puis le patron a décroché un contrat pour confectionner des uniformes. Ça payait bien, la boîte marchait du tonnerre. Je me suis dit que c'était l'occasion pour moi de poser enfin mes valises.

Elle donna de petits coups de pied dans le sable.

— J'aimais bien Sydney. Ça bougeait tout le temps, et puis bien sûr, il y avait la mer. La mer, je m'en lassais jamais. Dès que j'avais un peu de temps, je filais sur l'une des plages de la ville. Un peu comme vous, en somme.

Olivia sourit, mais ce sourire-là était forcé. Elle gardait ses distances, craignant peut-être ce qu'elle risquait d'apprendre bientôt. Les révélations que Maggie s'apprêtait à livrer bouleverseraient l'Anglaise, mais cela ne valait-il pas mieux qu'une existence truffée de secrets et de mensonges?…

— À la fin de la guerre, j'avais économisé un joli petit pécule. C'est comme ça que j'ai pu m'offrir un billet de train pour me rendre dans le nord. J'ai eu aucun mal à dénicher la ville, puis la maison : l'adresse était mentionnée sur mon certificat d'adoption. Il me restait plus qu'à croiser les doigts pour que ma mère ait pas déménagé entre-temps.

— Et alors?

— Elle habitait toujours au même endroit.

La maison rouge et blanc, repeinte de frais, étincelait sous le soleil. Maggie ouvrit la barrière, s'avança, la referma derrière elle. Son cœur battait à rompre et ses paumes étaient moites. Elle suivit l'allée menant à la véranda. Frappa à la porte moustiquaire.

Une femme parut. Maggie recula. S'agissait-il bien de celle qu'elle cherchait? C'était une femme mince, vêtue d'une robe de prix qu'à l'évidence elle avait achetée à Sydney. Sa chevelure blonde, coiffée en élégantes vaguelettes lustrées, évoquait celle de Betty Grable ; son maquillage se révélait sans défaut. À n'en pas douter, cette femme-là se sentait plus à l'aise dans une grande ville que sur une plage, au point que Maggie se demanda ce qui avait bien pu la conduire jusqu'à Trinity.

— Oui?

Elle arborait un sourire engageant, mais de ses longs ongles vernis de rouge, elle tapotait le chambranle de la porte avec impatience.

— Je m'appelle Maggie Finlay.

— Je ne crois pas vous connaître, observa la femme, l'œil glacial et le corps barrant l'accès à sa demeure. Que voulez-vous au juste?

Maggie farfouilla dans son sac pour en extraire son certificat d'adoption.

— Je suis votre fille, articula-t-elle d'une voix brisée.

La femme pâlit sous son fard, et les longs ongles rouges cessèrent de tambouriner.

— S'agit-il d'une plaisanterie de mauvais goût? cracha-t-elle. Je n'ai pas de fille.

Mais Maggie ne comptait pas renoncer aussi aisément.

— Alors, comment vous expliquez ce truc-là?

Elle fourra le certificat d'adoption sous le nez de la femme, dont les yeux se réduisirent à deux fentes minces tandis qu'elle parcourait le feuillet. Et, déjà, elle tendait les doigts pour tenter d'arracher le document à Maggie.

— Vous faites erreur. Je ne suis pas votre mère.

La jeune fille replaça le précieux document dans son sac.

— Je crois que si.

Un long silence s'ensuivit, durant lequel Maggie sentit sur elle le regard hostile de la femme qui la toisait.

— Qu'espériez-vous exactement en vous présentant ici pour me débiter vos révoltantes insinuations?

La voix devenait cruelle, les lèvres s'étrécissaient, pareilles à une vilaine estafilade sur ce visage de craie.

— Je veux seulement la vérité. Je veux que vous admettiez que vous êtes bien ma mère, et je veux savoir pour quelle raison vous m'avez abandonnée dans cet abominable pensionnat où on m'a maltraitée. Je veux aussi connaître l'identité de mon père.

La femme renâcla avec mépris en récupérant son paquet de cigarettes au fond de sa poche. Elle en alluma une avec lenteur, avant d'en souffler la fumée vers le plafond de la véranda.

— Je constate en tout cas que les religieuses ne vous ont pas enseigné les bonnes manières.

— Vous êtes donc ma mère?

La femme la dévisagea longuement, puis elle hocha la tête.

— Au vu des circonstances, ce pensionnat se révélait l'établissement le plus opportun où vous placer.

Le cœur de Maggie battait à présent si fort qu'elle craignit de s'évanouir sur le seuil de cette maison.

— Pourquoi? s'acharna-t-elle. Vous êtes riche, ça se voit. Pourquoi m'avoir abandonnée?

La femme pinça les lèvres, cependant qu'une lueur s'embrasait dans son œil brun clair.

— Parce que je ne voulais pas de vous. Parce que j'étais ravie de me débarrasser de vous.

Ce fut pour Maggie comme un coup de poignard, et elle dut se cramponner au mur pour ne pas tomber. Des nuées ténébreuses lui obscurcissaient la vue; elle peinait à se concentrer sur la femme devant elle.

— Vous vouliez que je vous dise la vérité, n'est-ce pas? siffla cette dernière. Vous vouliez des réponses?

Comme elle se penchait en avant, son parfum souleva le cœur de sa visiteuse.

— J'ai l'impression que vous vous rendez compte à présent que la vérité n'est pas toujours agréable à entendre. Souhaitez-vous que je poursuive?

Maggie la fixa sans mot dire. Elle se faisait l'effet d'un papillon piégé dans la toile collante d'une araignée exotique.

Cette femme s'exprimait d'une voix aussi douce que venimeuse.

— Je ne vous désirais pas. Je ne vous ai jamais désirée. Vous n'étiez qu'une regrettable erreur. J'aurais mieux fait d'opter pour l'avortement.

Maggie s'était changée en statue de sel, et les mots lui manquaient. Elle ne parvenait plus guère qu'à garder l'œil rivé à cet œil d'or, fascinée par la cruauté sans bornes de son interlocutrice. Elle brûlait de fuir à toutes jambes cette vengeresse qui jamais ne pourrait porter le nom de mère. Pourtant, elle ne bougeait toujours pas.

— Je revenais d'un bal, s'obstina l'inexorable voix. J'étais seule, car mes amies n'habitaient pas dans le même quartier. Nous vivions alors à Melbourne. Pas dans ce… trou.

Elle écarta d'une main qui ne tremblait pas l'une de ses mèches pâles, avant de rajuster sa coiffure de ses longues serres rouges. Maggie comprit alors, horrifiée, que la femme s'amusait beaucoup.

— J'ignorais qu'un aliéné s'était échappé de l'asile de Cairns. J'ignorais que la police le traquait depuis plusieurs semaines, et qu'il avait pris la direction du sud. Il a surgi de nulle part. Il m'a sauté dessus, puis traînée dans les buissons pour me violer.

Elle fit une moue rogue.

— Vous êtes le résultat de ce viol.

Un tremblement s'empara de Maggie, monta depuis l'extrémité de ses orteils jusqu'à la saisir tout entière ; elle ne parvenait plus à parler.

— Merci, articula-t-elle avec peine. Merci de m'avoir montré quel genre de femme se cache derrière toute cette poudre de riz et tous ces fards. J'ai fini de rêver.

Sur quoi elle tourna les talons, redescendit l'allée, franchit la barrière qu'elle ne referma même pas derrière elle – elle se mit à grincer dans la brise. C'était la première et la dernière fois, se promit-elle, qu'elle adressait la parole à Irène Stanford.

Olivia tendit la main vers Maggie, dans le regard de laquelle se lisait un incommensurable chagrin. Elle connaissait si bien l'aptitude de son aînée à hypnotiser ses victimes...

— Je suis navrée, murmura-t-elle. J'ignorais tout de cette histoire.

— C'est moi qui suis désolée de t'avoir déballé tout ça, répondit la gérante, qui s'était raidie sous l'étreinte de l'Anglaise.

— Mais tu es restée, Maggie. Tu t'es montrée plus courageuse que moi. Au premier coup de semonce, j'ai pris mes jambes à mon cou.

— Je suis restée parce qu'elle est pas souvent dans sa maison, relativisa la jeune femme. Je l'ai revue qu'une ou deux fois depuis ce jour-là. On n'a pas échangé une parole.

— Penses-tu qu'elle a dit vrai au sujet de ce viol?

— J'en sais rien. Je crois pas. Je pense qu'elle s'est plutôt fait engrosser par un type qu'elle connaissait, et puis qu'a pas voulu reconnaître l'enfant. Si ça se trouve, il était marié. Mais dans le fond, je m'en fiche. Irène est la seule à savoir ce qui s'est réellement passé. Un monstre pareil… Qui peut jamais savoir si elle est sincère ou si elle ment?

— Si seulement Jessie était encore de ce monde…

— Qui est-ce?

— Une femme qui, assurément, connaissait toutes les réponses à nos questions, et qui nous les aurait fournies de bon cœur. Mais il est trop tard, hélas. Elle est morte depuis un certain temps, et je crains que la vérité ne se soit éteinte avec elle.

— C'est pas bien grave, commenta Maggie en serrant à son tour son amie entre ses bras. On s'est trouvées toutes les deux, c'est tout ce qui compte.

Elle essuya, en gloussant un peu, une dernière larme sur sa joue.

— Ça te fait quoi de devenir ma tante du jour au lendemain? Ça te flanque pas un coup de vieux, au moins?

Olivia s'efforça de faire bonne figure, mais le souffle lui manquait; elle se contenta de hocher la tête.

Sam regagna l'hôtel à pas lents, perdu dans ses pensées, le cœur battant.

Il pénétra à l'intérieur de son établissement où, ignorant les clameurs en provenance de la salle à manger, ignorant l'odeur des toasts brûlés, ainsi que les glapissements des jeunes femmes qui s'écharpaient en cuisine, il saisit le combiné du téléphone. Il avait besoin d'un conseil. Et vite.

13

Irène raccrocha. Tout allait donc de mal en pis. À bien y réfléchir, songea-t-elle, la situation avait commencé à se dégrader le jour où cette petite catin de Maggie s'était présentée à sa porte.

Elle alluma une cigarette en tâchant de remettre de l'ordre dans ses idées. Cette nuit, elle avait d'abord fait d'étranges rêves, après quoi cette insoutenable chaleur l'avait poussée hors de son lit. Ce coup de téléphone risquait de lui valoir à présent de nombreuses nuits sans sommeil.

Elle fit les cent pas dans le couloir obscur, posant, sans s'y attarder, le regard sur les toiles qui ornaient les murs, sur les bibelots en porcelaine dont la grand-mère de William avait fait la collection pendant de longues années. Un tapis persan, aux couleurs encore vives malgré son âge, étouffait le bruit de ses pas. Elle éprouva la tentation de récupérer tous ces objets pour les vendre à Sydney, mais la transaction se révélerait à coup sûr impossible : la collection Stanford était célèbre, et son époux avait dressé avec soin la liste de son contenu – quant à la provenance des diverses pièces, des certificats l'attestaient, mais ils se trouvaient dans un lieu qu'Irène n'était encore jamais parvenue à découvrir. Sans ces documents, les bibelots lui resteraient sur les bras.

Elle écrasa son mégot dans une exquise assiette en porcelaine de Saxe, puis tourna les talons. À l'origine, cette demeure se résumait à une cabane de bois divisée en deux pièces, dressée au beau milieu de nulle part. Aujourd'hui, si elle restait séparée de ses voisines par au moins deux jours de route, elle avait pris de l'ampleur, grâce aux efforts des générations successives de Stanford. Elle consistait maintenant en un véritable labyrinthe de couloirs et de pièces, ceinturé par une véranda, à laquelle on accédait par de hautes portes-fenêtres. L'été, lorsque les travaux du ranch empêchaient qu'on se rendît sur la côte, les habitants des lieux dormaient sur cette véranda, dans des lits de fer.

Irène gagna la chambre qu'elle avait partagée avec William pendant un si grand nombre d'années qu'elle ne les comptait pas. Debout sur le seuil, elle examina la pièce. Le placard de son époux bâillait, comme à l'accoutumée, révélant des chemises et des pantalons prêts à s'en échapper. Il avait abandonné ses bottes d'équitation sous une chaise de boudoir, jeté sa brosse à cheveux sur le lit à baldaquin – le couple avait dépensé une fortune pour le faire acheminer jusqu'ici, et ses tentures faites main venaient de Sydney. Pourtant, il flottait dans la chambre une ambiance de défaite, où la solitude semblait s'allier à la poussière. Pour la première fois, Irène s'aperçut que cette pièce reflétait à la perfection l'état de leur union.

Excédée par ses cogitations, elle gagna la véranda, que des moustiquaires protégeaient de l'invasion des mouches. Au plafond, des ventilateurs rafraîchissaient l'atmosphère, de même qu'une quantité impressionnante de plantes tropicales en pots. On avait disposé plusieurs rideaux de canisses, pour permettre à chacun des dormeurs de s'isoler un peu. Il y avait encore des tables et des chaises, ainsi qu'un réfrigérateur à gaz, qui ronronnait dans un coin. Depuis plusieurs jours, les domestiques avaient préparé les lits, car la température grimpant, il faisait déjà trop chaud pour dormir à l'intérieur de la maison.

Irène se laissa tomber sur l'un de ces lits, se redressa légèrement pour s'adosser au mur de bois. De là, elle observa la cour à travers les ramures. Des employés séparaient les bouvillons les uns des autres; d'épais nuages de poussière sépia s'élevaient, cependant que les bouviers australiens aboyaient. Les hommes, eux, faisaient claquer leurs fouets. Des cacatoès rosalbins tournoyaient au ciel, des perruches jaune et bleu se chamaillaient, d'autres grimpeurs à la huppe jaune vif dominaient la scène depuis la cime des eucalyptus. La nuit, tous se tairaient. On n'entendrait plus que le chant des grillons, le frou-frou des wallabys s'aventurant, pour la grignoter, dans l'herbe haute qui entourait la demeure… Des chauves-souris s'élanceraient de leurs juchoirs et leurs silhouettes se découperaient contre le disque lunaire. Les crapauds buffles émettraient leurs coassements sonores.

Irène soupira. Plusieurs employés étaient partis réparer la maison du régisseur, qui deviendrait bientôt la sienne; elle-même avait commencé ses bagages. C'était probablement la dernière fois qu'elle s'asseyait sur ce lit. Quelle étrange sensation… Elle s'aperçut, justement parce qu'elle était en train de la perdre, qu'elle chérissait cette propriété plus qu'elle avait jamais voulu l'admettre.

Elle fouilla l'une de ses poches en quête de son paquet de cigarettes, s'avisa qu'il était vide, le chiffonna pour le lancer avec violence contre la moustiquaire. Paquet vide. Existence vide. Ce n'était pas ainsi que les choses auraient dû se passer, songea-t-elle avec amertume. Hélas, le sort semblait résolu à déjouer tous ses plans, à la mettre sur la touche, à la priver de ce qu'elle désirait le plus.

— C'est injuste, souffla-t-elle. Pourquoi faut-il toujours que ce soit moi qu'on punisse?…

Elle se remit debout, fourra son chemisier à carreaux dans la ceinture de son pantalon. Elle inspira profondément. La vie ne cessait de contrecarrer ses projets, quels qu'ils fussent, mais du moins, cette fois-ci, se verrait-elle enfin débarrassée de William. Libre d'aller et de venir à sa guise. Libre de prendre un nouveau départ. Il lui fallait simplement un peu d'endurance et de temps – cela dit, Irène avait tôt fait de perdre patience.

Elle retourna dans la chambre, dans laquelle elle récupéra, sur le dessus de la garde-robe, deux grandes valises, avant de commencer à vider les placards et les tiroirs. Les domestiques, auxquelles on avait enseigné l'art d'emballer sa précieuse porcelaine, son argenterie et ses objets en cristal, avaient déjà entreposé, dans la véranda située à l'arrière de la maison, plusieurs caisses, ainsi que des cartons.

De nombreuses pensées tenaillaient Irène pendant qu'elle pliait machinalement ses habits pour les ranger avec soin dans les valises. Elle remisa ses souliers et ses bottes dans leurs boîtes – ils partageraient la même caisse que le linge de maison. À Cairns, elle achèterait de nouveaux meubles, ainsi que des ustensiles de cuisine ; William réglerait le tout. Il paierait, elle s'en était fait la promesse.

Une fois les vêtements dans leurs valises, elle ôta les draps du lit, qu'elle ramassa en boule pour les porter à la cuisine où une bonne les laverait. Une fois secs, elle les emporterait aussi – ils avaient coûté trop cher pour qu'elle les abandonnât à son époux. En revanche, elle lui laissait le lit de bon cœur – le meuble ne ferait que lui rappeler William, or c'était bien la dernière chose dont elle eût envie.

Elle se rendit ensuite dans toutes les pièces l'une après l'autre, afin d'y récupérer les cadres à photographies en argent, les chevaux de bronze, les trophées qu'elle avait remportés lors de concours d'équitation. Enfin, elle rassembla les albums de photos, qu'elle emporta dans la chambre conjugale, où elle les posa sur le lit.

La plupart d'entre eux dataient d'une époque révolue, qu'elle avait sciemment laissée derrière elle quand Eva et Olivia s'étaient embarquées pour l'Angleterre. Les visages qu'elle y contemplait ne signifiaient plus rien pour elle, en sorte qu'elle mit ces classeurs de côté ; elle les jetterait tout à l'heure à la poubelle. Les albums plus récents possédaient une reliure en cuir ouvragé, le papier cristal protégeant les clichés craquait encore ; il restait doux au toucher. Irène s'allongea sur le ventre, telle une enfant, pour en tourner lentement les pages.

Elle observa d'abord son père et sa mère, souriant devant la villa prétentieuse qu'ils occupaient à Melbourne. Père possédait une indéniable beauté – cette barbe, cette moustache, et puis ces grands yeux bruns… En outre, il était grand, solidement charpenté, et la main qu'il avait posée sur l'épaule de sa femme se révélait habile et robuste. Eva semblait si menue à ses côtés ; leur fille se rappela qu'elle aimait à dire qu'au début de leur mariage Frederick pouvait lui enserrer la taille de ses deux mains.

Irène contempla longuement la photographie. La fragilité d'Eva n'était qu'apparente ; jamais ou presque elle ne se laissait dépasser par les événements. Dirigeant sa maison et ses domestiques sans fléchir, elle se consolait des longues absences de Frederick en consacrant une bonne part de son temps comme de son énergie à des associations diverses, des cercles féminins et des œuvres de charité. Eva ? Une main de fer dans un gant de velours. Un seul de ses regards furibonds suffisait à clouer sur place celui ou celle dont le comportement lui avait déplu, et comme elle estimait avoir toujours raison, il se révélait bien difficile de discuter avec elle.

Irène posa l'album, puis roula sur le dos. La situation avait commencé à se dégrader peu après son dix-septième anniversaire. Père s'apprêtait à partir pour un nouveau voyage professionnel. Lorsque le mois de juillet succéda au mois de juin, la jeune fille se rendit compte qu'elle se trouvait en très mauvaise posture.

L'hiver de 1914 était rude. Il soufflait un vent glacial. Des pluies torrentielles, nées au-dessus du détroit de Bass, déferlaient sur la Yarra Valley. La morosité ambiante se trouva encore accrue par l'annonce de la déclaration de guerre. Les hommes s'engagèrent aussitôt, aiguillonnés par une euphorie patriotique qui, chez certains, frôlait l'hystérie.

Le menton dans le col de fourrure de son manteau, une main retenant son chapeau, Irène se laissait malmener par la tempête. La pluie avait cessé, mais comme elle tentait de conserver son équilibre sur le trottoir glissant, elle regretta la chaleur du lit de son amant. Elle cherchait un taxi. Son épaisse jupe de tweed l'empêchait de courir, et quant aux talons hauts et fins de ses bottes en cuir, ils se plantaient régulièrement entre les pavés mal joints.

Si elle n'y prenait garde, elle se tordrait la cheville et tomberait. Une voiture roula dans une flaque, aspergeant le trottoir devant elle. Une chute, après tout… Pourquoi pas? Une chute résoudrait tous ses problèmes.

La pluie recommençant à tomber, elle se hâta. Elle remuait toutes sortes de pensées, tandis que l'averse trempait sa jupe et son chapeau délicat. Enfin, l'imposante demeure parut, dont elle gravit le perron au pas de course. Elle s'apprêtait à enfoncer la clé dans la serrure de la porte quand Jessie l'ouvrit.

— Entre vite, grande sotte, la réprimanda la gouvernante. Tu vas finir par attraper la mort, à force de courir par tous les temps sans jamais daigner enfiler un habit chaud.

— Fiche-moi la paix, répliqua Irène, tandis que Jessie l'aidait à retirer son manteau ruisselant. Nous ne pouvons pas tous rester assis à ne rien faire sous prétexte qu'il tombe trois gouttes.

— Je vois pas où est le mal de vouloir rester au sec et au chaud.

La gouvernante considéra la jeune fille d'un œil aiguisé.

— Qu'est-ce qu'il y avait donc de si important pour que tu déguerpisses par un temps pareil?

— Cela ne te regarde pas, la moucha Irène.

— Ça me regardera quand tu auras attrapé une bonne pneumonie et qu'il faudra que je te soigne, grommela Jessie. Tu as déjà oublié ce qui s'est passé l'an dernier?

L'année précédente, Irène avait bien cru ne plus jamais sortir de son lit. Certes, Eva et la gouvernante avaient pris soin d'elle mais, après tout, n'était-ce pas aussi pour cela qu'on payait Jessie?…

Elle se tourna pour admirer son reflet dans le miroir de l'entrée, face auquel elle retira une à une ses épingles à chapeau. Sous l'effet du vent et du froid, ses joues avaient rosi, et une étincelle brillait dans ses yeux; elle se jugea séduisante. Elle sourit, notant au passage que ses petites dents régulières jetaient des éclats à la lueur des lampes à gaz. Rien de tel qu'une partie de jambes en l'air en plein après-midi…

— C'est la beauté intérieure qui compte, lui assena Jessie, qui aimait les adages. On croirait un chat qui vient d'avaler le canari de sa maîtresse, ajouta-t-elle. À mon avis, t'as pas été très sage.

Irène lui lança un coup d'œil rapide avant de retourner à son reflet. Elle aurait pu sans peine ôter à la gouvernante tous ses soupçons : un mot gentil, un petit câlin suffiraient – mais la jeune fille n'était pas d'humeur pour ces manifestations de tendresse feinte. Qu'elle s'imagine donc ce qu'elle veut, se dit-elle en examinant son chapeau détrempé. Ce ne sont pas ses affaires.

Elle retira ses gants, qu'elle remit à Jessie avec son chapeau – un léger soupir de regret lui échappa : le couvre-chef était bon pour la poubelle. Elle rajusta sa coiffure. Ses boucles, ramenées vers l'arrière, brillaient du même lustre que la robe de son cheval favori – de petits feux d'or et de cuivre brasillaient parmi les cheveux bruns. Ayant, pour finir, remis en place les volants de son chemisier, elle s'observa une dernière fois avec satisfaction.

Mais Jessie ne s'éclipsait pas, ce qui commençait à agacer Irène.

— A-t-on déjà servi le thé ? s'enquit-elle d'un ton volontairement cassant.

— Bien sûr que oui. On le sert tous les après-midi à la même heure, tu le sais aussi bien que moi. Tu as perdu ta montre ? Ou alors tu étais trop accaparée pour te soucier de l'heure ?…

Un éclair cauteleux fulgura dans l'œil de la gouvernante ; Irène décida d'ignorer ces insinuations. Jessie était fruste et vulgaire. Dieu seul savait ce qui avait poussé Eva à l'embaucher…

— Je prendrai donc une tasse de thé, décréta-t-elle, la voix impérieuse. Dis aussi à la bonne de me faire couler un bain, et veille à ce qu'on fasse du feu dans ma chambre : je ne tiens pas à mourir de froid quand je m'habillerai pour le dîner.

Jessie la fusilla du regard avant d'emporter les vêtements mouillés dans la cuisine, où ils sécheraient devant le fourneau.

Irène tira un peu sur son chemisier – il commençait à devenir trop petit, mais l'exercice pratiqué cet après-midi lui avait ouvert l'appétit.

Eva l'attendait – seule, pour une fois –, la mine sévère. Elle se tenait assise non loin de la cheminée, dans laquelle rugissait un feu, le dos très droit. Elle avait noué sur sa nuque ses cheveux crantés, où luisaient des reflets. Des perles en gouttes pendaient à ses oreilles, tandis que les flammes allumaient des incendies dans les diamants qu'elle portait aux doigts. Comme à l'accoutumée, sa mise était impeccable, des bottines cirées à la jupe rouille, en passant par le chemisier de dentelle blanche. Une matriarche dans toute sa splendeur.

— Où étais-tu? exigea-t-elle de savoir tandis que sa fille s'emparait d'une tasse de thé et de quelques sandwichs.

— Je viens d'avoir cette conversation avec Jessie, répliqua Irène.

Eva attendit que la jeune fille se fût installée face à elle, puis qu'elle posât sa tasse et sa soucoupe sur la table basse.

— L'impertinence ne te sied pas, observa-t-elle d'une voix égale. Tu es jolie, et l'existence t'a plutôt gâtée. Pourquoi t'obstines-tu à te montrer désagréable avec tout le monde?

Irène avala plusieurs sandwichs, but un peu de thé. Enfin, elle commençait à se réchauffer.

— J'ai rendu visite à des amis. Ce n'est pas un crime, il me semble?

Eva se leva, baissa les yeux vers elle.

— Quels amis?

Irène haussa les épaules en évitant soigneusement le regard maternel.

— Des amis, murmura-t-elle entre ses dents. Tu ne les connais pas.

— Je me targue de connaître tous tes amis. Pourquoi ces secrets?

La jeune fille avala quelques gorgées de thé, mangea encore un sandwich, puis une tranche de cake. Elle était affamée, et ces petites bouchées raffinées ne la rassasiaient pas.

— Je ne te cache rien, mère. Ce sont de nouveaux amis dont j'ai fait la connaissance au centre équestre. Si tu le souhaites, je peux les inviter pour le thé un jour de la semaine prochaine?

Elle planta son regard dans celui d'Eva, la mettant au défi de rétorquer quoi que ce soit.

Sa mère, loin de détourner les yeux, la fixa longuement – l'œil acéré, certes, mais aussi chagrin.

— Tu étais avec lui.

Il s'agissait d'une affirmation ; Irène comprit aussitôt qu'il était inutile de nier, bien qu'elle se sentît lasse de devoir revenir sans cesse à ce sujet.

— Et alors ? lança-t-elle en haussant le menton.

— Il est marié.

— Plus pour longtemps, répondit la jeune fille en se penchant pour tendre les doigts vers les flammes. Il s'apprête à demander le divorce.

Réprimant un hoquet, Eva s'éclaircit la voix.

— Il a une épouse et quatre petites filles, énonça-t-elle avec froideur. Pourquoi diantre s'imposerait-il l'abjection d'un divorce, alors qu'à l'évidence il peut assouvir ses besoins sans s'imposer cette épreuve ?

— Ce n'est pas ce que tu crois, souffla Irène en s'empourprant.

Les doigts d'acier de sa mère lui saisirent le menton pour la contraindre à la regarder.

— Bien sûr que si. Pour quelle autre raison un homme de son âge rechercherait-il les faveurs d'une jeune femme comme toi ? Ne me prends pas pour une sotte, Irène. Je te connais trop bien. Et je connais ce genre d'individus. Il se servira de toi selon son bon plaisir, mais au premier coup de semonce, il t'abandonnera.

La jeune fille se délivra de l'étau maternel pour se lever à son tour. Elle avait beau dominer Eva de plusieurs centimètres, elle se sentait toute petite face à cet œil de glace.

— Il n'est pas comme cela, insista-t-elle. Nous nous aimons.

Sa mère se rassit en portant une main au camée qu'elle avait au cou.

— Oh, Irène…, soupira-t-elle. Tu es si jeune. Tu as tout le temps de tomber amoureuse de l'homme qui te conviendra le mieux.

Son regard brillait étrangement.

— Si ton père devait apprendre une chose pareille, il ne s'en relèverait pas. Ne revois pas cet homme, je t'en conjure.

— Je l'aime, mère. Passionnément et jusqu'à mon dernier souffle. Je compte le voir le plus souvent possible avant son départ, et lorsqu'il reviendra, nous nous marierons.

Les yeux ressemblaient à deux têtes d'épingle dans le visage menu; les pommettes hautes se trouvaient soulignées par les ombres jetées par les flammes.

— Tu n'es tout de même pas enceinte?

Le mot frappa Irène avec plus d'âpreté qu'une bourrasque de vent glacé. Elle piqua un fard et serra les poings.

— Ne sois pas ridicule! s'emporta-t-elle. Bien sûr que non.

Eva se mit debout à nouveau, les traits bienveillants.

— Je m'en doutais, chuchota-t-elle. Tu attends son enfant.

Elle tendit la main vers sa fille.

— Est-il au courant?

Irène recula.

— Tu pourrais me faire confiance! hurla-t-elle. Je ne suis ni une petite vendeuse de magasin ni une fille de cuisine. Comment oses-tu m'accuser ainsi?

— On t'entend brailler dans toute la boutique, intervint Jessie en refermant la porte derrière elle.

— Dehors! glapit Irène. Il s'agit d'une conversation privée.

— Elle a rien de privé puisque tout le monde peut piger ce que tu racontes.

Sur quoi la gouvernante, plantée au milieu du salon, croisa résolument les bras sur sa poitrine.

— Jessie va rester avec nous, décréta Eva.

— Pourquoi? Elle n'est jamais qu'une domestique un peu trop curieuse. Une bonniche!

La gifle claqua sans qu'on s'y attendît.

— Jessie m'a aidée à t'élever, vilaine ingrate. Elle t'aime autant que je t'aime. Je ne tolérerai pas que tu fasses preuve envers elle d'un pareil dédain. Elle reste.

Le choc avait réduit Irène au silence. Le mélange de fureur, de honte et de terreur qui l'avait envahie s'était trouvé douché par la punition que sa mère venait de lui infliger. Elle porta une main à sa joue. Jamais Eva ne lui avait administré de gifle. Mais la jeune fille devinait qu'il était dans son intérêt de maîtriser ses émotions. Il lui fallait paraître calme et ferme si elle espérait qu'on la crût.

— Je ne suis pas enceinte, s'obstina-t-elle.

Néanmoins, son cœur battait la chamade, une chaleur déplaisante lui embrasait le corps, elle montait à sa tête, qui à présent lui tournait.

Eva passa un bras autour de la taille de sa fille.

— Je m'en doute depuis un certain temps, dit-elle doucement. Nous occupons des chambres contiguës. Je t'ai entendue plusieurs fois vomir le matin.

La malheureuse Irène n'avait pas pris conscience de la minceur des murs. Comment aurait-elle pu s'imaginer que sa mère avait perçu les nausées qui, chaque jour, l'assaillaient au réveil? Cessant le combat, elle s'effondra contre le sein d'Eva. Elle se sentirait soulagée de se confier enfin, de partager son effroi.

— Tu as raison, chuchota-t-elle. Je suis enceinte. Mais tout ira bien. Au terme de son voyage, il reviendra à Melbourne, il quittera son épouse et nous nous installerons tous les deux sous le même toit.

Elle saisit les deux mains de sa mère pour donner plus de poids à ses propos.

— Nous avons fait des projets, maman. Tellement de projets…

— Tu peux t'asseoir dessus, intervint Jessie en se laissant tomber sur le canapé. Qu'est-ce qu'il irait s'encombrer d'une bouche supplémentaire à nourrir? Son plaisir, il le prend, et crois-moi, ma poulette : le jour où il le prendra plus, il mettra les bouts.

— Le scandale auquel il s'exposerait risquerait de le détruire, de même que sa femme, enchaîna Eva. Sa réputation se trouverait à jamais ternie, et il perdrait toute l'estime que lui porte ton père. Or, il a besoin de lui pour atteindre ses ambitions. Pour toutes ces raisons, je puis t'assurer qu'il ne restera pas à tes côtés.

Elle se tut quelques instants, affligée.

— Si quelqu'un venait à être au courant de cette affaire, reprit-elle, tu te trouverais toi-même souillée, et c'en serait terminé de la confiance que ton père place en toi.

Elle posa une main sur l'épaule d'Irène.

— Comment as-tu pu faire preuve d'un tel aveuglement? Pauvre, pauvre petite sotte, qui a cru que cet homme pensait ce qu'il proférait dans l'excitation du moment…

Effarée, la jeune fille commença à songer que ces deux femmes avaient peut-être raison. Comme elle se remémorait les quatre mois qui venaient de s'écouler, elle discerna enfin leur liaison sous son vrai jour. Une relation piteuse, clandestine. Lorsqu'elle lui avait soumis l'idée de s'enfuir ensemble, il était demeuré évasif. Et chaque fois qu'elle lui avait demandé de lui promettre que, bientôt, il quitterait son épouse, il lui avait à tout coup opposé une excuse pour différer le moment d'agir. Jamais il ne l'avait invitée à dîner au restaurant, jamais ils n'étaient allés au théâtre. Jamais il ne l'avait emmenée danser. Ils ne se rencontraient que dans un meublé miteux, situé au-dessus des locaux d'un marchand de fourrage, dans Flinders Street, et loué par l'un de ses amis célibataires. Cependant, après ce qu'ils avaient vécu ensemble, il n'aurait pas le front de l'abandonner… Pas maintenant… Pas alors qu'elle le chérissait avec passion…

— Je n'échafauderai aucun projet avant d'avoir parlé avec lui, finit-elle par déclarer.

Surprenant le regard que les deux femmes échangèrent alors, elle tapa du pied sur le sol.

— C'est mon bébé, et c'est ma vie! s'indigna-t-elle. Je ferai ce que je voudrai.

Comme elle s'apprêtait à quitter la pièce en trombe, Jessie la retint par le bras.

— Tu sais bien que tes rêves se réaliseront pas. Si tu nous laisses faire, ta mère et moi, on va tout arranger.

Irène considéra les deux femmes l'une après l'autre en sanglotant. Elle versait des larmes amères. Car au fond de son cœur, elle comprenait qu'elles avaient probablement raison, qu'il ne resterait pas auprès d'elle.

— Que puis-je faire? gémit-elle.

Eva tapota le siège à côté d'elle.

— Viens, assieds-toi. Et mouche-toi. Je sais qu'à l'heure qu'il est tu te sens seule au monde. Et tu trembles de peur. Mais je ne doute pas qu'à nous trois nous parviendrons à trouver au plus vite une solution.

Une querelle épouvantable avait éclaté en cuisine, vers laquelle tous les clients attablés dans la salle à manger tendaient l'oreille. C'était là une façon peu commune d'entamer la journée – d'ordinaire, chacun somnolait à demi sur sa chaise. On échangeait des sourires complices à mesure que le charivari prenait de l'ampleur. Certes, personne ou presque ne saisissait de quoi il était au juste question, car les Aborigènes se disputaient dans leur langue, mais ces trois femmes au moins qui glapissaient, accompagnées par le fracas de casseroles qu'on jetait sur le sol et de vaisselle qu'on brisait, produisaient sur les curieux un effet désopilant. Un tondeur finit par proposer ses services d'interprète, afin que chacun profitât au mieux de la scène.

La fascination de Gilles se révélait telle qu'il ne s'aperçut pas que les tartines grillées étaient froides, dures comme du cuir, et qu'on avait fait rissoler le bacon jusqu'à le carboniser presque. L'esprit des cuisinières s'était échauffé lorsqu'il avait fallu déterminer qui aurait le droit de préparer les œufs au plat dans la poêle que Sam avait récemment achetée à Cairns – et bientôt, les noms d'oiseaux avaient volé, on s'était mutuellement accusé des crimes les plus odieux…

Gilles finit de manger en souriant d'une oreille à l'autre, après quoi il se servit une tasse de thé. Hélas, quelqu'un, dans la fontaine à thé, avait mélangé l'infusion, le lait et le sucre; impossible d'avaler ce breuvage. À n'en pas douter, songea l'Anglais, Sam se réjouirait de voir Maggie reprendre sous peu les rênes de son établissement – peut-être même, pour la peine, augmenterait-il son salaire.

Mais les clients oublièrent instantanément la dispute qui faisait rage dans la cuisine: la porte latérale de l'hôtel claqua avec violence. Sam s'engouffra dans le hall, tandis qu'un silence de mort s'abattait sur la salle à manger – chacun attendait qu'il se mît à rugir pour mettre un terme au tohu-bohu.

Au lieu de quoi, le teint blême, l'hôtelier, ignorant tout et tout le monde, se jeta sur le téléphone.

Gilles, fort discret d'ordinaire, brûlait d'entendre la teneur de cette conversation. Car Sam leur avait tourné le dos, pour se plier littéralement en deux sur l'appareil, manifestement désireux que personne ne surprît ses paroles – le risque cependant était minime, les Aborigènes continuant à s'égosiller en cuisine.

L'Anglais renonça au thé tiède avant de s'essuyer la bouche avec sa serviette. Cet appel entretenait-il un rapport avec Maggie ou Olivia?... Il décida que cela ne le regardait en rien. Incapable cependant de tordre le cou à sa curiosité, il alluma un cigarillo, puis se renversa sur sa chaise.

Sam était toujours au téléphone quand Maggie et Olivia parurent dans le hall. Comme Gilles s'apprêtait à les saluer de la main, il constata que les deux jeunes femmes s'étreignaient avant de se séparer. Maggie pénétra dans la cuisine, tandis qu'Olivia gravissait l'escalier d'un pas lent.

— Ça va cracher des flammes, prédit Cloche-Patte en poussant l'Anglais du coude. Maggie va nous péter un boulon.

— La ferme!

La voix de la gérante résonna dans tout l'établissement; les Aborigènes se turent.

— Repose-moi ça tout de suite. Et vous, nettoyez-moi ce bazar! La première qui ouvre encore son clapet, je la fous dehors à grands coups de balai sur le derche.

Les yeux des clients s'étaient tournés vers la porte de la cuisine. Maggie en surgit pour venir se planter face à eux, les poings sur les hanches et les joues rougies par la colère.

— Le spectacle est terminé! brailla-t-elle. Alors, soit vous graillez, soit vous débarrassez le plancher.

Chacun avala d'un trait le contenu de sa tasse et vida son assiette à la hâte. Et déjà, tout le monde filait. Il ne resta que Gilles qui, toujours attablé, adressa à Maggie un large sourire.

— Bravo, la félicita-t-il. Vous auriez fait un sergent-major épatant.

Elle relâcha un peu les épaules, croisa les bras sur sa poitrine.

— Il faut bien que quelqu'un les remette au pas. Ces feignasses-là seraient même pas foutues de faire la différence entre leurs bras et leur trou de balle.

Elle piqua un fard, craignant d'avoir froissé le garçon, puis se tourna vers Sam qui, debout au milieu du hall, la considérait d'un œil étincelant.

— Vous avez raison, fit-il à Gilles. C'est une sacrée mégère quand elle s'y met. Je peux vous assurer qu'elle me flanque les foies.

Maggie leva la main pour le frapper, mais il para habilement le coup.

— Je vais faire davantage que te foutre la trouille si tu te dépêches pas d'aller les aider à remettre de l'ordre dans cette maudite cuisine, lança-t-elle sur un ton à la fois comique et menaçant.

Sam adressa un coup d'œil à Gilles, avant d'emboîter le pas à son employée.

L'Anglais quitta la salle à manger pour regagner l'étage. Il s'étonnait qu'Olivia ne se fût pas jointe à lui pour le petit-déjeuner; vu l'heure à laquelle elle était sortie, elle devait mourir de faim. Lorsqu'il ouvrit la porte du salon attenant à leurs deux chambres, sa bonne humeur le déserta aussitôt: dans une valise ouverte sur son lit, son amie rangeait ses affaires.

Elle jeta un coup d'œil dans sa direction sans s'interrompre.

— Nous partons, lui annonça-t-elle.

— Pourquoi? s'enquit Gilles, qui s'était approché après avoir refermé la porte.

— Parce que.

Il lui saisit le poignet pour la contraindre à se tourner vers lui.

— Ce n'est pas une réponse, observa-t-il avec douceur. Que s'est-il passé tout à l'heure sur la plage?

— Rien du tout.

Pourquoi diable les femmes s'obstinaient-elles à prétendre que tout allait bien, quand tout prouvait le contraire? La mère du garçon était en son temps passée maître dans cet art, au point, parfois, de rendre fou son pauvre père.

— Je t'ai vue avec Maggie. Tu pleurais.

Elle se détourna de lui ; ses cheveux dénoués dissimulaient son visage.

— C'est elle qui pleurait, répliqua-t-elle en s'affairant de nouveau à ses bagages. Elle avait besoin de s'épancher. Je me suis trouvée au bon endroit au bon moment, rien de plus. Je ne comprends pas pour quelle raison tu en fais une pareille montagne, Gilles. Il s'agit d'une histoire sans la moindre importance.

Il s'approcha encore, rabattit le couvercle de la valise, sur laquelle il s'assit. Ignorant les protestations de la jeune femme, il passa un bras autour de sa taille pour l'attirer à lui.

— C'est faux. Allons, Olivia. Je te connais bien, tu le sais. Tu as toujours fait une piètre menteuse.

Elle baissa le menton en émettant un pâle sourire.

— Je ne réussirai jamais à te berner, n'est-ce pas ?

— Pas même en un million d'années, répondit-il comme il avait coutume de répondre au temps de leur enfance.

Il eut envie, soudain, d'embrasser sa joue duveteuse, de passer une main dans sa chevelure opulente… Mais s'il s'y risquait, il gâcherait tout. Olivia avait besoin de parler, besoin de lui confier ce qui la tourmentait.

— Pourquoi partons-nous ?

— Il faut que je prenne mes distances avec cette ville. Je dois m'accorder un peu de temps pour réfléchir.

Il souhaitait lui poser de multiples questions, mais il choisit de garder le silence. Car Olivia haïssait le silence. S'il se montrait patient, elle ne tarderait pas à lui livrer son secret.

Elle demeura un moment contre lui, la nuque ployée ; elle jouait nerveusement avec l'ourlet de sa jupe.

— Maggie et moi avons parlé longuement, commença-t-elle. Elle m'a rapporté des choses très personnelles, que je ne désire pas répéter.

— Je comprends.

Gilles se leva pour s'installer cette fois plus confortablement sur le lit, à côté de la valise. Il invita son amie à s'asseoir près de lui.

— Mais pourquoi ces secrets te mettent-ils dans un tel état, s'ils ne concernent qu'elle?

— À cause d'Irène.

Le jeune homme n'y comprenait plus rien.

Olivia entreprit, d'une voix d'abord entrecoupée, de lui narrer dans ses grandes lignes le parcours de Maggie avant son arrivée à Trinity.

Gilles devina qu'elle lui taisait maints détails, mais le peu qu'elle disait lui suffit à mesurer combien la jeune Australienne avait souffert.

Puis son amie se tut longtemps, les poings serrés sur ses genoux.

— Il se trouve… qu'Irène est la mère de Maggie.

Un silence s'ensuivit, au terme duquel, enfin, Gilles siffla entre ses dents.

— Ça alors…, commenta-t-il.

Olivia leva les yeux vers lui, un sourire espiègle s'ébauchant sur ses lèvres.

— Au moins, on ne peut pas te reprocher de réagir de manière excessive, le taquina-t-elle.

— Je ne saisis toujours pas pourquoi cette révélation t'accable autant, s'agaça-t-il un peu. Irène et toi vous détestez, soit, mais tu t'es liée d'amitié avec Maggie. Vous devriez vous réjouir l'une et l'autre d'avoir découvert les liens de sang qui vous unissent.

— Nous sommes ravies, je t'assure. D'autant plus que Maggie en a tellement bavé qu'elle mérite de se trouver enfin un semblant de famille.

Elle baissa de nouveau la tête.

— Mais les choses ne sont pas aussi simples, Gilles.

Celui-ci continuait à nager en pleine confusion.

— Tu es vexée d'être devenue tante du jour au lendemain? la plaisanta-t-il gentiment. Ou de te rendre compte que ta nièce et toi devez avoir à peu près le même âge?

— Si seulement il ne s'agissait que de cela, soupira Olivia. Je serais navrée de meurtrir Maggie, mais il reste d'autres paramètres à prendre en compte, et si nous ne quittons pas Trinity, elle risque de regretter bientôt de m'avoir ouvert son cœur.

14

Sans plus se soucier des regards noirs qu'échangeaient les deux Aborigènes, Maggie organisa la séance de ménage. Sur le sol gisaient de la vaisselle brisée, ainsi que de la nourriture, et quelqu'un avait jeté contre l'un des murs des œufs et du bacon.

— On vous laisse toutes seules cinq minutes, et voilà le résultat, siffla la gérante en vidant dans la poubelle le contenu de la pelle à poussière.

— Tu m'avais promis d'être là, grommela Sam. Comment j'aurais pu deviner que tu avais changé d'avis?

Elle se débarrassa de la pelle pour emplir un seau d'eau chaude et savonneuse.

— Prends ça, ordonna-t-elle à l'une des jeunes filles, qui pleurnichait. Et t'as intérêt à pas oublier de nettoyer dans les coins.

L'adolescente commença, comme à regret, de déverser sur le carrelage une grande quantité d'eau. Maggie lui arracha la serpillière des mains.

— Comme ça, lui indiqua-t-elle d'un ton sec. Tu l'as déjà fait, Maisie, je le sais. Alors me prends pas pour une pomme.

Maisie lui opposa des yeux d'ambre qu'elle écarquillait, cependant que sa lèvre inférieure se mettait à trembler. Une actrice-née, songea Maggie, qui ne s'en laisserait pas conter. Elle avait été témoin plus d'une fois de ces petites comédies; elles ne l'impressionnaient plus.

Elle exigea de l'autre jeune fille qu'elle récurât le fourneau, pendant qu'elle-même rassemblait les paquets de sucre et les sacs de farine que, dans la bagarre, les Aborigènes avaient malmenés. Sam, pour sa part, ramassait les tessons de porcelaine et comptait les couteaux.

— T'étais où quand ça s'est passé? s'enquit la gérante.

— Dehors, répondit-il, le regard baissé sur les assiettes qu'il dénombrait.

Maggie haussa un sourcil.

— Dehors? Où ça, dehors?

Sam referma le tiroir avec violence avant de s'adosser au vaisselier.

— J'avais besoin d'air avant de commencer ma journée, répondit-il gaiement. J'ai rien fait de mal.

Il mentait. Jamais il n'allait nulle part à cette heure matinale, sinon en compagnie d'une canne à pêche ou de sa jument.

— Et le coup de fil, s'acharna Maggie dans un murmure. Fallait qu'il soit drôlement important pour que t'aies pas même l'idée de t'occuper d'abord du bastringue dans la cuisine. Mais je suppose qu'à propos de ça non plus t'as pas l'intention de me dire la vérité…

Elle se planta face à l'hôtelier qui, à sa grande satisfaction, s'empourpra et détourna le regard. Au moins avait-il l'élégance de lui prouver qu'en effet il était en train de lui raconter des bobards.

Il remonta les manches de sa chemise, vida le seau, qui contenait à présent de l'eau sale, pour le remplir d'eau claire.

— Lave-moi ça, demanda-t-il à la plus jeune des Aborigènes en lui montrant du doigt le bacon et les œufs à demi solidifiés sur le mur. Après, tu pourras filer.

— Sûrement pas, intervint Maggie. Il faut encore briquer la salle à manger, et puis faire la vaisselle. Elles vont s'en charger toutes les deux. Ça les empêchera peut-être de remettre le souk dans ma cuisine.

— Dans *ta* cuisine? s'étonna Sam.

— *Ma* cuisine, oui. Tant que je resterai la gérante de cette piaule.

Sur quoi elle finit de ranger le sucre et la farine, avant de replacer les pots de confiture dans la glacière.

— En ta qualité de gérante, tu aurais dû être là, rétorqua l'hôtelier d'un ton bourru.

— En ta qualité de propriétaire, toi aussi, le moucha la jeune femme.

Face à face, ils se dévisagèrent longuement, tandis que les Aborigènes s'affairaient, allant et venant entre la cuisine et la salle à manger. Tout à coup, ils éclatèrent de rire.

— Bien envoyé, Maggie. Mais comment j'aurais pu savoir que la Troisième Guerre mondiale allait éclater en mon absence?

— Tu as raison, admit la jeune femme. Cela dit, faire bosser Maisie et Gloria ensemble, c'est toujours risqué. Elles ont couru après le même bonhomme pendant des années, et c'est Gloria qui a fini par lui mettre le grappin dessus. C'est un miracle qu'elles se soient pas encore entre-tuées.

— J'étais pas au courant, commenta Sam, l'œil amusé.

— Tu m'étonnes. On te voit presque jamais.

Il croisa les bras, s'adossa de nouveau au vaisselier – pour un peu, de ses grands pieds il aurait fait un croc-en-jambe à l'une ou l'autre des jeunes filles, qui rapportaient des assiettes et des couverts sales.

— Je l'ai bien cherchée, celle-là, dit-il doucement. Désolé, Maggie. Ça se reproduira plus.

— Je le croirai quand je l'aurai vu de mes yeux, observa la gérante entre ses dents.

— Tu crois qu'on peut les laisser seules pour aller prendre une tasse de thé? J'ai tellement soif que j'avalerais volontiers la mer et ses poissons.

— Tu as l'art d'exprimer joliment les choses, fit Maggie d'un ton sec, avant de lui sourire. Je serais ravie de t'accompagner. La nuit a été longue.

Sam prépara le thé, qu'ils emportèrent dans la salle à manger. Les adolescentes avaient nettoyé les tables, sur lesquelles elles avaient en outre disposé des nappes propres. Elles avaient même donné un coup de balai sous les chaises. Pourvu que ça dure, songea la gérante en s'asseyant avant de retirer ses chaussures.

Comme elle buvait à petites gorgées, elle commença à se détendre. Sam roulait une cigarette.

— Tu sors avec une nana? l'interrogea la jeune femme avec une indifférence feinte.

— Non, répondit-il.

— Dans ce cas, où tu étais fourré tout à l'heure? Et pourquoi t'as pas séparé les deux harpies avant de passer ton coup de fil?

Il haussa les épaules.

— Bah... Quand je suis rentré, elles avaient déjà perdu les pédales. J'ai pensé que quelques minutes de plus ou de moins, ça changerait pas grand-chose.

Il souffla la fumée en direction du plafond; il évitait le regard de son employée.

— Par-dessus le marché, nos clients avaient l'air de s'amuser beaucoup.

Maggie le considéra un moment en silence, puis rendit les armes. Après tout, les occupations de l'hôtelier ne la regardaient pas et, quoi qu'il en soit, elle le croyait quand il lui affirmait n'entretenir aucune liaison. Cette fugue néanmoins l'intriguait; elle décida de le tenir à l'œil.

— Désolée de pas avoir été là non plus. J'étais en train de discuter avec Olivia. J'ai pas fait attention à l'heure.

Il hocha la tête, plissa les yeux pour éviter que la fumée les irrite.

— Je vous ai vues rentrer, mais pas sortir. Vous avez dû aller vous balader drôlement tôt...

Maggie comprit qu'il faisait l'âne pour avoir du son. Mais à malin, malin et demi, songea-t-elle, d'autant plus qu'elle ne se sentait pas encore prête à partager avec lui la merveilleuse nouvelle qu'elle avait apprise à l'aube. Il fallait d'abord qu'elle s'habitue à tenir Olivia pour sa tante; qu'elle s'habitue à posséder de nouveau une famille... Elle acquiesça d'un signe de tête:

— Il faisait tellement chaud qu'on pouvait dormir ni l'une ni l'autre. À mon avis, une tempête se prépare.

Sam étendit ses longues jambes.

— Je suis d'accord avec toi. On sent pas un souffle d'air, et la chaleur grimpe d'heure en heure.

Il observa l'ombre des passants, de l'autre côté du verre dépoli.

— On risque d'en baver des ronds de chapeau, si elle change pas de route.

— Où comptes-tu aller au juste? demanda Gilles.

— Je n'ai pas encore pris le temps d'y réfléchir, avoua son amie.

Elle regardait par la fenêtre. On n'entendait dans la pièce que le grincement du ventilateur au plafond, dont les pales, brassant un air humide, ne rafraîchissaient pas l'atmosphère.

— Tu t'enfuis de nouveau, déclara le jeune homme. Ne crois-tu pas qu'il vaudrait mieux rester pour affronter la situation? Te rends-tu compte du chagrin que tu vas faire à cette pauvre Maggie, si tu files aussitôt après ce que vous venez de découvrir l'une et l'autre?

— Je..., commença Olivia. Nous...

— Comment comptais-tu t'y prendre, exactement? Tu avais prévu de t'éclipser pendant qu'elle serait occupée en cuisine?

Très tendue, la jeune femme parcourait la pièce.

— À t'entendre, je suis d'une lâcheté repoussante, balbutia-t-elle. Je ne comptais pas m'enfuir, voyons.

— Alors, pourquoi une telle précipitation? Nous ne sommes pas pressés, sauf si tu me caches encore quelque chose. Je crois que tu devrais au moins exposer à Maggie les raisons de ton départ. Tu lui dois bien cela, il me semble.

La jeune femme piqua un fard.

— Je ne peux pas, souffla-t-elle. Je dois faire certaines choses avant de parler à Maggie.

Olivia affichait un regard de bête traquée. Gilles se lissa la moustache. Elle avait peur. Mais de quoi donc? Le jeune homme aurait été bien en peine de le dire.

— Tu ferais mieux de tout m'expliquer, lui suggéra-t-il.

Son amie s'immobilisa devant la fenêtre. De nouveau, ses épaules étroites se crispaient, son chemisier léger était trempé de sueur.

— C'est compliqué, répondit-elle.

Gilles exhala un long soupir.

— Je m'en moque, commenta-t-il d'une voix dans laquelle s'insinuait du courroux. Tu me dissimules des tas de choses depuis le décès de ta mère, au point que j'ignore toujours pour quelle raison nous nous trouvons en Australie. Et voici que tu épaissis encore le mystère en adoptant un comportement parfaitement illogique.

Il considéra le dos de son amie d'un regard noir, et sa voix claqua rudement, pareille à un ordre :

— Allons, Olivia. Crache le morceau.

Elle fit volte-face, l'œil agrandi par la surprise.

— Je ne suis pas l'un de tes larbins, repartit-elle. Inutile de crier.

— Pour l'amour du ciel, insista-t-il avec la sensation de devoir soulever des montagnes. Parle-moi. Tu ne risques pas de me choquer.

— Je n'en suis pas si sûre…

Comme elle s'efforçait de sourire, le jeune homme vit briller une larme dans ses cils. Aussitôt, il faillit s'avancer pour essuyer cette larme, et pour étreindre son amie. Cette larme, il aurait voulu l'embrasser, il aurait voulu affirmer à Olivia qu'il se moquait bien qu'elle eût choisi de lui taire ses secrets. Mais Gilles n'ignorait pas qu'elle avait besoin de se décharger de son fardeau, de traduire en mots les démons qui la hantaient. Alors, il resta muet.

Une fois encore, elle lui tourna le dos, pour contempler la vitre poussiéreuse. Elle s'exprimait à voix basse, à voix si basse que le jeune homme peinait parfois à l'entendre.

Lorsqu'elle eut enfin achevé son récit, il était sonné. Le silence se prolongea, l'air s'épaissit, la chaleur et l'humidité devenaient insoutenables. Tandis que ses pensées se succédaient à toute allure, il leva le regard vers le ventilateur, qui s'efforçait en vain de ramener un semblant de vie à l'intérieur de cette petite pièce oppressante.

— Drôle d'histoire, n'est-ce pas ? finit-elle par articuler.

Pour le moins, songea Gilles.

— En effet. Mais dans le fond, cela importe-t-il tant que cela ? Maggie et toi avez eu la chance de vous rencontrer. C'est tout ce qui compte, non ?

Elle leva les yeux vers son ami, des yeux très sombres, dont les longs cils noirs touchaient presque son front.

— Il faut d'abord que je déniche les dernières pièces du puzzle. Le décès de Jessie rend probablement la chose impossible, mais je dois essayer.

Elle se tut un instant.

— As-tu l'intention de m'aider?

— Si je le peux, oui, murmura-t-il. Mais à une condition: que tu me promettes de ne pas changer d'avis du jour au lendemain si les choses se corsent. De ne pas tenter de t'enfuir à nouveau.

— Tu as raison, opina la jeune femme. En revanche, ne disons rien à Maggie avant que je sois sûre de mon fait. D'ici là, autant que je profite de sa compagnie, et que j'apprenne à la connaître mieux.

Elle se tourna vers son ami:

— Prendre ses jambes à son cou ne représente jamais la bonne solution, n'est-ce pas?

Il l'attira contre elle, humant le parfum léger dont elle déposait une goutte, le matin, derrière ses deux oreilles.

— Jamais, souffla-t-il, le nez dans ses cheveux. L'Olivia que je connais ne se défile devant rien, et même si je comprends tes réticences à rester ici après ce que tu m'as confié, je sais également que tu relèves plus volontiers les défis que tu ne recules devant l'obstacle.

Elle posa son front sur l'épaule de Gilles et soupira. Peu à peu la tension refluait. Elle se laissa aller contre lui.

Il ferma les paupières, car un frisson le parcourait. Il jouissait douloureusement de son parfum, de l'aisance avec laquelle le corps de la jeune femme épousait le sien.

Il lui baisa le sommet du crâne.

— Quelle que puisse être l'issue de cette affaire, c'est ensemble que nous allons l'affronter.

Irène avait pris William au mot: elle avait débauché momentanément plusieurs employés du ranch afin qu'ils se chargent de la remise en état de sa nouvelle demeure. Ayant par ailleurs inspecté les écuries, elle avait décrété, au terme d'une réorganisation complète des lieux, qu'elles lui convenaient. Bientôt, la maison de l'ancien régisseur se trouverait pourvue d'un toit flambant neuf, ainsi que d'une cheminée en pierre. On réparerait les fenêtres, les volets et la véranda.

Irène avait en outre demandé aux ouvriers de lui bâtir une dépendance à l'arrière de l'habitation, où elle avait fait installer une salle de bains.

La grande ville l'enthousiasmait. Elle s'y sentait revivre. Elle contempla, de la fenêtre de sa chambre d'hôtel, le port qu'elle dominait. Cette effervescence suffisait à vous ragaillardir. Il s'agissait d'une cité jeune, ambitieuse, et débordante d'énergie. Si seulement elle avait vingt ans de moins, se dit-elle, si seulement elle pouvait tout recommencer. Comme Justin.

En se rappelant sa rencontre de la veille avec son fils, elle se rembrunit. Ce dernier en effet n'avait exprimé aucune surprise en apprenant que ses parents s'apprêtaient à divorcer – au point qu'elle se demanda si William ne lui avait pas coupé l'herbe sous le pied en lui annonçant la nouvelle avant elle. Toujours est-il qu'elle avait espéré de lui un mot de compassion, une parole d'encouragement, au lieu de quoi elle avait dû se contenter de le voir se réjouir qu'elle eût accepté les conditions établies par son père sans faire d'histoires. Mère et fils avaient déjeuné en silence. Après le repas, le baiser que Justin avait piqué distraitement sur la joue d'Irène l'avait laissée plus solitaire que jamais.

Elle récupéra son sac à main. Bah. Justin finirait par revenir lui manger dans la main dès qu'il aurait besoin de quelque chose. Il n'agissait jamais autrement. Elle quitta sa suite, dévala l'escalier. Arthur l'avait invitée à déjeuner et, vu la teneur de leur dernière conversation, Irène s'en serait voulu d'arriver en retard; cette proposition se révélait pour elle une surprise.

Arthur l'attendait déjà. Il s'extirpa de son fauteuil de cuir, dans le hall de l'hôtel, pour lui faire la bise.

— Tu m'as l'air en forme, observa-t-il de cette voix profonde qu'elle adorait – et bien qu'il se fût installé en Australie depuis de nombreuses années, il y perçait encore une pointe d'accent britannique.

Irène sourit. Un gentleman anglais dans toute sa splendeur… Il venait de fêter ses soixante-cinq ans, mais il

continuait à porter beau : épaisse chevelure de neige, rejetée vers l'arrière pour dégager son grand front ; nez long et
droit ; regard bleu pénétrant. Il portait un élégant costume sur
mesure, ainsi qu'une chemise bleue, dont Irène supposa qu'il
les avait achetés à Savile Row, à Londres. De quoi rehausser
son teint et souligner la sveltesse de sa silhouette. Une cheva-
lière étincelait à son auriculaire, tandis qu'à son poignet une
montre en or jetait des lueurs.

Irène le prit par le bras, satisfaite qu'il se fût enfin rangé
à son avis. Elle se prépara en pensée à passer à présent
quelques heures de volupté dans sa chambre.

— Tu m'as promis un déjeuner, fit-elle.

Arthur jeta un coup d'œil par-dessus son épaule, en direction de la salle à manger bondée.

— Pas ici, murmura-t-il. Nous allons manger dans ma suite.

Sa maîtresse le considéra avec étonnement. Jamais il
n'avait encore réservé de chambre, craignant par trop que
son épouse ne découvrît le pot aux roses.

— Tu as pris une suite ? Pourquoi ne m'en as-tu rien dit ?

— J'ai pensé qu'au vu des circonstances ce serait la meilleure solution.

Il l'entraîna vers l'ascenseur.

Comme Arthur refermait la porte de la chambre, sa maîtresse nota la tension dans sa mâchoire inférieure. Il ne s'agirait pas du délicieux tête-à-tête qu'elle avait appelé de ses
vœux… Elle s'assit sur le canapé, et patienta.

Arthur leur prépara un gin tonic. Ayant tendu l'un des deux
verres à Irène, il resta debout avec le sien, au lieu de s'installer
auprès de sa maîtresse comme il avait coutume de le faire.

— Le déjeuner ne devrait plus tarder, annonça-t-il.

Tu parles d'un déjeuner, songea Irène. Qu'est-il en train de
mijoter ? Elle s'obligea à sourire.

— Tu te montres bien mystérieux, dis-moi. Quand nous
nous retrouvons tous les deux, il n'est pas dans tes habitudes
d'attendre gentiment qu'on t'apporte à manger. Tu es plutôt
du genre à te ruer sur moi pour me déshabiller.

Il avala une gorgée d'alcool avant de poser son verre en
cristal sur une table basse.

— Ce que je t'ai dit lors de notre dernière rencontre, je le pensais vraiment, Irène. Tout est terminé entre nous.

— Ne sois pas ridicule, rétorqua-t-elle, son sourire mourant néanmoins sur ses lèvres. Nous nous entendons à merveille, toi et moi, et puis nous sommes partenaires en affaires, ne l'oublie pas. Nous ne pouvons...

— Arrête, l'interrompit Arthur avec fermeté. Cette liaison nous a apporté tout ce qu'elle avait à nous apporter, c'est fini à présent, voilà tout. D'autant plus que ton mari s'est offert les services d'un détective privé, qui m'a récemment suivi partout. Je ne peux pas me permettre d'affronter un scandale. J'ai demandé à mes avocats d'organiser la liquidation de nos entreprises communes, tu n'as donc aucun souci à te faire sur ce point.

— La liquidation? souffla-t-elle.

— La liquidation. En effet. Et les actifs ont été partagés entre nous deux.

Il sourit en lissant sa cravate en soie bleu marine.

— Tu constateras bientôt que notre partenariat t'a rapporté un bon petit pécule. Et que je me suis montré on ne peut plus équitable.

Irène posa son verre sur la table avec brusquerie.

— Tu m'avais promis d'attendre. Tu m'avais promis que nous en discuterions d'abord.

— Une discussion se serait révélée inutile. Les actifs ont été divisés en deux parts égales, et c'est moi qui ai pris en charge les honoraires des avocats. Nous avons engrangé, l'un et l'autre, des bénéfices colossaux. Tu ferais mieux de te réjouir.

Elle le dévisagea. Comme il lui paraissait suffisant, tout à coup. Quelle morgue derrière le vernis courtois.

— Tout ça parce que William et moi allons divorcer...

— Pas seulement.

Ces yeux bleus qu'elle avait tant aimés s'étaient changés en glace.

Elle darda sur lui un regard vipérin; sa fureur allait croissant.

— Si je comprends bien, tant que j'étais une épouse, j'étais bonne à baiser, mais tu n'as aucune intention de te traîner une divorcée comme on traînerait un boulet.

Il grimaça – la grossièreté de ses propos le choquait, comme elle avait choqué William quelques jours plus tôt.

— Tu représenteras toujours un poids, répliqua l'homme, la mine sombre.

Il ouvrit les mains en haussant les épaules.

— Nous nous sommes bien amusés, et nous avons mené nos affaires de main de maître. Il est temps, aujourd'hui, de passer à autre chose.

Irène resta assise, les doigts croisés sur ses genoux.

— Et si moi, je ne souhaite pas passer à autre chose?

Elle s'était exprimée à voix basse, d'une voix chargée d'amertume et de la certitude, déjà, que contre cet homme elle ne pouvait rien.

— Ton épouse serait certainement ravie d'en savoir un peu plus sur notre «partenariat». Je me demande comment elle réagirait si quelqu'un lui apprenait la vérité…

— Elle manifesterait probablement aussi peu d'intérêt qu'elle en a jadis manifesté face à d'autres situations similaires. C'est fini, Irène. J'abandonne toute activité professionnelle en Australie. Je m'apprête à regagner Londres.

La conversation fut interrompue par un employé du service d'étage, qui frappa à leur porte.

Arthur ouvrit, récupéra le chariot puis, après avoir remis un pourboire au serveur, referma la porte.

— As-tu le temps de déjeuner? s'enquit-il, indifférent, semblait-il, à l'effet dévastateur de ses paroles. J'ai commandé du homard, ton mets favori.

Irène se leva, saisit son sac à main d'un geste sec. Elle brûlait de renverser le chariot pour en répandre le contenu sur le sol. De fracasser le crâne d'Arthur avec la bouteille de champagne qu'il était en train d'ouvrir. Elle se contint. Au lieu de quoi, préservant le lambeau de dignité qui lui restait, elle traversa la chambre.

— J'espère que tu vas t'étouffer avec, cracha-t-elle avant de claquer la porte derrière elle en quittant les lieux.

Elle parcourut le couloir d'un pas martial.

Quatre heures plus tard, sa fureur demeurait presque intacte. Sa colère ne tenait pas au fait qu'Arthur se fût débarrassé d'elle sans cérémonie, mais elle ne supportait pas qu'il eût osé prendre seul des décisions concernant leurs affaires. Elle avait lu les documents que l'avocat de son ancien amant lui avait fait parvenir peu après qu'elle avait quitté la suite : le fait est qu'Arthur s'était montré extrêmement généreux. Elle possédait à présent une fortune immense, mais hélas, elle ne la possédait pour le moment que sur le papier ; sa situation demeurait donc inchangée. Il faudrait qu'elle se résolve à vivre dans ce gourbi minuscule, aux confins de Deloraine, jusqu'à liquidation des actifs.

Elle s'offrit le luxe d'un long bain parfumé, puis elle se maquilla avec soin. Il fallait à tout prix qu'elle gardât son calme. Ce soir en effet, Justin venait prendre l'apéritif ici même avec Sarah et les parents de cette dernière, qu'Irène allait rencontrer pour la première fois. Hors de question qu'ils devinent qu'elle avait tendance à sortir un peu trop facilement de ses gonds – elle se connaissait cependant trop bien pour ne pas redouter malgré elle un éclat.

On frappa à la porte. Ils étaient en avance... Quelle plaie !... Irène quitta sa coiffeuse, jeta au passage un coup d'œil à son reflet dans le trumeau. Elle hocha la tête avec satisfaction. Ce petit tailleur ajusté, en chantoung crème, mettait en valeur sa silhouette et son teint. Elle était passée le matin même chez le coiffeur, puis chez la manucure. Quant aux perles qu'elle arborait à ses oreilles, ainsi qu'autour de son cou, elles luisaient dans le soleil qui se déversait par la fenêtre. Elle alla ouvrir.

Sarah se révélait trop petite à son goût, et trop mince. Elle possédait des cheveux bruns, des yeux dénués d'expression derrière des lunettes à verres épais. Sa robe, à l'évidence, avait coûté cher, mais sur la jeune femme, elle ne ressemblait plus à rien. Irène l'embrassa néanmoins sur la joue en lui souhaitant la bienvenue comme si elle était ravie de la revoir – il s'agissait de se montrer accorte, songea-t-elle, car Sarah hériterait un jour d'une fortune colossale.

— Maman, voici Bob et Isabel.

Justin se chargea des présentations, on échangea des poignées de main.

Irène se détendit : Isabel portait une robe moulante en soie, un collier et un bracelet de perles. Bob était bel homme, grand de surcroît – Irène, à l'œil averti, se dit qu'il avait dû accumuler les conquêtes. Cette petite réunion s'annonçait sous les meilleurs auspices.

— Et..., ajouta Justin en poussant vers l'avant une petite fille qui jusqu'alors se tenait derrière son père, voici Sally.

Le sourire d'Irène se figea, tandis que l'enfant lui serrait la main avec un enthousiasme excessif. Les yeux sombres de Sally affectaient une forme étrange, cependant que ses épais cheveux raides et noirs encadraient un visage rond, plutôt aplati. À y regarder de plus près, Irène comprit qu'il ne s'agissait pas d'une fillette.

— Bonjour, lança-t-elle avec toute l'allégresse dont elle se sentait capable. Quel âge as-tu ?

— Elle a quinze ans, répondit pour elle son père avec fierté.

Il passa un bras autour de sa taille :

— Tu es maintenant une très grande fille, n'est-ce pas ?

Irène avala sa salive, balbutia une ineptie quelconque avant de se détourner en hâte. Comment Justin avait-il osé lui faire une chose pareille ? fulmina-t-elle en silence. Pour quelle raison n'avait-il pas daigné la mettre au courant ? Il devait bien se rendre compte que l'existence de Sally changeait toute la donne…

Elle se mit à emplir les verres. Le service d'étage de l'hôtel s'était chargé des amuse-bouches – sandwichs en miniature, friands et petits-fours salés. Irène joua les maîtresses de maison, le sourire cependant pétrifié, n'échangeant avec ses invités que de lourdes platitudes. Elle s'avisa soudain qu'elle gardait l'œil rivé à la jeune Sally – pourquoi diable ses parents l'exhibaient-ils de la sorte, au lieu de la placer dans un établissement spécialisé ?

L'adolescente, qui faisait preuve d'une grande maladresse, se cognait à peu près partout. Elle devait posséder l'intelligence d'un enfant de cinq ans, sautant sur son fauteuil, exigeant régulièrement l'attention de la petite compagnie de sa voix grave et rauque – elle prononçait des mots pratiquement inintelligibles. Irène peinait à refréner un frisson de dégoût chaque fois que Sally fourrait dans sa bouche, sans cesser de parler, une tranche de cake ou un sandwich entier.

Bob semblait avoir lu dans ses pensées.

— Nous ne nous sommes jamais résolus à la placer dans un foyer, expliqua-t-il à mi-voix en se reservant à boire. Elle est notre fille, vous comprenez, et nous l'aimons infiniment.

Irène s'en voulut de n'avoir pas mieux caché son aversion à cet homme qu'elle jugeait séduisant.

— Ce doit être très difficile, hasarda-t-elle en laissant tomber quelques glaçons dans le verre de Bob. En société, s'entend…

Il haussa les épaules.

— Nos amis connaissent Sally depuis sa naissance. Nous n'avons jamais rencontré le moindre problème.

Irène se forçait si douloureusement à sourire qu'il lui semblait que son visage était ankylosé.

— Je vous trouve admirables…

La conversation fut brusquement interrompue par un hurlement, suivi d'un terrible fracas. Sally, qui avait renversé l'une des tables basses, trônait à présent parmi les débris de vaisselle et les amuse-gueules. Elle criait sans interruption, la bouche grande ouverte. De la nourriture à demi mâchée souillait sa robe et ses cheveux ; son nez coulait, des larmes ruisselaient sur ses joues. Irène faillit vomir.

— Nous allons rentrer, annonça Bob. Elle s'énerve toujours beaucoup lorsqu'on lui présente de nouveaux visages.

Il aida son épouse à nettoyer les dégâts avant de prendre son enfant dans ses bras ; Sally s'y tortillait de son mieux.

— Nous espérons avoir le plaisir de vous revoir avant le mariage, dit-il à leur hôtesse. Isabel et moi ne quitterons Sydney que dans quelques semaines.

Irène opina, lui serra la main avec le désir qu'il déguerpît au plus vite.

Justin et Sarah restèrent. Assis sur le canapé, ils étaient en grande conversation, multipliant les projets d'avenir.

— Ce sera merveilleux, madame Stanford, soupira la jeune fille. Et une fois que nous serons installés, nous pourrons songer à fonder une famille. J'aimerais beaucoup avoir deux filles et deux garçons. Qu'en pensez-vous?

Irène grinça des dents. Quelle abominable journée… Ses nerfs lui paraissaient tendus comme des cordes de violon. Regardez-moi ces deux tourtereaux, assis au beau milieu du chaos provoqué par la demeurée de service, et dire que cette pauvre gourde de Sarah ne songe qu'à mettre au monde quatre crétins du même tonneau…

— Le retard mental est-il un problème héréditaire au sein de votre famille? exigea-t-elle de savoir d'un ton glacé.

— Mère! Comment oses-tu? se récria Justin.

Irène se tourna vers lui: il avait beau être plus grand que son père, elle ne se sentait nullement impressionnée.

— Je ne veux pas de débiles profonds dans notre famille, s'acharna-t-elle avec froideur. Je préfère me renseigner avant qu'il ne soit trop tard.

Sarah cligna des yeux derrière ses culs de bouteille et se leva.

— Justin?…, fit-elle doucement.

— Inutile de lui pleurnicher dans le gilet, la moucha Irène qui, à présent, ne se maîtrisait plus. S'il existe le moindre risque pour que vous nous pondiez un engin du même acabit, alors il n'y aura pas de mariage.

Justin étreignit sa fiancée, dont les larmes se mettaient à couler. Il lança à sa mère un regard enflammé.

— Ce que tu viens de faire est impardonnable, souffla-t-il. Présente-lui tes excuses. Immédiatement.

Irène secoua la tête.

— Hors de question. J'avais le droit de me renseigner, puisque, de ton côté, tu te montres assez bête pour vouloir épouser cette vilaine petite souris anémiée, dont la sœur est idiote. Je me moque bien de savoir à combien s'élève sa dot: rien ne peut compenser l'arriération.

Justin entraîna Sarah vers la porte, qu'il claqua derrière eux.

Irène demeura plantée là, sa colère cédant rapidement le pas à la lucidité. Elle avait recommencé. Une fois de plus, elle avait parlé à tort et à travers. Elle s'était mis à dos du même coup l'un des êtres qu'elle chérissait le plus.

Elle saisit la carafe en cristal encore à demi pleine de xérès, pour la lancer avec force contre le mur, où elle vola en éclats. Le souffle court, elle regarda l'alcool dégouliner lentement sur la peinture pour se laisser peu à peu absorber par la moquette. Bien sûr qu'elle avait le droit de poser cette question. Elle avait tous les droits. Y compris celui d'exprimer ses craintes et ses doutes. Si son fils était trop sot pour se rendre compte du guêpier dans lequel il s'apprêtait à se fourrer, eh bien tant pis pour lui.

Elle alluma une cigarette, tendit la main vers le téléphone. Sydney avait soudain perdu à ses yeux tout son attrait. Ce soir même, elle prendrait l'avion pour Deloraine, où elle continuerait à préparer son déménagement. Si William et Justin se croyaient suffisamment malins pour se passer de ses conseils, ils se débrouilleraient seuls ensuite pour réparer les conséquences de leurs actes.

15

La chaleur se révélait accablante, l'humidité si élevée qu'elle emmaillotait la ville entière, pareille à une couverture brûlante et détrempée. Elle vidait les habitants de leur énergie, leur sapait le moral ; l'existence ralentissait… Chacun levait les yeux au ciel dans l'espoir d'y déceler un signe annonciateur de pluie, à moins que le vent n'arrivât de la mer pour repousser loin d'ici la tempête qui menaçait.

Hélas, les nuages s'amoncelaient, couche après couche, dans diverses nuances de gris et de noir, si solides, semblait-il, qu'on aurait pu les découper au couteau. Au cœur de cette masse effrayante, des lueurs clignotaient de loin en loin. Il y avait également des éclairs fourchus, qui zébraient en crépitant l'atmosphère suffocante.

Les éleveurs avaient déserté leurs bungalows proches de la plage pour regagner leurs ranchs. En effet, si un orage éclatait, les risques d'incendie se multiplieraient là-bas. Tondeurs et *jackaroos*[1] firent à leur tour leur baluchon, afin de retrouver eux aussi l'univers torride et poussiéreux de ces domaines – en cas de drame, toutes les bonnes volontés seraient les bienvenues pour tenter de venir à bout du sinistre. L'hôtel se vida. Bientôt, Trinity prit des allures de ville fantôme.

En dépit de la canicule, des nuées redoutables et de l'humidité, Olivia se félicitait d'être restée. Maggie, que le départ

---

1. L'équivalent australien du cow-boy des États-Unis.

des clients laissait en partie désœuvrée, avait du temps à lui consacrer; elles apprenaient à se connaître. L'Anglaise en profita aussi pour écrire plusieurs lettres, qu'elle expédia en Grande-Bretagne, et multiplier les projets d'avenir – des projets dont elle ne s'ouvrit à personne; elle les dévoilerait en temps voulu.

Une autre semaine touchait à sa fin, et la tempête ne s'était toujours pas levée. Ayant serré la main de Bob Kealeigh, Olivia regagna l'hôtel en hâte, le sourire aux lèvres, satisfaite de l'issue de leur rencontre.

Sam avait préparé du café glacé, et tous s'étaient installés sur la véranda dans l'espoir d'y profiter de la brise qui viendrait peut-être, si ténue fût-elle.

— La voilà! lança l'hôtelier. La femme mystère. Je serais curieux de savoir où vous disparaissez comme ça en ce moment.

Il avait l'œil pétillant d'espièglerie.

— Vous nous cacheriez pas un galant, des fois?

La jeune femme sourit en prenant place à table. Dans son café, Sam avait ajouté de la crème glacée, ainsi que du rhum sombre et sucré. Un délice. Olivia s'empara d'une cuiller, qu'elle plongea dans l'exquise préparation.

— Eh bien, commença Gilles. Vas-tu enfin nous expliquer ce que tu mijotes, ou as-tu l'intention de continuer à entretenir les potins?

— Jamais je n'aurais imaginé que mes faits et gestes revêtaient ici une telle importance, commenta son amie en riant.

— Trinity est un petit bled, intervint Maggie. Tout intéresse les gens, surtout ces temps-ci, vu qu'il y a presque plus personne à propos de qui causer.

Olivia but encore quelques gorgées, puis se renversa contre le dossier de son fauteuil en rotin.

— Bon sang, fit-elle, quelle chaleur. J'avais oublié combien ces orages secs sont pénibles.

— Olivia! s'écrièrent en chœur les trois autres, dévorés d'impatience.

Elle leva les mains.

— Je me rends. Venez. Je vais vous montrer à quoi je me suis récemment consacrée.

Ils lui emboîtèrent le pas.

— Nous y sommes, annonça-t-elle après qu'ils eurent parcouru quelques dizaines de mètres sur la route poussiéreuse.

Ses compagnons n'y comprenaient rien; la jeune femme s'amusait beaucoup.

La bicoque, qui avait jadis appartenu à Mme Parker, veuve de son état, se délabrait depuis près de dix ans. Derrière la palissade à demi effondrée, les graminées vous arrivaient aux cuisses, tandis que les mauvaises herbes avaient pris possession des parterres et des allées. Il ne restait plus la moindre vitre aux fenêtres, les moustiquaires s'étaient peu à peu détériorées, et la cheminée de pierre menaçait ruine.

— C'est la vieille turne de Ma Parker, grommela Sam. On aurait dû l'abattre depuis belle lurette.

— Grands dieux, s'indigna Gilles. Ne me dis pas que tu as acheté ce taudis.

— Il possède un immense potentiel, lui répondit Olivia en souriant – son ton néanmoins était ferme.

— Pour en faire du bois de chauffage? se navra l'hôtelier.

L'Anglaise choisit de prolonger un peu le suspense.

— J'avoue que nous ferions probablement mieux de la raser pour repartir de zéro, mais ce serait moins drôle, non?

Maggie écarquillait de grands yeux.

— Pourquoi tu m'as pas dit que tu comptais t'installer à Trinity? Je t'aurais déniché un truc bien mieux que cette cahute.

— Cette maisonnette n'est pas pour moi. Enfin, pas à proprement parler.

Ses trois compagnons la dévisageaient en silence. Elle finit par pouffer en sortant plusieurs feuillets de son sac à main.

— Voici l'acte de propriété du futur centre de santé de Trinity.

— Mais c'est qu'elle plaisante pas, souffla Sam.

Olivia se tourna vers Maggie.

— J'ai pris la liberté de faire de toi la copropriétaire des lieux. J'espère que tu n'y vois pas d'inconvénient.

— Bien sûr que non! s'écria la jeune femme, tout sourire. Mais j'ai pas un sou vaillant pour faire restaurer cette baraque. Encore moins pour la transformer en centre de soins.

Olivia lui passa un bras autour des épaules.

— Je me chargerai des finances, ne t'en fais pas. Toi, tu surveilleras l'endroit si j'ai envie de retourner pendant quelques mois en Angleterre.

— Mais pourquoi moi? murmura la gérante de l'hôtel.

— Parce que, si tu n'es officiellement que ma nièce, je te tiens à présent pour une véritable sœur. Je désirais te faire partager ma chance.

Maggie renifla pour ne pas fondre en larmes.

— C'est trop... Ça va te coûter une blinde, tout ça, et comme moi, j'ai pas un rond, je me sens minable.

— Je t'interdis de penser une chose pareille. Tu es l'unique membre de ma famille qui mérite que je le considère comme tel, et j'ai hérité de ma mère une somme assez considérable.

— Mais je suis pas infirmière, moi. Je servirai à rien...

Olivia lui piqua un petit baiser sur la joue avant de lui tendre un mouchoir.

— Peu importe. J'ai écrit, en Angleterre, à plusieurs amies infirmières. Elles sont jeunes, célibataires, et lasses de l'existence qu'elles mènent dans le Londres de l'immédiat après-guerre. Elles ne résisteront pas à l'appel de l'aventure. Elles viendront s'installer en Australie, crois-moi.

Elle se tourna vers les figures toujours circonspectes de ses compagnons.

— Trinity manque de beaucoup de choses, mais elle manque avant tout de jeunes femmes énergiques, ainsi que d'un centre médical digne de ce nom. Une fois que l'activité de notre dispensaire battra son plein, qui sait si la ville ne prendra pas un réel essor?

— Pour sûr que la population risque d'augmenter, commenta Sam d'un air pince-sans-rire. Dès qu'ils sauront qu'il y a ici tout un tas de minettes, les bonshommes qui travaillent dans les ranchs de la région rappliqueront ventre à terre.

Tout le monde éclata de rire.

— Alors, enchaîna Olivia, nous devrions peut-être songer à créer aussi une maternité, ainsi qu'une crèche et une école maternelle.

Maggie étreignit sa tante.

— T'es une sacrée bonne femme, parole.

Elle n'aurait pas pu trousser plus beau compliment à Olivia, qui faillit y aller à son tour de sa larme. Bras dessus bras dessous, elles regagnèrent l'hôtel.

*

Les deux semaines étaient presque écoulées. Dans quelques heures, William rentrerait, et bien que ses meubles et ses caisses d'emballage eussent déjà rejoint sa nouvelle demeure, il lui restait à organiser le transport de ses chevaux. La chaleur allait s'intensifiant et, à voir au ciel s'accumuler les cumulonimbus couleur de suie, on pouvait en déduire que la tempête qui se lèverait bientôt frapperait fort.

Les mains dans les poches de son pantalon, Irène, debout au milieu du salon, contempla une dernière fois cette maison qui avait été la sienne. Elle lui parut vide, à présent qu'elle l'avait dépouillée de ses trophées d'équitation et de ses objets d'art. La bâtisse lui semblait aussi avoir perdu son âme, privée de la touche féminine qu'elle y avait jadis apportée – plus de coussins, plus de fanfreluches, plus de tapis moelleux.

Elle observa la grande enveloppe brune qu'elle avait déposée sur la table à l'intention de William. Elle avait signé l'ensemble des documents, certes à contrecœur, mais il était inutile de se cabrer – son époux avait toutes les cartes en main, et après le fiasco de Sydney, il lui fallait tâcher de préserver un brin de dignité.

Elle visita les pièces en soupirant. La vie avait déserté cette demeure le jour où Justin l'avait quittée, se dit-elle – son mariage avec William n'y avait pas résisté. Car leur fils était devenu le pivot de leur relation ; ses parents avaient consacré le plus clair de leur temps à l'élever, quand ils ne s'occupaient pas de la gestion de leur domaine. Insensiblement, ils s'étaient éloignés l'un de l'autre.

Le départ de Justin n'avait fait qu'accroître ce fossé creusé par les ans, au point qu'il leur avait fallu admettre, l'un et l'autre, qu'ils n'étaient plus guère que deux étrangers sous un même toit. L'amour permettait à certains couples de rester unis en dépit des années, en sorte qu'une fois leurs enfants envolés du nid la flamme pouvait renaître, mais Irène ne se berçait pas d'illusions. William et elle ne s'étaient jamais aimés, et quant à l'éventuelle passion des premiers temps, elle avait depuis longtemps tari.

Elle sortit pour examiner le ciel depuis la véranda. Les nuages s'y amassaient, d'un gris à chaque instant plus foncé, cependant qu'un pâle soleil tentait de se frayer un chemin parmi ces tentures hostiles, baignant le décor d'une étrange lueur sépia. Il semblait que la fétuque, immobile, se tendît tout entière dans l'attente d'un souffle d'air. Que les eucalyptus à la ramure ployée, trop avides d'une pluie qui ne venait pas, eussent renoncé à combattre. Hommes et chevaux se mouvaient avec lenteur dans la poix brûlante, comme munis de jambes en plomb. Le silence inquiétait.

Irène gagna les écuries. Ce matin, Jimmy avait déjà installé trois montures dans celles de sa nouvelle demeure. La quatrième, une jument, lui posait quelques problèmes. L'homme dut s'y reprendre à plusieurs fois pour la convaincre de grimper dans le van dont, soulagé, il finit par tirer le verrou. Jimmy lui manquerait, songea Irène en se dirigeant vers Plus-que-parfait, car c'était un palefrenier hors pair.

Plus-que-parfait regimbait à son tour, secouant la tête et dansant sur le bout de ses sabots, la lèvre supérieure retroussée. Sa maîtresse parvint néanmoins à lui glisser le mors entre les dents, puis à serrer sa bride. Mais lorsqu'il entendit démarrer le moteur de la vieille camionnette conduite par Jimmy, le cheval coucha ses oreilles, les narines dilatées ; Irène eut toutes les peines du monde à le maîtriser.

Enfin, elle jeta un dernier coup d'œil en direction du ranch, avant de s'élancer au galop derrière le pick-up, qui soulevait des nuages de poussière.

Le trajet lui fit du bien : malgré l'humidité et la chaleur, quand elle parvint en vue de la maison du régisseur, elle se sentait revigorée.

Une maison carrée, coiffée d'un toit s'avançant au-dessus de la véranda étroite pour y dispenser de l'ombre. On avait peint les planches dont les murs étaient faits, ainsi que les fenêtres, la porte d'entrée et les portes à moustiquaire. La cheminée remise à neuf paraissait robuste à présent, ses pierres affectant un aspect velouté dans la lumière inhabituelle de ce jour où l'orage refusait obstinément d'éclater.

Irène entraîna Plus-que-parfait dans la prairie qui ceignait l'édifice. Celui-ci jouissait de peu d'ombre, hors celle que lui offrait un faux-poivrier tout bourdonnant d'abeilles. À l'autre extrémité de cette prairie, en revanche, des eucalyptus entouraient les nouveaux corrals, dont on avait remplacé les abreuvoirs rouillés. Au moins les chevaux ne supporteraient-ils pas toute la journée l'ardeur du soleil. Quant aux pâtures qui s'étendaient derrière les écuries, elles se révélaient luxuriantes, irriguées par des cours d'eau souterrains sillonnant l'ensemble du domaine – c'était à eux, d'ailleurs, que Deloraine devait une part de sa prospérité : même lorsque sévissaient les plus redoutables sécheresses, on n'y manquait jamais d'eau.

Comme elle rejoignait les écuries, Irène constata que Jimmy s'apprêtait à partir.

— Que diriez-vous de travailler pour moi ? lui proposa-t-elle.

Il ôta son chapeau, essuya son front noir couvert de sueur.

— Le patron aimerait pas ça, patronne.

— Je vous verserai le même salaire que lui, se hâta d'argumenter son interlocutrice. Et je ferai arranger un endroit où vous pourrez dormir.

— Désolé, patronne, grommela-t-il en replaçant son chapeau sur son épaisse chevelure en bataille. Faut que j'y aille.

Irène pinça les lèvres en le regardant grimper à bord de la camionnette, puis filer. Sans un homme pour l'épauler, elle risquait de n'avoir pas la vie facile, mais à l'évidence, William avait parlé à ses employés ; elle n'en débaucherait aucun. Les bonnes avaient également décliné ses offres d'emploi, de même que la cuisinière. Cela faisait tant d'années qu'elle n'avait plus fait le ménage ou la lessive, ni préparé ses repas... Hors de question pour elle de s'en charger à nouveau. Elle se rendrait donc bientôt à Trinity, où elle déposerait une annonce en vue de recruter un garçon d'écurie et quelques domestiques – elle n'irait pas de gaieté de cœur, mais les circonstances ne lui laissaient pas le choix. Elle observa le pick-up jusqu'à ce qu'il eût disparu. L'étau du silence se referma sur elle en même temps que celui de la canicule. Elle se trouvait ici à mille lieues de la civilisation. Elle allait souffrir. Elle allait éprouver une solitude absolue, telle qu'elle en avait rarement ressenti. Avant que ses émotions la submergent, elle se détourna.

Ayant installé Plus-que-parfait dans son box, elle s'assura qu'il avait assez à manger et à boire, vérifia le verrou de la porte, puis regagna la maison. Elle aurait dû donner un nom à cette bicoque, songea-t-elle un instant, mais dans le fond, elle s'en moquait : elle n'avait nulle intention de s'y enterrer jusqu'à la fin de ses jours.

Les parquets, récemment poncés, avaient été vitrifiés. Irène ouvrit la porte, parcourut les pièces : les domestiques avaient effectué un travail remarquable. Dominant la véranda, la chambre se révélait ombragée. Accueillante, aussi : la nouvelle habitante des lieux avait orné les murs de plusieurs photographies, elle avait installé des tapis sur le sol et, dans un coin de la pièce, son fauteuil préféré. Les bonnes avaient fait le lit – les draps amidonnés réclamaient en silence qu'on se glissât entre eux, tandis qu'un ventilateur vrombissait au plafond.

Elle se rendit au salon. La cheminée de pierre en imposait, à présent qu'on avait garni son manteau d'une poutre en bois de pin. Les verres et la porcelaine se trouvaient remisés dans de charmantes vitrines qu'Irène tenait de sa mère. Ses trophées et ses bronzes trônaient, pour leur part, sur des étagères courant le long d'un mur. Le fauteuil et le canapé avaient certes connu des jours meilleurs, au point qu'elle avait d'abord songé à les remplacer par des neufs, mais pour finir elle s'était dit qu'ils feraient l'affaire encore un moment.

Situées à l'arrière de la demeure, la cuisine et la salle de bains consistaient en deux pièces carrées, fonctionnelles – le seul luxe de la seconde tenait à l'eau chaude, directement issue du puits artésien. Le générateur qui fournissait à Irène l'électricité dont elle avait besoin ronronnait doucement ; il serait son unique compagnon.

Elle se déshabilla, emplit la baignoire, dans laquelle elle se plongea longuement, avant d'enfiler un peignoir en éponge, puis de rejoindre la cuisine.

Il faudrait allumer le fourneau, mais vu la chaleur ambiante, pour l'heure elle ne s'en souciait guère. Le garde-manger regorgeait de boîtes de conserve, la cuisinière de Deloraine avait déposé du pain, du lait et du beurre sur le plan de travail en marbre, ainsi qu'un gigot d'agneau dans le charnier. Irène se prépara un gin tonic, puis un sandwich, qu'elle emporta avec elle, toujours pieds nus, sur la véranda.

La lune, dans un ciel d'encre, jouait à cache-cache entre des nuages qui galopaient. Une poignée d'étoiles brillaient ; la touffeur ne s'était pas apaisée avec la nuit. Elle prit place dans l'un des deux fauteuils pour écouter le silence. La quintessence de cette contrée primitive semblait l'appeler, son principe millénaire l'enveloppait tel qu'une cape chargée de mystère, pour l'entraîner vers les ténèbres infinies...

Une profonde solitude referma ses mâchoires sur Irène, qui prit soudain conscience de tout ce qu'elle avait perdu. Pour la deuxième fois de son existence, elle éprouva l'atroce souffrance de se savoir abandonnée. Les larmes se mirent à couler sans qu'elle y prît garde, elles roulaient sur ses joues pour tomber une à une sur ses mains, tandis qu'elle se remémorait avec chagrin son premier délaissement.

La petite chambre miteuse, au-dessus du magasin d'alimentation animale de Flinders Street, lui parut plus morne encore que dans son souvenir. Irène, qui l'attendait, arpentait le plancher poussiéreux, de temps à autre s'immobilisant à la fenêtre pour en soulever le rideau et scruter la rue avec angoisse. Il était en retard. S'il ne se dépêchait pas, elle serait contrainte de partir. Jessie en effet, qui nourrissait des soupçons, avait exigé qu'elle regagnât la maison dans moins d'une heure. Si l'adolescente n'obéissait pas, la gouvernante s'ouvrirait à Eva de ses doutes. Irène ne souhaitait pas se quereller encore avec sa mère.

Son pas dans l'escalier la fit sursauter. Aussitôt elle lissa son manteau, rajusta sa coiffure… Elle avait tout spécialement soigné son apparence aujourd'hui, de sorte qu'en dépit des nuits sans sommeil et des vomissements matinaux elle savait que jamais elle n'avait semblé plus à son avantage. Hélas, cela suffirait-il à prouver à Eva et Jessie qu'elles s'étaient fourvoyées sur le compte du garçon? Elle l'espérait de tout son cœur, car il s'agissait là de la seule arme dont elle disposât.

Et déjà, il se tenait dans la pièce, le teint rayonnant sous l'effet du froid.

— Pardon d'être en retard, souffla-t-il en l'étreignant. Mais ton père m'a confié quelques courses à faire. Impossible d'arriver ici plus tôt.

La jeune fille fondait entre ses bras, les lèvres de son amant la réchauffaient, leur contact embrasait son désir; elle tremblait à présent de la tête aux pieds. Elle se cramponnait à lui – il lui fallait puiser dans la force de l'homme assez de courage pour lui livrer enfin son aveu.

Lorsqu'ils s'écartèrent l'un de l'autre, elle porta une main gantée à ses cheveux, aux cheveux cuivrés de son amant, parcourus de fils d'or qui brasillaient dans la lumière chiche. Son regard se révélait d'un brun très sombre et semé de menues pépites d'ambre de sous les sourcils fauves. Il arborait en outre un nez droit, au-dessus d'une moustache épaisse, et son menton se creusait d'une fossette. Et puis cette bouche… Cette bouche sensuelle et conçue pour le rire… Il était splendide, plein encore de l'exubérance de la prime jeunesse malgré ses trente-huit ans.

Il l'embrassa sur le nez, puis le front.

— Tu m'as manqué, murmura-t-il. Et il ne nous reste que peu de temps avant mon départ. Où te cachais-tu donc ces jours-ci?

Elle brûlait de tout lui confier mais, d'abord, elle devait connaître la vérité.

— M'aimes-tu?

Dans sa voix, contre son gré, le doute s'était ouvertement insinué.

Il fronça les sourcils en l'attirant à lui.

— Petite sotte, lâcha-t-il avant de laisser courir ses lèvres sur le visage et le cou de la jeune fille.

Elle recula. S'il continuait, elle serait perdue, or elle avait besoin de réponses claires et franches à ses questions.

— Alors, m'aimes-tu? exigea-t-elle de savoir.

Il se passa une main dans les cheveux, dont plusieurs mèches lui tombèrent sur les yeux.

— Bien sûr, répondit-il en tâchant à nouveau de la serrer contre lui. Allons, ne perdons pas de temps en bavardages. Les pauvres minutes qu'il nous est donné de passer ensemble sont trop précieuses pour que nous les gâchions en balivernes.

Irène plaqua une main sur le torse du garçon pour le maintenir à distance.

— Tu m'as promis de quitter ton épouse pour moi. Le feras-tu?

Il parut tout à coup mal à l'aise.

— Pour le moment, les choses sont un peu compliquées. Les filles sont encore petites, tu sais. Et Helen possède une santé fragile. Elle a déjà bien du mal à supporter mes absences prolongées.

Il baissa le regard vers sa maîtresse.

— Tu ne m'as toujours pas dit où tu étais passée ces jours derniers.

— J'avais des courses à faire, répliqua-t-elle sèchement. Mais n'essaie pas de changer de sujet.

— Bonté divine, soupira-t-il. Nous n'allons pas encore nous disputer?

Irène secoua la tête. Elle n'avait pas l'intention de le contrarier, encore moins de le perdre à force de caprices tels qu'auraient pu lui en imposer ses fillettes.

— Mais il faut que nous parlions. J'ai quelque chose d'important à t'apprendre, et je te demande de m'écouter.

De la méfiance se lut immédiatement dans l'œil de l'homme, qui croisa les bras sur son large torse.

— Ton père m'attend à son bureau. Alors fais vite, s'il te plaît.

La gorge d'Irène se noua. Son pouls s'accélérait, l'effroi s'agitait en elle à la façon d'un fauve en cage. Tous ses projets d'avenir se trouvaient suspendus à cet unique instant.

— J'attends un bébé, parvint-elle à articuler, hors d'haleine.

Ses yeux noirs se réduisaient à deux têtes d'épingle acerbes, dans un visage qui avait blêmi.

— J'espère que tu te trompes.

Irène tremblait. Elle ignorait, en venant ici, comment il accueillerait la nouvelle, mais cette réaction excédait ses pires craintes. Elle passa la langue sur ses lèvres desséchées.

— On m'a confirmé la nouvelle hier, chuchota-t-elle. J'avais cru que tu serais content.

— Qui est le père?

Il venait de s'exprimer d'une voix dure, sans plus rien de commun avec cette voix de velours qui, hier encore, faisait frissonner sa maîtresse.

— Toi, répondit-elle, offusquée – la question, ignominieuse, continuait de résonner à l'intérieur de son crâne.

— Comment puis-je en avoir l'assurance? s'acharna-t-il. Je n'étais pas le premier, Irène. Je doute d'être le dernier.

— Espèce de salaud! glapit-elle en levant une main pour le gifler.

Il lui saisit les poignets, qu'il serra en la fusillant du regard.

— Comment as-tu pu te montrer aussi stupide? l'accabla-t-il. Et moi qui m'imaginais que tu savais t'y prendre.

Lorsqu'il avait abordé le sujet, au début de leur liaison, elle n'avait pas saisi de quoi il souhaitait l'entretenir au juste. Pour éviter de paraître trop sotte, et trop mal dégrossie, elle avait alors menti. Puis, à mesure que le temps passait et qu'elle acquérait peu à peu la conviction qu'elle pouvait envisager un avenir commun avec son amant, elle avait songé qu'il ne quitterait son épouse à coup sûr que si elle-même portait son enfant.

— J'ai... Je suis..., balbutia-t-elle. Je ne sais pas comment c'est arrivé... J'ai peur, lui confia-t-elle. Ma mère menace de m'obliger à quitter Melbourne, car elle refuse catégoriquement de croire que tu vas rester auprès de moi.

Elle se pencha vers lui en versant des larmes brûlantes.

— Mais tu ne comptes pas m'abandonner, n'est-ce pas? Pas après tout ce que tu m'as promis?

Il la repoussa doucement avant de se passer à nouveau une main dans les cheveux.

— Que puis-je faire, Irène?

Sa voix se brisait.

— J'ai au moins vingt ans de plus que toi, j'ai une épouse malade et quatre enfants en bas âge. Notre relation n'était pas destinée à durer. Je croyais d'ailleurs que tu l'avais saisi. Je pensais m'être fait parfaitement comprendre dès nos premiers rendez-vous. Si je demeure à tes côtés, le scandale anéantira ma famille. Il ruinera par la même occasion tout ce que je suis parvenu à obtenir en me tuant à la tâche depuis de nombreuses années.

— Et ma réputation? s'exaspéra la jeune femme, que la terreur rendait mordante.

Il s'approcha de la fenêtre, contre laquelle il appuya son front pour contempler la rue.

— On m'a parlé d'une femme. Elle habite du côté du port. Je vais me renseigner.

— Une femme? s'étonna Irène en fronçant les sourcils. Quelle femme?

— Une femme susceptible de régler ton petit problème, dit-il entre ses dents. Contre rétribution, cela va de soi.

— Mais je t'aime, haleta l'adolescente. Te rends-tu compte que c'est notre bébé dont tu es en train d'organiser le meurtre?

Elle se précipita vers lui pour jeter ses deux bras autour de sa taille, la joue contre son dos.

— Ne m'oblige pas à faire une chose pareille, je t'en supplie. Dis-moi que tu pensais sincèrement toutes les choses que tu m'as confiées pendant que nous faisions l'amour, dis-moi que nous resterons ensemble à jamais. Dis-moi que tu veux bien de cet enfant et que tu t'occuperas de lui et de moi, quelles que puissent être les conséquences.

251

— C'était des paroles en l'air, voyons, prononcées dans le feu de la passion. Des rêves que j'exprimais sans songer une seconde à les réaliser un jour, des rêves qui comblaient mes après-midi avec toi…

Il se retourna, l'œil hagard, puis étreignit sa maîtresse.

— Je suis navré, murmura-t-il. Réellement navré.

Les affres dans lesquelles Irène se trouvait plongée lui sautèrent à la figure, au point que, lorsqu'il lui baisa le front, elle sentit un frisson d'épouvante lui parcourir l'échine. Et déjà, il avait filé. Elle entendit claquer la porte. Elle entendit ses pas dans l'escalier. Puis le silence tomba.

Elle laissa échapper un long gémissement, qui s'éleva comme en spirale vers le plafond. Irène s'effondra sur le sol.

— Mais tu avais dit que tu m'aimais, sanglota-t-elle. Tu avais dit que rien ne pourrait nous séparer. Ce que j'ai fait, je l'ai fait pour toi! hurla-t-elle.

Seules l'entendirent les particules de poussière flottant parmi les minces rayons de soleil qui parvenaient à se frayer un chemin à travers la vitre sale.

Assise sur la véranda au cœur de la nuit suffocante, Irène fixait les ténèbres. Il lui semblait entendre encore les sanglots qu'elle avait versés à l'époque. Elle revivait son supplice, quand elle avait compris que les plans ourdis pour retenir son amant venaient de s'écrouler. Il ne souhaitait plus qu'une chose : couper les ponts avec elle et l'enfant qu'elle portait. Son ambition professionnelle l'emportait sur toute autre considération – il jouait sur du velours : la jeune fille, il ne l'ignorait pas, craindrait si fort la réaction de son père qu'elle se tairait.

Elle cligna des yeux, porta le verre à ses lèvres. Ses souvenirs à présent la submergeaient ; elle sentit à peine le goût du gin tonic.

Une enveloppe était arrivée deux jours plus tard. Elle contenait le nom et l'adresse d'une femme résidant dans la baie de Port Phillip, ainsi que quarante livres en billets crasseux. Il se trouvait également un message, lui intimant l'ordre de n'utiliser cet argent que pour régler le problème

252

qu'il était destiné à régler – l'homme ajoutait qu'il ne désirait plus jamais la revoir ni entendre parler d'elle. Si, d'aventure, elle allait contre sa volonté, il nierait l'avoir jamais fréquentée. Il nierait avoir eu jamais connaissance de sa grossesse.

Eva, découvrant sa fille en pleurs, avait exigé de lire la lettre. Elle s'était abstenue – de cela, au moins, Irène lui savait gré – d'accueillir la nouvelle par un «Je te l'avais bien dit». Au lieu de quoi elle avait étreint son inconsolable enfant. Cette nuit-là, Jessie et sa maîtresse avaient couché la jeune fille, pour demeurer ensuite à son chevet jusqu'à ce qu'elle s'endormît, comme au temps de son enfance.

C'était la dernière fois qu'elle dormait dans leur demeure de Melbourne. La dernière fois qu'elle partageait un brin d'intimité avec sa mère : dès le lendemain en effet, le fossé qui les séparait s'était révélé à jamais infranchissable.

Le jour suivant, Irène descendit au rez-de-chaussée pour découvrir, dans le hall, des valises et des cartons à chapeaux. Eva et Jessie se querellaient âprement au salon.

— Je vous laisserai pas ici, décréta la gouvernante, les poings sur les hanches et le teint rubicond.

— Vous ferez ce que je vous commande de faire, répliqua Eva d'un ton péremptoire.

— C'est pas juste, maugréa Jessie. Vous êtes sa mère. C'est vous qui devriez partir avec elle, pas moi.

Irène en avait suffisamment entendu. Elle pénétra dans la pièce.

— Personne ne se rendra nulle part avant que j'aie compris ce qui se trame dans cette maison. Que font mes bagages dans l'entrée?

Eva se détourna de la gouvernante pour s'adresser à sa fille :

— Jessie et toi allez vous rendre dans le nord du pays, décréta-t-elle. Je vous ai déjà réservé des billets. Vous prendrez le train du soir.

Irène guigna la gouvernante, le visage toujours empourpré, l'œil agressif.

— Je refuse de voyager avec Jessie. Pourquoi ne peux-tu pas m'accompagner?

— Parole, j'en ai pas plus envie que toi. Mais ta mère veut rien entendre.

Elle gardait les bras croisés sous sa poitrine opulente.

Eva prit une profonde inspiration.

— À midi, ton père partira en expédition dans le Territoire du Nord, lâcha-t-elle d'une voix que ses émotions, même muselées, faisaient tressaillir. Il est de mon devoir de rester ici jusqu'à son retour.

— Il te suffirait pourtant de lui laisser ta nouvelle adresse, s'entêta Irène.

— Non. Tu vas m'obéir, pour une fois. J'ai déjà bien assez de soucis pour ne pas devoir, en outre, supporter ton comportement d'enfant gâtée.

La jeune fille se hâta de réfléchir. À l'évidence, elle ne pouvait demeurer à Melbourne. Quant à la femme dont son ancien amant lui avait fourni l'adresse, il n'en était pas question : trop dangereux. Cependant, la perspective de voyager plus d'une journée ou deux en compagnie de Jessie lui hérissait le poil.

— Où ça, dans le nord ? finit-elle par s'enquérir.

— Cairns.

L'effroi écarquilla les yeux de la jeune fille.

— Mais Cairns se situe à l'autre bout du pays, lâcha-t-elle dans un hoquet. Il va nous falloir une éternité pour nous y rendre. Et puis, une fois sur place, où allons-nous loger ?

— J'ai fait transférer de l'argent dans une banque locale, avec lequel Jessie achètera une demeure où vous vous installerez toutes les deux jusqu'à ton accouchement. Je vous rejoindrai dès que j'aurai l'assurance que ton père est sain et sauf.

— Mais d'ici là, il peut s'écouler plusieurs mois…, se récria sa fille.

— J'espère bien que non. Quoi qu'il en soit, tu te présenteras aux gens que tu auras l'occasion de croiser comme une jeune veuve.

Elle soupira.

— En cette période de guerre, hélas, ces malheureuses sont légion. Jessie et toi mettrez au point un récit crédible durant votre voyage, auquel vous vous tiendrez l'une et l'autre pour éviter tout scandale.

— Reviendrons-nous ici lorsque tout sera terminé?

— Cela dépendra de la manière dont tu te comporteras après la naissance de l'enfant, répondit Eva avec un haussement d'épaules. Je ne souffrirai pas d'autre esclandre.

— Je le proposerai à l'adoption, déclara Irène avec fermeté. Que pourrais-je bien faire d'un bébé?

Sa mère la dévisagea sans ciller.

— Il aurait mieux valu que tu te poses cette question un peu plus tôt.

*

Les voyageuses ne cessaient de changer de train; leur périple semblait interminable. Irène, qui s'efforçait la plupart du temps d'ignorer Jessie, regardait par la fenêtre: le train traversait avec fracas des plaines désolées qui tremblotaient dans la chaleur. La jeune fille, qui avait grandi en ville, s'offusquait à chaque gare. Car il s'agissait moins de gares à proprement parler que de simples voies de garage, avec un point d'eau pour la machine, et pour toute présence humaine un homme sur son cheval attendant qu'on l'embarquât jusqu'à l'avant-poste suivant.

Chaque fois que le convoi longeait des propriétés situées loin de tout, cernées de fétuque et de broussailles où le bétail paissait sous des cieux immenses, la jeune fille fronçait les sourcils: quel genre d'individus pouvait supporter de vivre dans un pareil isolement? Il fallait assurément posséder un étrange caractère pour apprécier cette existence. Irène décida que cette existence-là, jamais elle ne la mènerait. Trop d'espace. Trop de ciel...

Son père, cependant, goûtait cette solitude, cette vacuité, et même s'il prétendait le contraire, il avait à peine posé le pied à Melbourne que, déjà, il rêvait de repartir en mission d'arpentage dans des contrées lointaines. Il demeurait indifférent aux attraits de la grande ville, et bien qu'il réaffirmât régulièrement l'amour qu'il portait à son épouse et à leur fille,

Irène le soupçonnait de leur préférer la liberté. Les hommes se révélaient, décidément, de bien étranges créatures...

Au bout d'une semaine, les deux voyageuses découvrirent de vertes collines, ainsi que des champs de canne à sucre, qui s'étendaient au pied de montagnes enveloppées de vapeurs bleutées. Un parfum sucré embaumait l'air, de plus en plus prononcé à mesure qu'elles se rapprochaient des hautes cheminées grises d'El Arish; Irène demanda à l'un des passagers de quoi il s'agissait.

— Ce sont les raffineries. On y traite le sucre, qu'on transporte ensuite dans les distilleries, pour le changer en rhum.

La jeune fille reporta son attention sur le spectacle qui s'offrait à elle. Ici, dans le nord de l'Australie, doté d'un climat tropical, elle faisait l'expérience d'un autre monde, où les palmiers poussaient plus haut que les maisons, où d'exubérantes plantes vertes aux fleurs tantôt d'un rose éclatant, tantôt d'un orange des plus vifs, submergeaient des rocs noirs d'où des cascades dégringolaient dans des rivières ou des lacs. Des oiseaux exotiques s'ébattaient au cœur de cette verdure, des oiseaux dont les plumes déclinaient toutes les couleurs de l'arc-en-ciel contre les mystérieuses ramures sombres... Irène poussait des cris de joie. Peut-être, finalement, allait-elle goûter son exil.

Elle s'installa avec Jessie dans un petit hôtel de Cairns. Aussitôt, la gouvernante se mit en quête d'un logis provisoire pour toutes les deux. Trois semaines plus tard, elles prenaient leurs quartiers dans la modeste maison de bois juchée sur la dune, d'où elle dominait la mer, à Trinity. La demeure se situait plus au nord qu'elles ne l'auraient souhaité, mais elle était la seule sur laquelle Eva et Jessie fussent tombées d'accord.

La grossesse d'Irène allait son train. Dans le même temps, la chaleur et l'humidité augmentaient. L'été arrivait. Puis vint la saison des pluies : les routes en terre battue disparaissaient sous les eaux, l'averse tambourinait contre les toits, l'horizon s'effaçait derrière son rideau. L'océan, turquoise quelques semaines plus tôt, prit des tons d'ardoise, tandis que les vents chauds venus du détroit de Torrès y faisaient mousser de l'écume au sommet des vagues. Ces rafales de vent et de pluie mêlés ne duraient guère plus d'une heure, après quoi le soleil tapait à nouveau – la terre fumait sous un ciel sans nuages.

La jeune femme commença de haïr l'enfant qu'elle portait. Il se tortillait, lui donnait des coups ; sa présence en elle lui levait le cœur. Elle ne rêvait plus que d'en être enfin débarrassée. Elle évitait les miroirs, se jugeant énorme et pataude – impossible désormais d'enfiler les si jolies tenues qu'elle avait apportées dans ses bagages. Elle ne tarda pas non plus à mépriser Trinity, ainsi que la minable bicoque qu'on l'avait contrainte à partager avec Jessie. Ses amis de Melbourne lui manquaient. Et ses chevaux. Il n'y avait ici strictement rien à faire, rien qui pût détourner ses pensées de l'épreuve qu'elle endurait. Quant à jouer les veuves de guerre, cela ne l'amusait plus, et elle peinait à rassembler assez d'énergie pour feindre encore de se réjouir à la perspective d'accoucher bientôt de cet ignoble bébé.

À Trinity, elle ne trouvait à fréquenter que de vilaines bonnes femmes mal fagotées, sérieuses comme des papesses, qui tricotaient pour les jeunes Australiens partis combattre en Europe, quand elles ne se démenaient pas pour lever des fonds en leur faveur, vendant entre autres des confitures maison. Irène, qui estimait ne posséder aucun point commun avec ces campagnardes rustaudes, parvenait de loin en loin à les éviter en prétextant que son chagrin l'incitait à davantage de solitude.

Jessie, de son côté, s'agitait. Elle préparait de succulents repas dans la cuisine surchauffée, tricotait de minuscules gilets, ainsi que de petits chaussons pour l'enfant à naître – Irène avait renoncé à lui répéter qu'elle proposerait ce bébé à l'adoption dès qu'il aurait poussé son premier cri, car sur ce point, la gouvernante faisait la sourde oreille, persuadée que la jeune fille changerait d'avis le jour venu.

Celle-ci rédigeait de longues lettres à sa mère qui, à sa grande surprise, lui manquait beaucoup. Eva, qui écrivait aussi, lui apprit que l'expédition emmenée par son époux avait rencontré des difficultés inattendues : les intrépides explorateurs s'étaient volatilisés depuis plusieurs mois. Ainsi, le père et l'amant d'Irène avaient tous deux disparu, en sorte que cette dernière ne connaissait plus de repos ; son tourment s'intensifiait au fil des semaines. Elle se trouvait loin de toute civilisation, loin de tout ce qui aurait pu lui rappeler, de près ou de loin, l'existence qu'elle avait menée à Melbourne, loin des nouvelles, qu'elle attendait dès lors avec fièvre. À Melbourne, songeait-elle, elle serait certes demeurée pareillement impuissante, mais elle se serait sentie mieux.

Par surcroît, elle discernait le désespoir d'Eva entre les lignes qu'elle lui envoyait ; pour la première fois de sa vie, Irène comprenait ce qu'éprouvait sa mère. C'était là un lien étrange qui soudain les unissait, un lien que ni l'une ni l'autre n'évoquerait jamais, car la liaison d'Irène avec le bras droit de son père resterait pour toujours un sujet tabou.

À celui-ci, la jeune femme troussait d'interminables missives pour tromper son émoi. Elle n'ignorait pas qu'il ne les recevrait peut-être jamais, mais pour mince qu'il fût, l'espoir d'apprendre un jour qu'il avait pu les lire quand même la soutenait. Elle finit néanmoins par admettre que tout était perdu, lorsqu'une amie lui apprit le décès de son épouse. Dès lors, elle redoubla de vigueur, écrivant au jeune homme jusque tard dans la nuit – mais tandis qu'à nouveau les semaines s'égrenaient, et que l'enfant honni grossissait à l'intérieur de son ventre, ses larmes se mêlaient à l'encre de son stylo. Elle se gronda : il fallait qu'elle gardât foi en lui. Il fallait qu'elle crût de toutes ses forces qu'il allait survivre à cette mission pour regagner enfin Melbourne.

Pour récupérer le courrier, il fallait se rendre au petit bureau de poste de Trinity. Chaque jour, Irène se chargeait de la besogne. Elle craignait en effet que Jessie n'ouvrît une lettre qu'elle n'aurait pas dû ouvrir, ou ne posât des questions embarrassantes à la jeune fille. Cela dit, elle n'avait rien reçu de son amant depuis les quarante livres destinées à l'avortement. Elle regrettait aujourd'hui de n'avoir pas eu le courage d'aller trouver cette femme, qui lui aurait épargné cet abominable exil. Si seulement il lui répondait... Si seulement il ravivait le lien qui les unissait... Depuis le décès de son épouse, il n'existait plus d'obstacle à leur bonheur. S'il rentrait sain et sauf de cette expédition, nul doute qu'il changerait d'avis...

Elle ne reconnaissait pas l'écriture sur cette enveloppe. Elle se figea puis, le cœur battant, s'assit sur un muret qui courait le long de la plage. Il avait répondu, se dit-elle. Enfin, il lui avait répondu...

Elle déchira l'enveloppe, dévora les mots ramassés sur un unique feuillet.

> *Mademoiselle Hamilton,*
> *Je ne puis que regretter la décision que vous avez prise en dépit des conseils prodigués par mon client. Assurément, vous aviez vos raisons pour agir de la sorte, mais mon client m'a demandé de vous informer qu'il ne souhaite en aucun cas se voir impliqué dans vos machinations. Vous n'ignorez pas que mon client ne se trouve pas actuellement en mesure de correspondre avec vous, mais avant de partir en expédition, il m'a ordonné de vous retourner toutes les lettres que vous seriez susceptible de lui adresser. Il m'a en outre prié de vous faire savoir qu'il tiendrait pour du harcèlement toute autre tentative de votre part de prendre à nouveau langue avec lui.*
> *Par ailleurs, il nie vigoureusement avoir entretenu une liaison intime avec vous et, par voie de conséquence, refuse de reconnaître votre enfant si vous deviez en avoir un. Si vous persistez néanmoins à le calomnier, il n'aura d'autre recours que de porter cette affaire en justice. Veuillez, mademoiselle Hamilton, considérer cette missive comme l'ultime contact entre mon client et vous-même.*

La signature au bas de la page se réduisait à un gribouillis vague. Irène chiffonna la lettre et regarda l'océan. Il s'agissait là de mots cruels, mais s'il s'imaginait qu'une épître de son avocat suffirait à clore le chapitre, il se trompait lourdement. Car depuis son départ de Melbourne, sa situation avait changé : il était redevenu un homme libre.

Assise à présent sur la digue, la jeune femme fixait l'horizon sans le voir. Si son père et son amant en réchappaient, alors ce dernier regagnerait Melbourne pour découvrir que son épouse était morte, qu'il se retrouvait avec quatre enfants à charge; il se sentirait seul.

Tant que les explorateurs ne donnaient pas de leurs nouvelles, l'espoir demeurait. À ceci près que pour aller au bout de son projet, Irène devait garder ce fichu bébé. Pour la première fois depuis de longues semaines, elle sourit, car c'était là un prix minime à payer pour une telle récompense. Son amant possédait beaucoup d'argent, il était beau et, depuis le décès opportun de son épouse, libéré des chaînes du mariage. Cette fois, il n'aurait plus la moindre excuse à lui opposer.

D'innombrables pensées se bousculaient dans sa tête, son impatience croissait… Le jour où cet enfant consentirait à voir le jour, elle pourrait regagner Melbourne, où elle prendrait sous son aile les quatre petites orphelines. Jessie se chargerait de les amadouer. Après tout, depuis leur installation à Trinity, elle n'avait cessé de tricoter pour le bébé à naître, de lui chercher des prénoms plus ridicules les uns que les autres. En revanche, Irène allait devoir continuer à jouer les veuves. Cela lui déplaisait, mais s'il fallait en passer par là pour obtenir ce qu'elle désirait sans plus risquer de provoquer un scandale, alors elle continuerait à feindre de bon cœur.

Pas une seconde elle ne se dit que, peut-être, ni son père ni son amant ne sortiraient vivants de cette aventure. Pas une seconde elle n'envisagea que ses parents pussent s'opposer à cette union.

Elle se massa le dos pour tenter d'apaiser la douleur qui la taraudait depuis le matin. Elle se leva avec peine, prit une profonde inspiration en contemplant le long sentier sableux qu'elle allait devoir parcourir pour regagner la maison. Cette chaleur l'accablait.

Le soleil, qui se réverbérait sur le sable blanc, l'aveuglait. Elle avait du mal à marcher, et la douleur s'intensifiait. Elle s'arrêta un moment pour reprendre haleine et éponger la sueur qui lui inondait le visage. Ce n'était quand même pas le bébé? Elle ne devait pas accoucher avant deux semaines.

Jessie l'attendait à la porte, comme à l'accoutumée, et pour une fois Irène s'en réjouit.

— Il arrive, haleta-t-elle en s'effondrant entre les bras de la gouvernante.

— Je l'aurais parié. Depuis quelques jours, tu étais pâle comme un linge.

Elle l'entraîna vers la chambre, où elle l'aida à se déshabiller.

— Allonge-toi, je vais préparer tout ce qu'il faut.

Sur quoi Jessie quitta la pièce au triple galop.

Irène, pour sa part, se laissa tomber sur les draps frais, puis ferma les paupières. À mesure que la fréquence des contractions augmentait, l'allégresse la gagnait. Bientôt, c'en serait terminé du calvaire, et la vie, enfin, reprendrait ses droits. Elle retrouverait sa silhouette longiligne, elle retrouverait tous ses attraits, elle écumerait les boutiques pour y renouveler sa garde-robe, s'étourdirait comme autrefois aux mille distractions offertes par Melbourne. Mais surtout, elle quitterait à jamais cette prison.

— C'est bien, l'encourageait Jessie quelques minutes plus tard. Pousse. Arrête donc de geindre et de te débattre. Ce bébé, tout ce qu'il veut, c'est sortir. Tu l'aides pas beaucoup.

La jeune femme empoigna les draps avant de se cambrer. La douleur devenait intolérable; elle ruisselait de sueur. Personne ne lui avait décrit ces affres.

— Débarrasse-moi de ce truc! hurla-t-elle.

16

Malgré cette exécrable humidité, jamais Gilles ne s'était senti plus en forme. Il nageait à présent deux fois par jour, sans plus se soucier de son infirmité. Il aimait la vie de nouveau, et après avoir observé les prouesses accomplies par Cloche-Patte et Smokey dans leur scierie, il s'était enfin convaincu que rien n'empêchait un invalide de guerre de mener une existence prolifique. Aujourd'hui cependant, il avait la mine sombre. Il marchait dans le sable en compagnie d'Olivia – les jeunes gens observaient les éclairs qui vacillaient au loin.

Son amie s'immobilisa tout à coup pour poser une main sur son avant-bras.

— Que se passe-t-il? s'enquit-elle. Qu'est-ce qui te chagrine?

Il contempla les eaux noires en tâchant de trouver les mots justes.

— Je me sens mal à l'aise, commença-t-il avant d'émettre un rire ténu. Un peu mis sur la touche, pour être tout à fait honnête. À cause du centre médical, de Maggie et du reste…

Elle le considéra avec perplexité.

— Mais pourquoi? Le centre de santé représente un projet auquel nous pouvons nous atteler tous. Je croyais que cette idée t'enthousiasmait.

Le pâle clair de lune posait des aplats blafards sur son visage.

— Je suis…, commença Gilles. Mais…

— Mais quoi? le brusqua son amie, que l'impatience agaçait. Allons, parle, voyons.

— Tu as beaucoup changé, tu sais, depuis notre arrivée en Australie. J'ai fini par me rendre compte que je te connaissais à peine…

— Je n'ai pas changé. Pas vraiment. Ce sont mes priorités qui ont changé.

Elle soupira, puis s'assit sur le sable en ramenant ses genoux contre sa poitrine.

— Je suis venue ici pour découvrir la vérité, mais je m'attendais si peu à ce que j'ai mis au jour que ma quête initiale en a été chamboulée.

Elle sourit.

— Cette ville et les gens que j'y ai rencontrés ont pris plus d'importance à mes yeux que ce puzzle dont je tentais jusqu'ici de récupérer les pièces une à une.

— Tu n'es pas un peu curieuse, tout de même? lui demanda Gilles en s'asseyant à côté d'elle.

— Bien sûr que si. Mais tous les registres ont disparu dans l'incendie qui s'est déclaré à Brisbane en 1929. Je crois qu'il va falloir que je me fasse à l'idée de ne jamais savoir ce qui se cachait derrière les documents que j'ai dénichés dans le bureau d'Eva.

Gilles batailla quelques instants avec son briquet, réussit enfin à allumer un cigarillo. Cette question, il se devait de la poser, mais il redoutait la réponse :

— Comptes-tu rester ici?

Le menton sur les genoux, Olivia fixa les ténèbres.

— Pour le moment, oui, murmura-t-elle. Maggie et moi commençons à peine à nous connaître, et il reste tant à faire pour mettre sur pied le dispensaire.

— Mais une fois que ce sera fait, insista le jeune homme. Regagneras-tu l'Angleterre?

Elle garda si longtemps le silence que Gilles finit par se demander si elle avait entendu sa question, ou si elle tentait tout bonnement de l'esquiver.

— Peut-être, laissa-t-elle enfin tomber. Je n'en sais rien.

Elle se remit debout.

— Je n'ai pas laissé grand-chose derrière moi à Londres, tu sais. Juste une grande maison vide et un emploi dans un vieil hôpital qu'on aurait sans doute dû condamner depuis plusieurs années. C'est ici, à présent, que je me sens chez moi, soupira-t-elle. Wimbledon me fait l'effet d'une autre vie. Tellement éloignée de celle que je mène à Trinity que c'est presque comme si elle n'avait jamais existé.

La jeune femme s'était exprimée sur un tel ton d'indifférence que Gilles eut l'impression de voir s'évanouir d'un coup tous les précieux souvenirs de leur enfance commune. Il se releva à son tour.

— Et moi? Quelle est ma place dans ce décor flambant neuf?

Elle le considéra d'un œil paisible.

— Celle qui te convient le mieux.

La tension entre eux faisait écho à l'électricité qui flottait dans l'air à l'approche de la tempête.

— La place d'un ami? D'un frère de substitution? D'autre chose?

Il prit une profonde inspiration.

— Et si je t'avoue que je souhaite vivre à tes côtés pour toujours?…

Olivia baissa le menton; ses longs cheveux formèrent comme un rideau de soie entre le jeune homme et elle. Elle ne savait plus que penser. La confession de Gilles l'avait cueillie.

— Pour toujours, répéta-t-elle dans un murmure. Cela fait beaucoup.

Son ami lui souleva le menton du bout des doigts, afin de la contraindre à le regarder en face.

— Olivia Hamilton, commença-t-il avec fermeté. Je t'aimais déjà lorsque tu n'étais qu'une gamine maigrichonne affublée de tresses et de genoux écorchés. Nulle part je ne me sentirai mieux qu'avec toi, et du moment que nous demeurons ensemble, je suis prêt à te suivre jusqu'à Tombouctou.

Il s'interrompit un instant.

— À condition que tu veuilles de moi, bien sûr. En qualité d'époux.

— Eh bien…, souffla la jeune femme. Quelle déclaration.

Plongeant son regard dans celui de Gilles, elle y lut tout ensemble son désir de la voir partager ses sentiments et cette sincérité qui le définissait si bien… Ainsi, s'avisa-t-elle dans un sursaut, il lui vouait un amour profond qu'elle n'avait jamais soupçonné. Elle allait devoir choisir ses mots avec soin.

Il mit ses mains en coupe autour de son menton. Ces mains tremblaient, et le corps d'Olivia se mit à trembler à son tour.

— Tu es mon meilleur ami, commença-t-elle d'une voix où perçait du regret. Mon âme sœur. La seule personne en qui j'ai une absolue confiance. Mais jamais je…

Elle discerna aussitôt beaucoup de chagrin dans l'œil de Gilles. Comme elle aurait voulu lui annoncer qu'elle l'aimait selon ses vœux. Mais la confession qu'il venait de lui livrer avait tout changé entre eux, elle le voyait soudain sous un jour différent. Elle ignorait comment atténuer la peine qu'en cet instant il ne devait pas manquer de ressentir – elle savait en revanche qu'il eût été injuste de lui mentir, injuste de lui laisser le moindre espoir.

— Gilles…, commença-t-elle.

Il posa l'index sur les lèvres de la jeune femme, les traits douloureux, pour la réduire au silence.

— Inutile d'en dire davantage, souffla-t-il. Je ne t'ai certes pas ménagée, mais avec tout ce qui se passe en ce moment, je redoutais de te perdre. J'ai pris un risque, mais il fallait que je t'ouvre mon cœur, tu comprends?

Elle opina, trop bouleversée pour parvenir à parler.

La bouche de Gilles s'attarda un instant sur le front de son amie, après quoi il se détourna et s'en alla.

Olivia, contemplant sa silhouette solitaire sur la plage, éprouva la folle envie de se mettre à courir pour le rejoindre. Pourtant, elle demeura plantée là, dans le silence de cette nuit suffocante, avec la mer pour toute compagnie. Gilles n'en avait pas encore conscience, mais c'était pour son bien qu'elle venait de se montrer cruelle. En effet, l'immense affection qu'elle lui portait ne suffirait pas à établir les fondations d'une union réussie ; la jeune femme espéra qu'un jour Gilles en conviendrait aussi. Pour l'heure, hélas, elle se navrait de le meurtrir, et la peur de perdre à jamais son amitié la mettait à la torture. Les mains dans les poches de son pantalon, elle partit dans la direction opposée. Elle avait besoin d'être seule pour réfléchir.

Gilles gravit l'escalier, referma derrière lui la porte de sa chambre. L'hôtel était plongé dans les ténèbres, et il se sentit soulagé que Sam ou Maggie ne se trouvât pas dans les parages. Il se laissa tomber dans le fauteuil, où il se remémora, les épaules affaissées, la scène qui venait de se dérouler sur la plage.

Il avait lu le doute dans les yeux d'Olivia, il y avait lu de la perplexité, il l'avait vue chercher en vain des paroles qui ne le blesseraient pas. Elle éprouvait manifestement pour lui une infinie tendresse, sinon elle l'aurait repoussé d'emblée, mais elle n'était pas amoureuse de lui. Jamais elle ne l'avait été.

Il s'empara de la bouteille de whisky pour emplir son verre.

— Aux causes désespérées! lança-t-il d'un ton amer à la cantonade, en saluant la chambre vide.

À peine eut-il avalé le breuvage cul sec qu'il se servit un autre verre. Quel imbécile. Jamais il n'aurait dû se confier à Olivia. Il venait de mettre en péril ce qu'il possédait, uniquement parce qu'il en désirait davantage. C'était pour cette raison qu'il ne lui avait pas laissé le temps de répondre. Car cette réponse, il en connaissait la teneur; il refusait de l'entendre.

Le deuxième verre ayant glissé avec autant d'aisance que le premier, il en emplit un troisième. Assis dans l'obscurité, il écoutait les sons de la nuit, percevait cette tension dans l'atmosphère, à mesure que la tempête rassemblait ses troupes avant l'assaut. C'était cette maudite chaleur qui l'avait amené à commettre cette folie. La chaleur, la poussière, les mouches... Mais surtout, la certitude qu'Olivia demeurerait dans cette étrange contrée, qu'elle avait commencé de faire sienne en y achetant sa grotesque bicoque; elle venait d'accomplir le premier pas en direction d'un avenir dans lequel il n'avait pas sa place.

Il arracha sa chemise et son pantalon, avant de se jeter sur le lit. Le ventilateur du plafond avait beau tourner, la chaleur était telle que le jeune homme suffoquait presque. Mais il n'osait pas ouvrir les fenêtres, craignant d'attirer les moustiques. Quel était ce pays où tout ce qui volait ou rampait se révélait potentiellement dangereux? Quel était ce pays où, sans transition, les crues succédaient à la sécheresse?…

Il s'agitait sur le drap déjà trempé de sueur. Trinity tenait peut-être du paradis terrestre, mais dans le jardin d'Éden se dissimulait toujours un serpent. Le serpent, ici, s'était en partie incarné dans cette terrible vague de chaleur. L'Angleterre manquait à Gilles, qui se languissait de ses étés verdoyants et frais. De l'or, de l'ambre et du cuivre des feuilles en automne. Des vents glacés de l'hiver, qui apportaient la neige. Les poutres de chêne lui manquaient, et le feu rugissant dans l'âtre de son pub favori, la bière chaude qu'il y dégustait. Il regrettait les longues randonnées vivifiantes dans le golfe, où les bourrasques chargées d'embruns lui piquaient le visage.

Gilles vida son verre et ferma les paupières. Il s'apitoyait sur son sort, mais du moins savait-il à présent à quoi s'en tenir. Peu à peu, sa rancœur le rendait méchant: Olivia, songea-t-il, s'était servie de leur amitié pour le traîner jusqu'en Australie. Désormais, elle n'avait plus besoin de lui.

Il s'admonesta. Il se montrait injuste envers son amie. Après tout, il avait accepté de la suivre de bon cœur. Mais il était temps pour tous les deux d'emprunter des voies différentes. Gilles avait parié, et il avait perdu; comme Olivia, il devait poursuivre son propre chemin, regagner Londres, où il se plongerait dans les ouvrages de droit pour oublier la jeune femme.

Le whisky ayant accompli son œuvre, Gilles éprouvait à la fois l'envie de dormir et de pleurer. Comme il sombrait dans le sommeil, ses dernières pensées furent pour Olivia, qu'il revoyait baignée par le clair de lune. Des larmes se mirent à rouler sur ses joues, qu'il ne chercha pas à retenir. La chance ne lui avait pas même été offerte de l'embrasser…

Il semblait à Olivia qu'elle marchait depuis plusieurs heures. Elle finit par faire demi-tour pour rejoindre l'hôtel. La chaleur était à présent lourde de menaces, et son chemisier lui collait au dos. Elle pénétra dans l'établissement par la porte latérale, puis monta l'escalier.

On avait condamné toutes les fenêtres du rez-de-chaussée avec des planches; la jeune femme pria pour que cela suffît à les protéger de la tempête. Sam s'inquiétait, et Gilles lui avait conseillé de partir. Mais il n'en était pas question: ses talents d'infirmière pourraient se révéler utiles si l'on devait déplorer des blessés, et puis si Maggie restait, elle resterait aussi.

Ayant entendu son ami ronfler, Olivia pénétra dans sa chambre, où elle se dévêtit. Elle aurait aimé prendre un bain, mais il était trop tard. Elle se laissa tomber sur son lit, avec l'espoir que le ventilateur lui apporterait bientôt un soupçon de fraîcheur. Il n'en fut rien. Les pauvres pales se contentaient de brasser l'humidité ambiante.

Incapable de dormir, elle se releva pour s'approcher de la fenêtre. La déclaration de Gilles n'aurait pas dû la surprendre à ce point; Maggie elle-même lui avait assuré plus tôt que le jeune homme était fou d'elle. Mais alors, pour quelle raison se sentait-elle si déboussolée? Elle l'aimait, sans conteste. Mais il ne s'agissait en aucun cas d'un amour romantique. Elle avait l'impression qu'il cheminait à ses côtés depuis toujours... Elle se reprocha d'avoir tenu pour acquise cette présence indéfectible. Car à n'en pas douter, ce voyage à l'autre bout du monde avait constitué pour Gilles un véritable sacrifice – il venait à peine d'achever sa convalescence lorsqu'ils étaient partis.

Si seulement il avait attendu un peu, songea-t-elle. Mais attendu quoi? Attendu que la tempête se déchaîne, puis s'éloigne? Attendu d'avoir regagné ensemble l'Angleterre? La jeune femme secoua la tête. Sa cervelle bouillonnait.

Elle contempla la lune voilée, ainsi que les nuages, qui allaient s'épaississant. Rien n'était plus précieux qu'une amitié sincère, mais pour aimer un homme au plein sens de ce terme, Olivia avait besoin de passion, d'un sentiment qui la soulevât de terre. Or pour Gilles, elle n'éprouvait pas la moindre passion.

Debout dans le noir, elle poussa un lourd soupir. Ils s'étaient rarement séparés – hormis durant les années de guerre, et encore se trouvaient-ils alors si absorbés par leurs tâches respectives qu'ils ne songeaient à rien d'autre. Bien sûr, elle s'inquiétait à l'idée de le savoir aux commandes d'un avion de chasse. Bien sûr, elle avait été épouvantée de le découvrir un beau jour au fond d'un des lits de l'hôpital, si mal en point que les médecins se demandaient s'il passerait seulement la nuit. Mais pour n'importe lequel de ses amis, elle aurait éprouvé un tourment semblable.

Elle alluma une cigarette – cela lui arrivait rarement –, dont elle souffla la fumée à travers la moustiquaire ; elle dériva lentement dans l'air épaissi. Impossible de juger sainement quand une touffeur pareille vous accablait. Si cette satanée tempête consentait à se lever enfin, on respirerait, et la jeune femme alors trouverait à coup sûr un moyen de soulager un peu le chagrin de Gilles.

— Elle arrive droit sur vous, et elle est maousse. Alors fermez les écoutilles ! À vous.

— À quelle vitesse ? À vous.

— La vitesse d'un train, lui répondit-on à la station météo du cap York. Carrossée comme Rita Hayworth, mais deux fois plus dangereuse. À vous.

Malgré la situation, Sam ne put s'empêcher de sourire.

— Quand est-elle censée toucher Trinity ? À vous.

— Il s'agit d'un cyclone, qui vient de quitter l'île Thursday pour se diriger vers nous. Il devrait arriver de votre côté demain.

Les parasites s'intensifièrent.

— Faut que j'y aille. Bonne chance. Terminé.

Sam et Maggie avaient fait tout ce qui était en leur pouvoir pour protéger l'hôtel. Ils avaient obturé les fenêtres à l'aide de planches, débarrassé le bar des verres qu'il contenait, remisé les meubles et cloué les volets. Les Aborigènes, par mesure de précaution, avaient décampé dans le bush deux jours plus tôt ; on ne les reverrait plus avant la fin de la tempête.

Sam soupira en observant sa chambre. Comme elle paraissait vide, maintenant qu'il avait rassemblé ses maigres possessions pour les entreposer au sous-sol. L'homme avait déjà essuyé d'autres tempêtes, et nul doute qu'après celle-ci d'autres viendraient. Il se félicitait cependant d'avoir cette fois Olivia à ses côtés – si les choses tournaient mal, ses talents d'infirmière se révéleraient utiles.

Il se détourna de la radio, se passa une main dans les cheveux. L'électricité ambiante lui portait sur les nerfs. Il ne dormirait pas. Il avait besoin de compagnie. De la compagnie de Maggie, dont il se dit soudain, un grand sourire aux lèvres, qu'elle lui manquait. La jeune femme était parvenue à fendre son armure et, contre toute attente, il s'en réjouissait.

Il lorgna par la fenêtre, constata que la lumière brillait encore dans le cabanon. Avant de changer d'avis, il descendit, récupéra deux bouteilles de bière derrière le comptoir, puis alla frapper à la porte de sa gérante.

— J'arrive pas à dormir non plus, commenta cette dernière en l'invitant à entrer. Vivement que ça pète.

Sam la suivit dans la pièce, où il décapsula les bouteilles.

— J'ai reçu un message radio du cap York. La tempête devrait arriver ici demain.

— Pourquoi on donne toujours des prénoms de femmes aux tempêtes ?

— Parce qu'elles sont redoutables, répondit l'hôtelier, l'œil malicieux.

Maggie se détourna.

— On va s'en sortir, hein ?

Elle avait beau se tenir bien droite, il s'insinuait de la peur dans sa voix. La sueur perlait sur ses épaules.

— Avec un cyclone, on peut jamais rien prévoir.

Il regretta aussitôt ses paroles, qui risquaient d'épouvanter la jeune femme.

— Cela dit, enchaîna-t-il, ça peut retomber d'un coup, ou bien prendre sans crier gare une autre direction.

— Un cyclone? siffla Maggie, pâle comme un linge, l'œil assombri par la terreur.

— Cyclone, tempête..., s'efforça de minimiser l'hôtelier. Tout ça, c'est du pareil au même.

— Tu m'en diras tant, grimaça la jeune femme. Tornade, ouragan, typhon... Du pareil au même, pour sûr. Aussi dangereux les uns que les autres, surtout quand ils viennent de la mer.

Elle vida d'un trait sa bouteille de bière.

— Nom de Dieu, Sam, lâcha-t-elle en s'essuyant la bouche du revers de la main. Pourquoi tu nous as pas prévenus plus tôt?

L'heure n'était plus à la plaisanterie.

— Désolé, Maggie, mais j'avais pas envie que tu te mettes dans tous tes états.

— Dans tous mes états? répéta la gérante, l'œil arrondi par la surprise. Tu rigoles, ou quoi? Je me serais tirée le plus loin possible, oui.

— Et tu aurais eu raison, admit Sam en mettant les mains dans ses poches.

— Il est pas trop tard pour filer, hasarda la jeune femme.

Il secoua résolument la tête.

— Tout ce que je possède se trouve ici. Je peux pas partir, Maggie.

— Je comprends, admit-elle en balayant du regard l'intérieur de sa maisonnette. Est-ce que tu as prévenu Gilles et Olivia?

— Ce matin, j'ai annoncé à Gilles que ça risquait de chauffer. Ça a eu l'air de l'embêter pour Olivia, mais lui, il se bile pas: il m'a décrété que s'il avait survécu aux assauts de la Luftwaffe, il serait bien capable de résister à un petit coup de vent.

Il racla la semelle de sa botte contre le plancher.

— J'ai l'impression qu'il imagine pas une seconde ce qui nous attend. Les Rosbifs ont pas idée de ce que c'est qu'un cyclone.

— Et Olivia?

271

— Elle a insisté pour rester. Elle pourrait nous être utile, tu comprends?

Maggie reposa sa bouteille, croisa les bras sur sa poitrine. Elle avait soudain le teint brouillé.

— Moi non plus, je sais pas ce que c'est qu'un cyclone, observa-t-elle sans parvenir à masquer son émoi. À quoi ça ressemble?

Sam décida de ne rien lui dissimuler – il lui devait bien cela.

— Ça fait un boucan de tous les diables. Le vent secoue les maisons, il couche les arbres… On a l'impression qu'une armée de sorcières s'abat sur vous en hurlant à pleins poumons.

Elle plaqua une main contre sa bouche en clignant des yeux.

Jamais l'hôtelier ne l'avait jugée plus belle, plus vulnérable… Il ouvrit les bras, entre lesquels elle s'empressa de se blottir. Il l'étreignit, le menton sur son crâne.

— Te tracasse pas, Maggie. On sera en sécurité dans l'hôtel, et on y restera jusqu'à ce que tout soit terminé. Tout ira bien.

Elle releva le nez pour plonger le regard dans celui de l'homme.

— Tu me le promets? murmura-t-elle.

Au fond de ce regard-là, Sam éprouva la sensation de se noyer. La chaleur de la jeune femme, son corps contre le sien… Cette fois, la tension qu'il discernait n'entretenait plus le moindre rapport avec le déchaînement imminent de la tempête. Elle écarta un peu les lèvres… Après un bref instant d'hésitation, il l'embrassa.

Toutes les émotions que l'hôtelier réprimait depuis si longtemps l'engloutirent. Il ne fallait plus que ce baiser cessât… Il brûlait de la posséder, de la protéger… Le cœur cognant contre ses côtes, il parcourut de ses mains son corps si mince, la serra plus fort contre lui – jusqu'à l'écraser presque, et leurs deux souffles alors se mêlèrent.

Maggie, pendant ce temps, s'efforçait, les doigts tremblants, de déboutonner la chemise de son partenaire qui, de son côté, commençait à la débarrasser de sa robe. Elle possédait une peau pareille à de la soie, ardente et parfumée. Il aurait voulu la dévorer crue.

Une fois nus, ils s'interrompirent un instant, comme frappés par une décharge électrique. Leurs yeux ne se lâchaient plus, ils retenaient leur souffle… Quelques secondes de plaisir douloureux, mais de plaisir pur – quelques secondes d'absolu désir, qui attendait maintenant qu'on l'assouvît.

Et voilà que, de nouveau, elle se tenait dans ses bras. Peau contre peau. Ils avaient faim l'un de l'autre. Il enfouit les mains dans les cheveux de la jeune femme qui, en échange, renversa la nuque; elle s'offrait à lui. Elle fit courir ses ongles le long du dos de Sam, qui frissonna.

Il la souleva de terre pour l'emporter jusqu'au lit. Ils se découvraient au cœur de cette nuit longue et chaude, oubliant du même coup le cyclone qui s'apprêtait à frapper.

17

Debout sur la plage, Olivia tendit le visage en direction du ciel qui s'obscurcissait – elle jouissait de la brise marine. La pluie n'était pas encore tombée, mais elle en humait déjà l'odeur dans l'air, elle la devinait dans le nuage bouillonnant qui, chargé de péril, commençait à absorber la petite île sur l'horizon.

Un courlis solitaire poussa un cri pareil à une plainte en piquant vers les eaux désertées, avant de filer en direction de l'intérieur des terres. Les palmiers oscillaient, leur houppier de feuilles touchant presque le sable ; la mer reluisait, dont les vagues se succédaient, avant d'exploser contre le roc. Olivia décelait dans l'atmosphère une fureur contenue – cette étrange accalmie d'avant la tempête décuplait son énergie. Elle puisait des forces dans la puissance brute de la nature.

— Te voilà. Je te cherchais.

Olivia se retourna et sourit à Maggie.

— Il fallait que je jouisse une dernière fois du spectacle, expliqua-t-elle.

— Demain à la même heure, il restera peut-être plus rien, observa Maggie, sans regret apparent, ce qui surprit l'Anglaise.

Se tournant vers sa nièce, elle constata que son œil brillait, et qu'elle avait le teint frais.

— Que t'arrive-t-il ? Je te trouve rayonnante.

La gérante s'empourpra en baissant le menton.

— Ça se voit tant que ça ?

Olivia partit d'un grand rire en étreignant Maggie : elle venait de deviner ce qui l'épanouissait ainsi en dépit des circonstances.

— Sam et toi avez enfin laissé votre timidité de côté. Bravo !

— Je me sens tellement heureuse, si tu savais. Mille tempêtes peuvent bien s'abattre sur nous, je m'en fiche complètement.

Elle esquissa quelques pas de danse, la jupe et les cheveux malmenés par le vent, les bras étendus comme pour embrasser les bourrasques qui forcissaient. Elle se figea soudain, hors d'haleine, en désignant quelque chose de l'index.

— Regarde. Les pélicans s'en vont aussi.

Les pesants volatiles se dandinaient en effet, prenant peu à peu de la vitesse jusqu'à s'envoler, puis s'élancer au-dessus des eaux que la tourmente brassait. Sans effort eût-on dit, pleins de grâce, ils firent ensuite demi-tour pour se diriger vers l'intérieur des terres. Quelle élégance… Contre le ciel et la mer qui ne faisaient plus qu'un, leurs grandes ailes blanches brillaient dans le demi-jour…

Olivia et Maggie les contemplèrent jusqu'à ne plus les voir. Les autres volatiles avaient décampé depuis plusieurs jours, en sorte qu'un drôle de silence régnait à présent de sous la plainte du vent et le fracas des vagues.

— On ferait mieux de rentrer ! hurla Maggie. Sinon, Sam risque de piquer une crise. Sans compter que Gilles traîne une telle gueule de bois qu'on le croirait à l'agonie.

Olivia acquiesça, le regard fixé sur l'horizon. L'île avait fini par disparaître ; l'épais manteau de ténèbres se rapprochait à toute vitesse. Les palmiers s'agitaient si fort qu'on aurait cru entendre tinter des graviers dans le fond d'une boîte de conserve. La houle se soulevait, pour s'abattre ensuite sur le sable sec et durci ; le vent soufflait avec une violence accrue.

Bras dessus bras dessous, les deux jeunes femmes gravirent les dunes pour rejoindre la route, en s'efforçant tant bien que mal de conserver leur équilibre. Les rafales dans leur dos les poussaient, levaient des tourbillons de sable dont les grains piquaient leurs jambes et leurs bras nus, et qui, en les aveuglant, menaçaient de les égarer. Mais chacune possédait une telle force de caractère qu'elles n'ignoraient pas qu'ensemble elles surmonteraient n'importe quel obstacle.

De tous les bâtiments de Trinity, l'hôtel de Sam se révélait le plus robuste et le plus ancien. Il avait déjà résisté à plusieurs tempêtes et à deux inondations, aussi les habitants demeurés dans la ville s'étaient-ils naturellement dirigés vers lui pour s'y abriter.

Sam avait descendu la radio au rez-de-chaussée, afin qu'on demeurât en contact avec le monde extérieur. Il avait également installé des matelas, ainsi que des couvertures, dans le hall carré, entre le salon et la cuisine. Il s'agissait là du cœur de l'édifice, qu'on pouvait isoler du reste de la bâtisse grâce aux portes coulissantes que Sam avait fabriquées après la dernière tempête.

Moins de trente personnes étaient restées à Trinity, d'âge moyen pour la plupart, mais il y avait aussi deux jeunes couples avec de petits enfants. On recensait quelques retraités. À les observer tous, l'hôtelier admira leur calme ; ces gens savaient ce qui les attendait, et ils se préparaient à subir sans broncher l'assaut des éléments jusqu'à ce qu'enfin ils pussent regagner leur domicile. Ils avaient apporté avec eux des paniers de nourriture, des couvertures, des oreillers, le contenu de leurs armoires à pharmacie, ainsi que divers récipients métalliques remplis d'eau fraîche. Il y avait même du lait pour les bébés.

— Merci pour votre aide, dit Sam à Cloche-Patte et Smokey, qui venaient lui serrer la main avant de déguerpir. Mais vous feriez mieux de rester avec nous.

— Pas question. Tout ira bien.

D'une pichenette, Smokey repoussa son chapeau vers l'arrière.

— Faut qu'on rentre à la scierie pour vérifier que les machines sont bien attachées.

L'hôtelier les regarda clopiner jusqu'à la porte latérale, puis disparaître, avec l'espoir qu'ils atteindraient leur entreprise avant que les vents se déchaînent. Ce n'était pas la porte à côté, et leur vieux pick-up pouvait rendre l'âme à tout instant. Sam les comprenait cependant : ils tenaient à protéger leur toit et leur moyen de subsistance.

L'hôtelier arpentait le hall, priant pour n'avoir rien oublié. On avait détaché, puis protégé les réservoirs à essence, avant de les entreposer à l'arrière du bâtiment. On avait aussi disposé plusieurs seaux et des rouleaux de papier toilette dans l'étroit couloir menant du hall à la porte latérale, dissimulés derrière de vieux paravents en bambou dénichés dans la réserve.

Le générateur, pour sa part, tournerait en continu, car on avait besoin de lumière – Sam avait en outre récupéré quatre réchauds dans son matériel de camping, sur lesquels on ferait chauffer l'eau si, par malheur, le générateur tombait en panne ou était endommagé par le cyclone. On avait emballé l'ensemble des objets fragiles, cloué fenêtres et portes – à l'exception de la porte latérale, que Sam condamnerait dès qu'Olivia et Maggie seraient rentrées.

Il consulta sa montre. Où étaient-elle passées, justement ?... Et le vent hulula de plus belle...

Gilles, de son côté, ne se sentait pas à la fête. Il avait commis une grossière erreur en s'enivrant de whisky, car ses abus lui valaient à présent une migraine atroce. Il avait beau tenter de se rendre utile, il perdait sans cesse l'équilibre, tandis que de petits points noirs dansaient dans son champ de vision.

Il grimaça. Ce matin, même ses dents le faisaient souffrir. Il exhalait une haleine aigre et gardait la gorge irritée malgré les litres de café qu'il avait avalés. Mais puisqu'il s'était comporté la veille au soir comme un imbécile, il méritait l'épreuve qu'il endurait maintenant.

Il observa les habitants rassemblés dans le hall, parmi lesquels Olivia ne se trouvait toujours pas ; il s'inquiéta. Elle n'était quand même pas inconsciente au point de se rendre sur la plage par un temps pareil ?... Le vent gémissait dans la grand-rue, sifflait en direction de l'allée menant à l'hôtel, qu'il commençait déjà à ébranler.

Où diable se cachait-elle? Gilles désirait lui parler, la rassurer après ce qui s'était passé la veille. Depuis, il avait préparé ses valises, qui patientaient à l'étage; dès que la tempête se serait éloignée, il partirait. Car ce pays n'était pas le sien. En Angleterre l'attendaient son foyer, ses racines, son avenir – un avenir qu'il lui faudrait affronter sans la présence d'Olivia à ses côtés. Jamais il n'avait eu décision plus difficile à prendre, mais son départ se révélait indispensable.

— Est-ce que vous voyez le vieux Gallagher? lui demanda Sam en se grattant la tête.

Gilles émergea de sa sombre rêverie.

— Qui donc? À quoi ressemble-t-il?

— À un vieux. Un vieux mal embouché, maigre comme un coucou, et qui dégage une odeur à faire tourner de l'œil un régiment tout entier.

L'Anglais examina les uns après les autres les hommes en train de s'installer sur les matelas. Des vieillards, il en recensa plusieurs, mais ils étaient accompagnés de leur épouse ou de membres plus jeunes de leur famille.

— Je ne distingue personne qui corresponde à votre description.

— Moi non plus, fit Sam avec un soupir excédé. Quelle vieille bourrique. Je lui avais pourtant dit d'arriver ici le plus tôt possible. Je lui avais même promis un petit-déjeuner gratuit.

— Pourquoi diantre lui avez-vous fait une telle promesse?

— Parce que c'est un fieffé rapiat, et qu'il faut l'amadouer coûte que coûte pour le convaincre de faire quoi que ce soit. Même si c'est pour son bien. J'ai rien trouvé de mieux pour l'attirer dans ma tanière.

— Peut-être préfère-t-il rester chez lui pour affronter la tempête, observa l'Anglais.

— Tu parles… Il suffirait de souffler sur sa vieille bicoque pour qu'elle s'écroule. Je vais aller le chercher.

Gilles le saisit par le bras.

— Je m'en charge, déclara-t-il avec fermeté. Expliquez-moi comment me rendre chez lui.

— Je peux pas vous demander de faire un truc pareil, se récria l'hôtelier. Le vieux Gallagher est sous ma responsabilité.

— Cet hôtel également, lui objecta le jeune homme. Ainsi que tous ceux et celles qui s'y sont réfugiés parce qu'ils ont placé leur confiance en vous. Je pense tout particulièrement à Olivia et Maggie. Permettez-moi de me rendre utile, je vous en prie. Pour le moment, je me sens absolument inefficace.

Sam le considéra d'un air pensif.

— Vous êtes sûr? C'est déjà le bazar, dehors, et ça risque pas d'aller en s'arrangeant.

— J'en suis parfaitement conscient, rétorqua Gilles avec une impatience croissante. Mais si je n'ai plus qu'un bras, cela ne signifie pas pour autant que je sois plus empoté qu'un autre.

L'hôtelier lui sourit d'une oreille à l'autre.

— Alors topons là. Mais grouillez-vous, parce qu'il a déjà commencé à pleuvoir.

Sur quoi il expliqua l'itinéraire au jeune homme, qui se dirigea aussitôt vers la porte latérale. Il irait chercher Gallagher, se promit-il, puis il se mettrait en quête d'Olivia et de Maggie. Il reprenait courage. Enfin, il agissait. Il lui semblait remonter un peu le temps.

Mais comme il posait la main sur la poignée de la porte, celle-ci s'ouvrit pour claquer contre le mur; la bourrasque manqua de le jeter par terre. Il tituba un moment puis, tête baissée, engagea le combat contre le vent.

Il se heurta à quelque chose de mou: Olivia et Maggie venaient de lui tomber littéralement dans les bras. Quel soulagement!... Il les fit entrer dans l'hôtel.

— Où étiez-vous? brailla-t-il.

La tempête emporta la réponse de son amie.

Gilles secoua la tête; il n'entendait plus que le vent.

— Je vais revenir très vite, articula-t-il avant de ferrailler avec la porte jusqu'à la refermer derrière lui.

Il s'y adossa pendant quelques secondes; les premières gouttes glacées d'une pluie battante le transpercèrent. Il remonta son col, se plia presque en deux avant de s'élancer au cœur du maelström. Au moins, Olivia était saine et sauve.

— Tu ferais mieux de revenir ici avant qu'elle se déchaîne, lui conseilla William à l'autre bout de la ligne.

— Je refuse d'abandonner mes chevaux, répondit Irène.

— Ils s'en sortiront. Viens. Je ne souhaite pas qu'on me tienne pour responsable de ce qui pourrait t'arriver si cette tempête se révélait plus violente que prévu.

— Tu aurais mieux fait d'y songer plus tôt, le moucha-t-elle. Tu ne t'es guère soucié de mon sort le jour où tu m'as flanquée à la porte sans préavis en m'obligeant à me débrouiller seule ici, sans l'aide de personne. Pas même celle de Jimmy.

— C'est différent.

— En effet, siffla-t-elle avant de mettre un terme à la communication.

Elle éprouva l'espace d'un instant le vif désir de détruire cette radio à coups de pied. Elle résista néanmoins à la tentation : cet engin représentait son unique lien avec le monde extérieur. Elle en avait besoin.

Elle alluma une cigarette, se mit debout et regarda par la fenêtre. À l'est, le ciel devenait d'encre, tandis que la chaleur refluait peu à peu. La tempête qui s'annonçait promettait d'être rude ; Irène ne se réjouissait guère de l'affronter seule. Peut-être pourrait-elle momentanément tordre le cou à son orgueil pour se rendre à Deloraine ? Le ranch était solide, et puis elle y jouirait d'un brin de compagnie. Mais déjà, elle chassait loin d'elle cette idée. Elle ne pouvait se permettre de laisser seuls Plus-que-parfait et les autres montures. Et jamais elle n'offrirait à William la satisfaction d'implorer son secours.

Elle se dirigea vers les écuries. Elle avait garni chaque box de couvertures et d'édredons, mais un examen supplémentaire ne serait pas inutile. Elle avait choisi de laisser les chevaux dans leurs stalles. Une décision difficile, car si les bâtiments s'écroulaient sous les assauts du vent, les bêtes périraient au milieu des décombres. À l'inverse, si elle les libérait dans leur enclos, la tempête risquait de les emporter, ou bien ils tomberaient sous les coups redoublés des multiples débris charriés par le cyclone. Il n'existait aucune solution miracle, aussi Irène s'était-elle contentée de suivre son instinct.

Le corps couvert de sueur, les animaux roulaient des yeux ; le tonnerre grondait au loin. Ils piétinaient dans leurs stalles, ils renâclaient, les flancs frémissants. Irène tenta un moment de les rassurer à force de mots doux, mais elle eut tôt fait de comprendre que rien n'apaiserait leur effroi.

Plus-que-parfait, à l'inverse, affichait un calme surprenant. Sa maîtresse cependant, qui le connaissait bien, devinait toute la fureur dévastatrice contenue dans ces muscles-là, et capable de se libérer aussi vite que le cyclone fondrait sur eux. Elle le caressa. Son garrot tressaillait mais, contrairement à ses congénères, il gardait l'oreille dressée.

L'ayant repoussé doucement vers l'arrière pour rabattre la moitié supérieure de la porte de son box, elle l'entendit s'agacer : il ne supportait pas qu'on l'enfermât.

Elle s'éloigna des écuries, ses talons claquant sur les pavés de la cour. Le tonnerre grondait toujours, tandis qu'au cœur de cette fausse nuit des éclairs, de loin en loin, déchiraient le ciel pour venir frapper un lointain coteau.

Irène se tourna en direction du littoral, vers lequel accourait une épaisse banquette de nuages, accompagnée d'averses torrentielles aux longs doigts noirs et d'un vent qui se déplaçait en tourbillons. Cette sinistre cohorte fonçait droit sur Trinity. Comme une brise un peu rafraîchie lui ébouriffait les cheveux pour la première fois depuis longtemps, Irène repéra l'odeur de la pluie dans l'atmosphère électrique. Elle avait fait tout ce qui était en son pouvoir pour se protéger, et protéger ses bêtes. À présent, il ne lui restait plus qu'à patienter en priant pour sa survie et la leur.

Ayant récupéré l'ensemble du matériel médical apporté par leurs visiteurs, Olivia le rangea dans une grande caisse, qu'elle glissa sous l'escalier. Elle y ajouta des serviettes et des draps piochés dans les armoires à linge. Tandis qu'elle s'affairait, elle pensait à Gilles.

Lorsque Sam lui avait appris où il s'était rendu, elle lui avait d'abord reproché de l'avoir laissé partir, au péril de son existence, mais elle s'était presque aussitôt ravisée : l'Anglais mourait d'envie de se rendre utile, de redevenir cet homme dont, pendant la guerre, les actes de bravoure avaient fait la fierté.

Une fois sa tâche accomplie, Olivia s'offrit une tasse de café, qui certes l'apaisa, sans lui permettre pour autant d'oublier la conversation qu'elle avait eue la veille au soir avec Gilles et, surtout, la manière abrupte dont celui-ci avait choisi d'y mettre un terme. Si seulement quelque parole sensée avait alors franchi la barrière de ses lèvres, peut-être le jeune homme n'éprouverait-il pas ce matin le besoin de jouer les héros. Si seulement elle était parvenue à lui avouer combien il comptait pour elle, il serait ici en ce moment même.

Le vent hurlait au-dehors, il ébranlait l'hôtel, qu'il circonvenait à la façon d'un derviche, arrachant sans pitié tout ce qu'on avait omis de clouer. La pluie, pour sa part, martelait le toit, se jetait à coups redoublés contre les planches qui condamnaient les fenêtres. Là-haut, une moustiquaire mal fixée battait sans répit.

— Tout ira bien, tenta de la rassurer Sam en passant un bras autour de ses épaules.

La jeune femme le repoussa.

— Vous n'en savez rien, répliqua-t-elle. Comment pourriez-vous le savoir?

— C'est pas un dingue. Il va nous ramener le vieux Gallagher, parole.

— Ils devraient déjà être là! s'exaspéra-t-elle.

Cette fois, l'hôtelier la saisit par les deux épaules pour l'obliger à se tourner vers lui.

— Il est responsable de ses actes, lui assena-t-il. Il voulait aller là-bas. Il a insisté. Foutez-lui un peu la paix.

Elle lui jeta un regard rageur avant de songer que, de toute façon, elle ne pouvait plus rien faire pour son ami. Il était seul, comme il l'avait été durant la guerre... Elle pria pour qu'il lui revînt sain et sauf, et pour qu'il évitât de prendre des risques inconsidérés.

— Asseyez-vous et calmez-vous, lui ordonna Sam, cependant qu'un fracas se faisait entendre à l'étage. Il se peut que j'aie besoin de vous bientôt, mais une hystérique, ça me servira à rien.

Olivia se laissa tomber sur un matelas, l'œil furibond. De quel droit s'autorisait-il à la traiter d'hystérique? Elle était infirmière, elle avait piloté une ambulance au cœur d'une ville dévastée par les bombes… Hystérique? Quelques rafales de vent n'étaient rien, par comparaison avec les V1 et le hululement terrible des sirènes d'alerte aérienne.

— Vous mettez pas martel en tête, lui conseilla la jeune femme assise à côté d'elle. Il est sur les dents. Comme nous tous, d'ailleurs.

Olivia lui sourit. Les jeunes parents, installés sur le matelas voisin, regardaient jouer à côté d'eux leur petit garçon.

L'enfant pouvait avoir dix-huit mois. De ses mains potelées, il tentait d'empiler des briquettes en bois. L'Anglaise ayant posé pour lui deux briquettes l'une sur l'autre, il la considéra avec gravité. Elle lui sourit. Il sourit à son tour – deux adorables fossettes se creusèrent dans ses joues rebondies.

Olivia l'installa sur ses genoux. Elle avait toujours adoré les bébés mais, pour la première fois, le désir d'en cajoler un qui ne fût rien qu'à elle l'émut jusqu'à l'âme. Comme il sentait bon, ce garçonnet, et comme il avait la peau douce… Jetant un coup d'œil en direction de ses parents, elle constata que le jeune homme avait passé un bras protecteur autour des épaules de son épouse. Ils étaient beaux tous les deux, ils allaient bien ensemble… Une bouffée de jalousie la submergea, au point qu'elle détourna le regard. Son tour viendrait.

Le cyclone Mary continuait à rassembler ses troupes ; les lourds nuages ténébreux se rapprochaient du littoral. D'abord tempête tropicale née au-dessus des eaux, non loin de la Nouvelle-Guinée, il avait peu à peu forci grâce aux actions conjuguées des basses pressions, d'un vent léger et de la chaleur de l'océan. À présent, on enregistrait des rafales à plus de cent kilomètres par heure et Mary, qui avait pris des proportions monstrueuses, fondait sur le nord du continent australien.

À la surface de l'océan couleur d'ardoise enflaient des vagues agressives, qui giflaient le sable ou explosaient contre les rochers, avant de se retirer en sifflant. La tempête rossait les palmiers, tandis que le sable s'élevait en spirales innombrables. La pluie, quant à elle, frappait les toits à coups redoublés; les planches volaient; les vérandas des maisonnettes perdaient une à une leurs poteaux. Les eucalyptus ployaient jusqu'à se coucher presque, cependant que de noirs tourbillons meurtriers, qui engloutissaient tout sur leur passage, les dépouillaient de leurs feuilles.

Mais le cyclone Mary ne faisait guère que bander ses muscles – le pire restait à venir.

Gilles s'abrita le long de la vieille bicoque, hors d'haleine et trempé jusqu'aux os. S'il ne l'avait réprimé, il serait parti d'un grand rire : il venait de braver les éléments. Il revivait.

Il se plaqua contre le mur lorsque le vent s'empara d'un baril d'huile pour le précipiter contre la clôture, avant d'arracher une plaque de tôle au toit de la masure; Gilles baissa la tête. La plaque alla heurter de plein fouet la maison d'en face. Le jeune homme reprit son souffle.

L'averse ne cessait plus et l'eau, déjà, ruisselait dans la rue, elle débordait des caniveaux, emplissait les nids-de-poule. Elle formait à présent un rideau gris, et dans ce crépuscule illusoire, la visibilité se réduisait à quelques centimètres. L'Anglais tremblait de froid et d'excitation.

Gallagher avait obturé les vitres de son logis avec du ruban adhésif, comme on l'avait fait à Londres pendant le Blitz.

— Laissez-moi entrer! hurla Gilles au vieil homme qui le guignait. Ouvrez cette porte!

Gallagher s'exécuta et une odeur pestilentielle assaillit le visiteur.

— Nous devons partir! hurla-t-il encore pour tenter de se faire entendre en dépit du vacarme.

Le vieillard possédait de petits yeux dans un visage tanné qui, pareils à des tarières, le scrutaient impitoyablement. La bouche distordue n'était que haine et, quant au nez, il se révélait large et rougeaud.

— J'irai nulle part.

— Vous ne pouvez pas rester ici, insista Gilles en s'emparant d'un vieux manteau graisseux qu'il fourra entre les bras du bonhomme. Vous n'êtes pas en sécurité.

— J'habite ici depuis toujours, décréta Gallagher d'une voix rauque et pleine de détermination.

Sur quoi il se rassit en laissant tomber le manteau sur le sol.

— Elle tient toujours debout.

Le jeune homme se sentait au désespoir. S'il avait encore possédé ses deux bras, il se serait emparé de ce bougre sans lui demander son avis. Hélas…

— Nous devons partir. Maintenant.

Il saisit le coude de Gallagher pour le contraindre à se remettre debout, mais ce dernier lui opposa une résistance inattendue.

— Bas les pattes! Jamais je laisserai un Rosbif me décréter ce que je dois faire.

Pendant ce temps, le vent secouait les fondations de la maison, il se jetait contre ses murs. Le raffut se révélait tel qu'il devenait impossible de penser. Gilles se passa une main dans les cheveux en regardant par la fenêtre. Il ne distinguait plus rien. En revanche, il entendait s'écraser ici et là des objets; d'autres volaient en éclats… Dehors devait régner le plus épouvantable des chaos…

Il se détourna de la fenêtre pour gratifier le bonhomme d'un regard belliqueux. Il l'aurait volontiers abandonné à son sort… Mais vu les circonstances, il n'en était plus question – de toute façon, son sens du devoir le lui interdisait.

En revanche, il ne souffrirait plus la moindre insulte. Il saisit donc Gallagher par le col crasseux de sa chemise, repoussa contre le mur la table, sous laquelle il contraignit le cacochyme à se tapir. Il savait en effet que, si le taudis s'affalait sur eux, ils ne devraient leur survie qu'à ce meuble – tous ceux et celles qui, une fois au moins, avaient un jour subi l'assaut des bombardiers allemands, ne l'ignoraient pas.

— Restez là, commanda-t-il.

Les petits yeux de rat le fixèrent depuis les ténèbres. Gilles s'agitait dans la pièce.

— Vous avez pas le droit de fourrer votre sale nez dans mes affaires.

L'Anglais avait récupéré des couvertures et de vieux vêtements infects, probablement infestés de puces. Ayant jeté le ballot au vieillard, il batailla encore pour caler, debout contre la table, le matelas constellé de taches. Cette fois, il ne pouvait rien faire de plus. Il pria pour que cela suffît.

Il prit une profonde inspiration avant de se glisser dans l'espace exigu où il se blottit contre Gallagher. L'aversion de ce dernier pour l'eau et le savon se traduisait, au sein de ce réduit, par des vagues putrides. Gilles avait l'impression de partager une cellule avec un cadavre en décomposition.

La camionnette bondissait, elle tanguait tandis que Smokey en écrasait l'accélérateur de son pied métallique. Serrant le volant à deux mains, il se démenait comme un beau diable pour empêcher les bourrasques de chasser le pick-up hors de la route.

— Gare-toi! lui lança Cloche-Patte, cramponné à la portière dans l'espoir de ne pas passer à travers le pare-brise.

— Sûrement pas. On y est presque!

Mais c'est alors que le cyclone se déchaîna sur la piste, dans un vaste tourbillon de terre et de débris. La terrible Mary en profita pour soulever le véhicule, qu'elle projeta sur le bas-côté avant de reprendre son périple meurtrier à travers la végétation.

Les deux hommes montèrent vers les cieux dans un cri. Étourdis, aveuglés, désorientés, ils n'étaient plus, soudain, que douleur et effroi. Ils donnèrent de la tête contre les portières et puis contre le toit. Leurs membres heurtèrent le frein à main, ainsi que le volant. Leurs côtes craquèrent… Du verre partout se brisa cependant que le pick-up poursuivait sa course folle.

L'arbre pluriséculaire était immense. Il avait jusqu'alors surmonté l'ensemble des épreuves imposées par Dame Nature, malgré les cavités que plusieurs générations de termites avaient évidées à l'intérieur de son tronc. Ce matin, hélas, le vent et la pluie étaient parvenus à ébranler peu à peu les longues racines vrillées, affaiblissant du même coup le tronc creux.

Et la camionnette, maintenant hors de contrôle, acheva son parcours, dans un grand bruit de métal qu'on torture, contre l'écorce.

Une vibration parcourut l'arbre gigantesque. Pendant quelques instants, il se tint immobile et très droit au cœur de la tourmente. Puis, lentement, inexorablement, il s'inclina.

Smokey ne souhaitait plus soulever les paupières. Les gouttes de pluie lui piquaient le visage comme autant d'aiguilles, la tempête arrachait ses vêtements ; pour un peu, elle l'aurait emporté. Il avait mal partout mais, pour le reste, tout allait bien – il gisait sur quelque chose de mou.

Soudain, retrouvant la mémoire, il rouvrit les yeux dans un sursaut. Où donc se trouvait son compagnon ?

— Cloche-Patte ! hurla-t-il. T'es où ?

— Je suis coincé.

Sa voix se révélait à peine audible parmi les mugissements des rafales.

— Sors-moi de là !

Grimaçant de douleur, Smokey se mit à ramper dans la boue en direction du pick-up. Son bras gauche le faisait atrocement souffrir, et la pluie lui obscurcissait la vue. Mais il devait coûte que coûte rejoindre son ami avant qu'il ne fût trop tard. Déjà, il identifiait l'odeur de l'essence.

Enfin, il tendit la main vers l'une des portières du véhicule – les os brisés de son bras se chevauchèrent –, il s'effondra dans la fange en poussant un hurlement de douleur.

— Smokey ! Smokey, ça pue l'essence. Sors-moi de là !

— J'arrive, lui promit ce dernier en se hissant de nouveau jusqu'à la portière.

Vu la puissance de l'averse, il était peu probable que la camionnette prît feu, mais prudence était mère de sûreté.

Smokey s'acharna sur la poignée de la portière, que l'accident avait gauchie, songeant à Gilles et à la frustration de ne plus posséder qu'un seul bras. Enfin la portière s'ouvrit, que le vent s'empressa d'arracher ; Smokey retomba dans la boue. Il se redressa, pour s'apercevoir à présent que sa main tremblait. Le cœur battant la chamade, dévoré de nouveau par la peur, il manqua de se mordre la lèvre en s'efforçant d'oublier un peu le supplice que lui faisait endurer son membre brisé.

Comme il se rapprochait de Cloche-Patte, force lui fut de constater que la situation n'était pas au beau fixe.

Le malheureux se trouvait piégé la tête en bas, sa jambe de bois bloquée entre les pédales et la tôle froissée. Il avait perdu beaucoup de sang; on voyait luire un os à l'intérieur de la plaie entaillant sa jambe valide. Dans un visage devenu de craie, le regard de Cloche-Patte semblait perdu.

— Tiens bon, l'encouragea Smokey. Je vais d'abord détacher ta prothèse.

Le pauvre garçon se mit à crier quand son compagnon se cala, pour agir, contre son épaule démise et sa hanche luxée.

De ses doigts engourdis par le froid, mouillés d'eau et de sang, Smokey entreprit de dénouer les sangles qui retenaient la jambe de bois au moignon de Cloche-Patte. Comme il allait déboucler la dernière courroie, il entendit le sinistre craquement au-dessus de leur tête. Il leva les yeux pour découvrir l'arbre immense tout prêt à les réduire en miettes.

Son compagnon hurla de plus belle, tandis que Smokey, le saisissant par la taille, tirait de toutes ses forces.

L'arbre hurla aussi; ses racines une à une s'arrachaient à la boue, sa ramure sifflait dans la chute…

Smokey jeta ses dernières forces dans la bataille, pour tenter d'éviter à son ami une mort certaine.

L'arbre s'abattit dans un fracas titanesque sur le pick-up. On n'entendait plus à présent que les clameurs de la tempête…

18

Blottie sous la lourde table de la cuisine, Irène serrait de son mieux l'édredon autour de ses épaules. Le vent bousculait la maisonnette, résolu, semblait-il, à la soulever de terre pour l'expédier dans les cieux – le logis, qui tremblait, paraissait retenir son souffle en attendant que la tempête lui arrachât son toit.

L'obscurité allait croissant, les cris du cyclone s'intensifiaient. Mary tournait autour de l'édifice, rudoyait sa cheminée, exerçait une formidable pression sur ses murs... La pluie, pour sa part, fouettait les fenêtres et s'insinuait dans le moindre interstice entre les planches dont les parois étaient faites. Elle harcelait le toit ; le crâne d'Irène résonnait de cet infernal battement.

Le silence se fit d'un coup.

Elle leva la tête, tendit l'oreille. Il s'agissait d'un silence comminatoire, aussi affolant que la tempête elle-même. Irène s'extirpa de sa cachette avec un frisson car, dans ce silence, elle entendait hurler ses chevaux.

Elle ouvrit la porte, faillit tomber dans un trou – le cyclone avait arraché en partie le plancher de la véranda. Elle se rattrapa *in extremis* au chambranle de la porte... contemplant d'un œil épouvanté les eaux boueuses qui léchaient la plus haute marche du seuil.

C'est alors, seulement, qu'elle comprit que la petite maison se dressait à présent au centre d'un grand lac constitué d'un liquide fangeux parcouru de ruisselets – il s'étendait jusqu'aux enclos. Le sol se révélait en effet si sec qu'il n'avait pas réussi à boire les colossales quantités d'eau apportées par le vent.

Irène tremblait des pieds à la tête. Elle s'humecta les lèvres avec nervosité. Car elle ne savait pas nager – jamais elle n'avait souhaité apprendre, craignant la toute-puissance de l'eau. Il fallait pourtant qu'elle se rendît auprès de ses montures, qui continuaient à hennir et à frapper à grands coups de sabots les parois de leur geôle.

Elle hésita, se raidit à l'idée de l'épreuve qui l'attendait, tâcha d'évaluer la profondeur de l'eau. Elle enfila une paire de bottes en claquant des dents, puis lorgna le ciel. Irène se trouvait à l'aplomb d'un disque bleu, mais un disque cerné par les nuées ténébreuses de la tempête passée, ainsi que de celle qui allait venir : il s'agissait de l'œil du cyclone.

Combien de temps avait-elle déjà perdu ? Combien de temps lui restait-il avant que l'obscurité l'enveloppât de nouveau ? Elle préférait ne pas imaginer ce qu'il adviendrait d'elle si Mary l'emportait tout à l'heure dans sa danse… C'était à elle que ses chevaux devaient leur affreuse incarcération. C'était à elle de réparer l'erreur qu'elle avait commise.

Elle s'avança dans l'eau, glapit en s'apercevant qu'elle lui arrivait presque à la taille. Cette eau était glacée, et le courant menaçait à chaque instant de la renverser. La peur cependant lui donna la force de se tenir debout – elle puisait au fond d'elle un courage et une détermination dont elle ne s'était pas crue capable. Les bras écartés, elle pataugea en direction des écuries.

Un arbre au tronc mince passa si près d'elle que ses cheveux se prirent aux branches épineuses – comme le tronc pivotait avec lenteur dans le courant, Irène manqua de se laisser submerger. Elle guerroya de longues minutes pour se libérer, s'arrachant les ongles, ainsi que plusieurs mèches de cheveux ; elle luttait pour sa survie. Un baril la heurta… Le cadavre gonflé d'un kangourou se trouvait piégé parmi les branches de l'arbre, avec celui d'un opossum – Irène eut l'impression que tous deux la fixaient de leurs yeux morts. Elle poussa un cri d'impuissance et de terreur… Bientôt, elle échappa enfin à ce piège atroce.

Hors d'haleine, elle rejoignit les écuries, situées sur une légère éminence. Le ciel s'assombrissait de nouveau. Il ne lui restait que quelques minutes pour libérer les montures, puis regagner la maison.

Elle déverrouilla les stalles, d'une main engourdie par le froid, avant de s'écarter en hâte : les juments jaillirent, l'œil fou, la crinière dans le vent, leurs sabots glissant sur les pavés de la cour dont elles faisaient le tour à vive allure. Elles lançaient des ruades. Enfin, elles s'éloignèrent au triple galop.

Plus-que-parfait, qui avait partiellement défoncé la porte de son box, continuait à hurler sa haine et son effroi. Irène s'empressa dans sa direction. Mais l'étalon déchaîné ne lui rendait pas la tâche facile – elle avait toutes les peines du monde à le libérer. L'animal s'était blessé dans son courroux – du sang se mêlait à l'eau des flaques.

— Arrête ! l'implora sa maîtresse. Calme-toi, je t'en prie. Je suis là. Je suis là.

Mais Plus-que-parfait cogna encore. Il cogna plus fort. La stalle frémit, ici et là le bois se fendit. Comment Irène avait-elle pu faire preuve d'une telle sottise ? Comment avait-elle pu penser que cet animal se sentirait plus en sécurité entre ces quatre murs qu'il abhorrait ? Elle pouvait au moins se réjouir que le petit bâtiment ne se fût pas effondré sur lui.

Enfin, la porte était déverrouillée, mais avant qu'Irène eût eu le temps de réagir, l'étalon se rua droit sur elle. Il se cabra, frappa l'air de ses sabots luisants ; le blanc de son œil étincelait de haine dans le jour qui de nouveau déclinait.

Irène recula en levant les bras pour se protéger le visage.

Plus-que-parfait retomba, ses sabots antérieurs s'abattant sur les pavés comme une foudre et, déjà, il se cabrait encore.

Irène glissa, battit l'air de ses bras pour conserver son équilibre.

L'épouvante ravageait l'étalon. Il détestait ce box, détestait le cri de la tempête, le fracas de la pluie contre le toit de sa prison… Fou de terreur, il ne reconnaissait même plus cette femme qui, pourtant, l'avait aimé avec passion. De cette femme, il ne distinguait que les moulinets frénétiques… Une ennemie de plus dans l'esprit embrumé de la bête. Une ennemie à éliminer… Avec un hurlement éperdu, il entreprit donc de riposter…

Irène vit arriver le coup, mais elle ne put le parer.

Plus-que-parfait la frappa sur le côté de la tête, après quoi il se cabra encore et, cette fois, lui piétina les jambes. Enfin, il rejoignit ses congénères, les oreilles tendues vers le tonnerre, qui s'était remis à gronder au loin. Plus-que-parfait était libre.

— On dirait que c'est fini, grommela Gilles en relevant la tête. Venez, je vais vous emmener à l'hôtel.

— J'aurai quand même mon petit-déjeuner gratos? s'enquit Gallagher, l'œil pétillant de convoitise.

— À condition que vous accélériez le mouvement, répondit le jeune homme sur un ton cassant qui ne lui ressemblait pas.

Il se sentait fourbu, et ce vieux birbe avait épuisé ses réserves de patience. La clameur de la tempête résonnait à l'intérieur de son crâne en dépit de cet inquiétant silence brusquement tombé. Dire que ce type, lui, ne songeait qu'à se restaurer aux frais de la princesse.

Gallagher émergea péniblement de sous la table.

— Faut d'abord que je rassemble quelques trucs, maugréa-t-il.

Gilles contemplait le désastre par la fenêtre.

— Nous n'avons pas le temps, décréta-t-il en levant le regard vers le ciel. Nous sommes dans l'œil du cyclone.

Gallagher le toisa avec mépris.

— Qu'est-ce qu'un Rosbif connaît aux cyclones? railla-t-il. Et d'ailleurs, qu'est-ce qu'un Rosbif a bien pu venir foutre à l'autre bout du monde?

Gilles s'acharnait sur la porte.

— Je suis venu pour tenter de sauver votre vilaine carcasse.

Mais il avait beau pousser de toutes ses forces, la porte lui résistait. Quelque chose la bloquait.

Il se précipita de nouveau à la fenêtre, sans plus se préoccuper des remarques acerbes du vieillard: un tracteur sans âge s'était échoué au beau milieu de l'allée, les retenant prisonniers.

— Je passerai pas par la fenêtre! s'emporta Gallagher, à qui Gilles venait de dévoiler son plan. Et toi, si tu la casses, je te préviens : t'auras plus qu'à m'en payer une neuve.

L'Anglais grinça des dents en secouant le châssis de plus belle. Mais le bois adhérait au bois – au fil des années, la moisissure et la crasse avaient fait office de colle. À bout de nerfs, le jeune homme s'empara d'une poêle à frire, dont il frappa rudement la vitre et le bois pourri. La fenêtre vola en éclats. Gilles retira une à une les dernières échardes, un à un les derniers morceaux de verre.

Ayant enjambé l'appui de fenêtre, il tendit la main.

— Venez. Ça ira comme sur des roulettes.

Le vieillard secoua énergiquement la tête.

— J'ai passé l'âge de ces acrobaties, gémit-il.

Gilles réintégra le taudis, saisit Gallagher par la main pour le tirer jusqu'à la fenêtre. Passant un bras autour de sa taille maigre, il se surprit à le soulever de terre – jamais il n'aurait imaginé posséder cette puissance.

Les deux hommes atterrirent dans une boue épaisse. De l'eau tourbillonnait autour de leurs chevilles.

— Je vais attraper la mort, geignit le vieillard.

L'Anglais se fâcha :

— Un mot de plus, et je vous promets de vous faire avaler ce qu'il vous reste de dents.

Gallagher le considéra à son tour, outré, mais du moins demeura-t-il muet.

Gilles l'obligea à courir. La tempête se rapprochait ; dans quelques minutes, elle frapperait une seconde fois après cette accalmie trompeuse. L'hôtel, hélas, se situait à l'autre bout de la ville.

La rue s'était changée en zone de guerre. De nombreuses maisons avaient perdu leur toit, on observait des béances plein les murs, tandis que les clôtures démantelées avaient volé en tous sens. Des fenêtres, des moustiquaires et des volets, il ne restait à peu près rien. Une plaque de tôle ondulée se trouvait maintenant encastrée dans une paroi, cependant qu'un bateau de pêche trônait au milieu de la chaussée.

Les deux hommes contournèrent un poteau télégraphique que le cyclone avait renversé – les bourrasques ayant momentanément cessé, Gilles perçut au loin le clappement de la houle.

— Faut que je fasse une pause, haleta Gallagher, qui respirait bruyamment.

L'Anglais l'observa avec inquiétude : hors d'haleine, il avait refermé ses longs doigts décharnés sur sa poitrine, tandis que ses lèvres bleuissaient. La pénombre s'installait. L'hôtel était trop loin, il allait falloir dénicher un autre refuge.

— Ne lâchez pas la rampe maintenant, souffla Gilles en passant son bras autour de la taille du vieillard pour l'aider à traverser la rue.

À l'exception de son jardin dévasté, la demeure avait peu souffert. Le toit semblait intact, la cheminée assez robuste encore pour surmonter d'autres assauts. Après avoir calé Gallagher contre le tas de bois, Gilles tourna la poignée de la porte.

Tandis que celle-ci s'ouvrait sans grincer, le jeune homme remercia en silence les Australiens de ne jamais fermer leurs habitations à clé. Il aida le vieil homme à pénétrer dans la maison avec lui, avant de refermer la porte d'un coup de pied.

Gilles allongea doucement son compagnon d'infortune sur le sol de la cuisine. C'était un modeste logis, mais construit pour durer. L'Anglais parcourut les pièces en quête de couvertures et d'oreillers, qu'il rapporta dans la cuisine.

Gallagher grogna en ramenant ses genoux contre sa poitrine.

— Mes comprimés, haleta-t-il. Il me faut mes comprimés.

Gilles plaça un oreiller sous sa tête avant de fouiller avec une grimace les poches de son répugnant manteau. Il en sortit un petit flacon, dont il déchiffra l'étiquette. Il déposa un comprimé sur la langue de Gallagher.

— Surtout, ne le croquez pas. Attendez qu'il fonde.

— Pauvre crétin de Rosbif… Tu t'imagines peut-être que je le sais pas déjà ?

Gilles ne se donna même pas la peine de répondre. Le vent peu à peu reprenait ses tours ; déjà, il chahutait la demeure proprette dans laquelle les deux hommes s'étaient mis à couvert. Il poussa la table jusqu'à ce que le vieillard se trouvât dessous, puis il l'enveloppa dans une couverture avant de se blottir à côté de lui.

— C'est reparti, murmura-t-il.

Le cyclone accourut sur la route en hurlant, se jeta à plusieurs reprises contre la maisonnette… La pluie, de nouveau, pilonnait fenêtres et toits, son tambour démoniaque sonnait aux oreilles de Gilles.

Cela se produisit sans préavis. Rien qu'une explosion de verre et de bois, à l'instant où l'arbre s'abattait sur la cheminée. Sur quoi Mary, sinuant parmi les gravats, mit le logis en pièces.

Sam, qui étreignait Maggie, lui piqua un baiser sur le dessus du crâne. Il sentit aussitôt sur eux les regards interloqués de leurs compagnons : il venait de trahir leur secret. Il s'en moqua complètement. Maggie lui offrait de la joie, grâce à elle son esprit torturé s'apaisait ; il souhaitait que le monde entier partageât leur bonheur. Il sourit en humant ses cheveux. Le vieux Sam, bougon et solitaire, s'en était allé pour toujours.

Le vent était tombé, la pluie ménageait l'hôtel. Chacun leva les yeux vers le ciel, l'oreille aux aguets – le silence se révélait sinistre –, comme si l'univers entier retenait sa respiration…

— On est dans l'œil du cyclone, fit Sam entre ses dents. Je vais faire le tour du propriétaire en attendant que les hostilités reprennent. Ça ira ?

La jeune femme acquiesça, le visage lumineux.

— Fais vite, murmura-t-elle.

Il l'embrassa doucement sur les lèvres. Un cri d'allégresse retentit, auquel succédèrent des applaudissements et des sifflets.

— Ça va, ça va, tempéra Sam en souriant de toutes ses dents. Le spectacle est terminé.

— Félicitations, vieux ! braila une voix.

— Pas trop tôt ! s'écria une autre.

Sam, qui s'était empourpré, se hâta de quitter le hall pour entamer sa tournée d'inspection. Il n'avait pas l'habitude qu'on le mît en vedette – il lui semblait cependant marcher sur un nuage, et tandis qu'il se rendait d'une pièce à l'autre, il se faisait l'effet d'un géant.

Les fenêtres, obturées par des planches de bois, étaient intactes, les écuries tenaient encore debout ; hors les grandes flaques plein la cour, l'établissement avait résisté vaillamment aux éléments déchaînés.

Les débris, sur le palier, indiquèrent cependant à Sam que l'étage avait souffert. Quelques vitres ayant volé en éclats, les moquettes se révélaient trempées – sur tout le flanc nord de l'hôtel, la tempête avait arraché les planches clouées aux ouvertures. Des lambeaux de papier peint pendaient aux murs, le canapé et les fauteuils entreposés dans la chambre avaient été projetés dans un coin de la pièce, où ils s'entassaient à présent en une masse humide.

Sam alluma sa torche, qu'il brandit en direction du plafond. Pas de cloques ni de fissures, ce dont on pouvait conclure que le toit avait supporté l'offensive. Dehors néanmoins, on entendait couler de l'eau – une bonne partie des gouttières devait s'être volatilisée.

Il se rendit en dernier dans les chambres de Gilles et d'Olivia, d'où il lorgna la grand-rue dévastée. Le vent avait défait certains toits comme on ôte un papier d'emballage ; avec la même facilité. Des palmiers gisaient parmi les vestiges. Un pick-up avait atterri dans la vitrine du magasin général – des coupons de tissu, ainsi que des rouleaux de papier hygiénique, le cernaient à présent. Sur le trottoir se bousculaient pêle-mêle des cartons, des boîtes de conserve et des bidons d'huile ; des journaux mouillés pendaient de droite et de gauche. Un ruisseau dévalait la chaussée, tandis que les vagues, au loin, continuaient, dans un bruit de détonation, à se déchirer contre les rochers.

Si la pluie persistait, songea l'hôtelier, ce serait l'inondation, et tout recommencerait comme en 1929. À l'époque, l'eau était montée jusqu'à l'étage ; il avait fallu une bonne semaine avant qu'elle se retirât suffisamment pour qu'on pût enfin jouer de la serpillière et du seau. Le propriétaire d'alors et ses clients n'avaient eu d'autre choix, pour éviter la noyade, que de se jucher sur le toit de l'hôtel, où ils étaient demeurés plus d'une journée avant l'arrivée des secours.

On avait su néanmoins tromper l'attente, se remémora Sam avec un large sourire, les rescapés ayant réussi à hisser auprès d'eux deux pleins tonneaux de bière – l'épisode appartenait désormais à la légende locale.

L'hôtelier fronça les sourcils à la perspective des travaux qu'il devrait entreprendre après la catastrophe. Ce n'était pas de cette façon qu'il avait espéré entamer sa vie commune avec Maggie. Mais, déjà, il retrouvait sa bonne humeur : ensemble, il le devinait, ils surmonteraient tous les obstacles.

Il posa une dernière fois les yeux sur la pagaille. Gilles n'avait toujours pas reparu. Pourvu qu'il eût déniché un abri sûr... Sam priait pour ne pas avoir bientôt à annoncer de mauvaises nouvelles à Olivia. Il se sentait suffisamment coupable déjà, pour ne pas se voir imposer, en outre, les reproches dont la jeune femme ne manquerait pas de l'accabler si son ami ne survivait pas au cyclone...

Comme il se détournait de la fenêtre, il repéra les valises. Olivia ne leur avait pourtant pas annoncé qu'elle désirait partir ; Maggie n'était au courant de rien.

Sam demeura un long moment perplexe, sans plus se soucier des rafales qui de nouveau soufflaient, ni de la pluie qui recommençait à tomber. Olivia n'en avait pas terminé avec ce qu'elle était venue chercher ici. Pourquoi s'en aller ? Et Maggie ? Elle éprouverait un immense chagrin...

Il devait agir. Empêcher Olivia de filer. D'autant plus qu'il était sur le point de percer le mystère qui, au départ, avait mené l'Anglaise jusqu'à Trinity.

— Distribue des boissons chaudes à tout le monde, indiqua Olivia. Et conseille-leur de se rendre aux toilettes avant que le cyclone frappe à nouveau.

Maggie esquissa le salut militaire, un grand sourire aux lèvres.

— Bien, chef ! lança-t-elle sur le ton de la plaisanterie.

Olivia sourit à son tour en agitant un torchon vers elle :

— Allez, ouste !

Sur quoi elle regarda s'affairer sa nièce, dont elle admirait le calme et le sang-froid – elle avait Sam à présent pour l'épauler, cela l'aidait, forcément.

Se reprochant la pointe de jalousie qu'elle venait d'éprouver, elle abandonna l'atmosphère confinée du hall pour se rendre au salon. C'était dans des moments comme celui-ci qu'elle mesurait tout le poids de sa solitude, au point qu'en dépit de l'air plus frais qui régnait dans la pièce elle demeurait tendue, les épaules raidies, les nerfs à fleur de peau. Si seulement Gilles n'avait pas quitté l'hôtel. Si seulement il était parvenu à rentrer durant l'accalmie.

Elle tenta de repousser les sombres pensées qui la harcelaient. Gilles n'était pas homme à se détourner de ce qu'il tenait pour son devoir. Mais sans doute avait-il déniché un refuge, au fond duquel il se terrait avec Gallagher en attendant que le cyclone se fût éloigné.

— Pourquoi faut-il toujours que tu joues les héros ? gronda-t-elle son ami à mi-voix.

Elle ne tarda pas à s'apercevoir qu'elle s'en voulait davantage qu'elle n'en voulait à Gilles. La nuit précédente, elle aurait dû le retenir. Elle aurait dû le contraindre à l'écouter. Alors peut-être – seulement peut-être – aurait-il moins souffert, et peut-être ne se serait-il pas ingénié à lui prouver quelle bravoure était la sienne.

Mais il ne servait à rien de s'apitoyer sur son sort ni de trembler pour Gilles. Olivia se ressaisit.

Elle n'avait pourtant nulle envie de regagner le hall bondé, où elle savait qu'elle ne serait utile à personne, puisque, par bonheur, on ne dénombrait aucun blessé. Elle posa doucement le front contre la vitre, en tâchant de distinguer la rue entre les planches clouées.

Les hurlements de la tempête l'avaient pétrifiée comme l'avait terrorisée le grondement des bombardiers pendant le Blitz. La rue était déserte. Il y avait de l'eau partout qui, lentement, tournoyait autour des bâtiments en ruine et des arbres abattus... Et ce silence... Aucun signe de vie. Aucun signe de Gilles.

Irène cligna des yeux quand les premières gouttes glacées lui martelèrent les paupières. Dès lors, elle contempla les cieux assombris en se demandant un instant ce qu'elle faisait là, allongée dans la cour des écuries. La mémoire lui revint en découvrant la stalle vide.

Elle essaya de se redresser. Une souffrance insoutenable lui arracha un cri ; elle retomba contre les pavés humides. Elle avait si mal qu'elle respirait à peine.

La pluie s'intensifiait ; le ciel, bleu tout à l'heure, s'enténébrait à vive allure. Le vent, qui s'était remis à gémir, tirait la malheureuse par l'ourlet de son manteau. Si elle restait ici, elle mourrait.

L'effroi l'emportant sur la douleur, elle s'efforça à nouveau de bouger. Mais son corps ne lui obéissait plus. Elle avait beau se concentrer, il ne lui était pas même possible de remuer un doigt. Elle gisait là, dans ce calme statufié, cependant que les rafales sifflaient autour d'elle. Une substance chaude et collante lui dégoulinait sur le visage, et sa tête la mettait au supplice. Elle y voyait à peine, pensait à peine, mais son instinct lui soufflait qu'elle risquerait très gros si elle tentait de se déplacer encore.

La pluie, maintenant, lui piquait la peau aussi sûrement que des aiguilles. Plus-que-parfait l'avait frappée à la tête, qui était allée ensuite heurter les pavés quand elle était tombée. Mais pourquoi diable n'éprouvait-elle plus la moindre sensation à partir du cou ? Que lui était-il arrivé ?…

Elle tourna le regard en direction de la maison, toujours cernée par les eaux. Irène était seule. Les portes des stalles à nouveau battaient au vent, et leur battement semblait amplifier celui qui tourmentait l'intérieur de son crâne. Elle devait coûte que coûte s'abriter dans un box. Mais comment allait-elle s'y prendre ?…

Sur sa figure se mêlaient maintenant la sueur, le sang et la pluie. Sa souffrance était telle qu'elle réduisait presque au silence son instinct de survie. Mais la peur de s'éteindre là, dans cette cour, abandonnée de tous, cette peur, elle, ne la quittait pas.

Elle ne tarda pas à s'apercevoir que, malgré tout, le sort s'était montré clément : gisant à l'abri de l'un des murs principaux des écuries, elle y serait protégée des bourrasques les plus violentes. L'averse, en revanche, l'aveuglait, elle la glaçait jusqu'aux os, la douleur augmentait de minute en minute… Irène, bientôt, se mit à appeler de ses vœux le trépas, qui mettrait un terme définitif à son calvaire.

Elle ferma les paupières. Les portes des stalles claquaient de plus en plus fort, et le niveau de l'eau s'élevait peu à peu autour d'elle. Dans un rare moment de lucidité, elle se rappela l'assaut de Plus-que-parfait qui, elle s'en souvenait à présent, après l'avoir frappée à la tête, s'était acharné sur sa maîtresse tombée à terre. Elle parvint à jeter un coup d'œil en direction de ses jambes. La vérité lui fit l'effet d'une gifle : l'os, ici et là, luisait au cœur des plaies multiples. Son cheval avait réduit ses membres inférieurs en bouillie…

Étonnamment, sa vigueur redoubla. Il fallait qu'elle s'en tire. Hélas, comme elle reposait sur les pavés que l'averse trempait peu à peu, elle commença à s'affoler. Le niveau de l'eau ne cessait plus de s'élever. Si le cyclone s'obstinait, elle périrait noyée. Or elle avait toujours redouté la noyade plus que tout – voilà pourquoi elle n'avait jamais voulu apprendre à nager ; voilà pourquoi, au cœur de ses cauchemars, l'eau tenait le rôle principal.

Et cette eau montait. Les rivières grossissaient. Les flots se muaient en torrents, engloutissant les plaines inondables… L'île de pavés où reposait Irène s'amenuisait ; des vaguelettes commençaient à lécher le mur de l'écurie.

19

Olivia s'étira sur le matelas, sans trouver le sommeil – le souvenir de nombreuses nuits passées dans la touffeur d'un abri antiaérien demeurait trop vif. Il lui semblait revivre le Blitz; comme les Londoniens, ses compagnons d'infortune faisaient face avec courage. Certains s'efforçaient de dormir, d'autres bavardaient dans un murmure. D'autres encore pleuraient, mais sans bruit. Pas de crises d'hystérie, pas de cris… Tous paraissaient s'incliner devant la toute-puissance des éléments qui s'exaspéraient au-dehors.

Le cyclone avait rudoyé l'hôtel toute la nuit, et même s'il faisait encore sombre dans le hall, Olivia, consultant sa montre, constata qu'il était déjà 7 heures. Elle se redressa sur sa couche. Elle avait besoin de se rendre utile, mais on ne recensait toujours pas de blessés. Elle se leva pour se dégourdir les jambes. Où donc se trouvait Gilles?…

Et soudain, tout fut terminé. Le brusque silence emplit la tête de la jeune femme avec une violence égale à celle du déchaînement de la tempête qui, quelques minutes plus tôt, la taraudait encore. Dans le hall on s'était tu, ou bien l'on s'éveillait en sursaut. Les rescapés soupirèrent en chœur, avant de se remettre debout dans un bel ensemble, pareils à des somnambules… Ils hésitaient sur la conduite à tenir.

— C'est fini, souffla Maggie en étreignant Olivia. On est sauvés.

L'Anglaise opina, mais déjà ses pensées s'envolaient vers Gilles.

— Je ferais mieux d'aller faire un tour dehors, fit Sam à mi-voix, avant de déverrouiller la porte.

Les survivants émergèrent dans un univers assourdi et figé ; un monde dévasté. Le cyclone avait ravagé Trinity, dont les rues étaient jonchées de troncs d'arbres et de houppiers de palmiers. Le sable adhérait à toutes les surfaces. Des plaques de tôle ondulée gisaient dans la boue épaisse de la cour, des fragments de clôture s'éparpillaient aux quatre coins de la ville, tandis que des automobiles encastrées dans des bâtiments reposaient sur le dos, telles des tortues échouées.

Une rivière au cours lent, couleur de rouille, descendait la grand-rue, et dans les flaques se reflétait un ciel nébuleux. Des gouttières abîmées de l'hôtel cascadait l'eau de pluie, mais les écuries, pour leur part, avaient résisté, de même que le cabanon de Maggie – de justesse cependant, car le toit semblait avoir été soulevé par un gigantesque ouvre-boîtes.

Olivia s'était crue capable de tout supporter après les décors apocalyptiques qu'elle avait contemplés lors du Blitz. Elle se trompait : sa gorge se noua à la vue de Trinity, ou de ce qu'il en restait… Où donc s'était envolé ce petit paradis tropical qu'elle chérissait?…

Elle regarda Sam patauger jusqu'à l'enclos. Sa jument y tremblait patiemment à côté de la palissade, la nuque ployée. Son maître lui caressa le museau avant de l'encourager à se mouvoir un peu. La monture ne souffrait à l'évidence d'aucune blessure – un immense soulagement se peignit sur les traits de l'hôtelier.

— Je vais chez moi, décréta Maggie. Tu veux venir?
Olivia secoua la tête.
— Il faut que je trouve Gilles.
Maggie l'embrassa sur la joue.
— Il s'en est bien tiré, j'en suis certaine.
Posant le regard sur la bourgade anéantie, Olivia pria pour que la jeune femme eût raison. Elle retourna à l'hôtel pour y récupérer sa trousse de secours et demander à Sam quel chemin emprunter pour se rendre chez Gallagher.

Les autres rescapés avaient déjà rassemblé leurs affaires; déjà, ils retournaient chez eux constater les dégâts. Ils se déplaçaient sans mot dire, l'œil hagard.

Olivia, de son côté, s'interrompit un instant, songeant à la petite demeure du bord de mer. Avait-elle survécu au désastre? Mais elle lui rendrait visite plus tard. Pour l'heure, sa mission consistait à découvrir Gilles.

Barbotant dans l'eau, elle enjamba des troncs, contourna des bateaux et des camions ventre à l'air, détourna les yeux lorsqu'elle croisait le cadavre d'un animal – et ces malheureux volatiles, naguère si beaux, désormais réduits à des bribes… Ce silence obtus, cette sérénité trompeuse, ce caractère irrévocable… Les cieux d'étain annonçaient d'autres averses mais l'air, une fois la canicule enfuie, devenait à nouveau respirable.

Olivia progressa encore, évitant les obstacles, les fragments acérés de fer ou d'acier, les barbelés enchevêtrés parmi les gravats. Enfin, elle atteignit les lieux où se dressait autrefois la masure de Gallagher.

De ce taudis ne subsistait rien, sinon la cheminée qui, telle une sentinelle, se dressait au milieu des décombres.

— Gilles!

Sa voix se faisait d'autant plus stridente que le silence était d'or.

— Gilles! lança-t-elle encore en se frayant un chemin le long d'un vieux tracteur rouillé.

Elle repoussa des morceaux de bois.

— Réponds-moi, bon Dieu! hurla-t-elle cette fois, ivre de terreur.

Irène souleva les paupières. Quelque chose avait changé, et pendant quelques instants elle ne sut plus où elle se trouvait. Le vent était tombé, songea-t-elle soudain, et la pluie pianotait moins fort sur le toit. Elle cligna des yeux sous l'averse pour contempler le ciel. Un ciel gris, couleur de plomb.

Son sang tachait les pavés, mais les murs avaient résisté aux coups de boutoir du cyclone – l'eau cependant, en petites vaguelettes, lui léchait le corps et la frigorifiait. Au moins cette fichue porte avait-elle cessé de battre, se dit-elle dans le brouillard de son martyre ; une bourrasque plus violente que les autres l'avait arrachée à ses gonds.

La peur et la douleur l'engourdissaient. Elle rêvait de dormir, mais vu la quantité de sang qu'elle avait déjà perdue, elle sombrerait dans le coma si elle s'assoupissait. Elle devait à tout prix garder conscience. Jusqu'à ce qu'on vînt la secourir. Il pourrait se passer plusieurs heures avant que William pût se rendre jusqu'ici. S'il daignait venir.

Ses souvenirs la consumant, des larmes brûlantes se mirent à rouler sur ses joues. Elle avait perdu tout ce qu'elle aimait, tous ceux et celles qu'elle chérissait. Sa mère était morte sans que les deux femmes se fussent jamais réconciliées. À présent que Sarah se tenait à ses côtés, son fils n'avait plus besoin d'elle, et William s'apprêtait à entamer une existence nouvelle au bras d'une autre. Quant à la chose terrible qu'elle avait faite bien des années plus tôt... elle continuait de la hanter.

À combien d'êtres avait-elle causé de lourds chagrins ?... Ce constat, hélas, n'apaisait pas son tourment. Au contraire, il exhaussait son insondable tristesse – elle aurait pu suivre un itinéraire si différent... Elle était seule.

Si je réchappe de cette épreuve, se promit-elle, je m'efforcerai de réparer mes erreurs et mes mauvaises actions. Une petite voix, néanmoins, lui souffla qu'il était trop tard.

Sam permit à sa jument de quitter le paddock. Aussitôt elle s'élança au galop, soulagée, semblait-il, qu'enfin les vents épouvantables eussent reflué. Les mains dans les poches, l'hôtelier constata que le village aborigène n'existait plus. Il ne restait guère que les cercles noircis des anciens feux de camp pour témoigner que des hommes et des femmes avaient un jour vécu ici.

— Ils auront vite fait de tout reconstruire, observa Maggie, qui venait de le rejoindre.

— Mon éternelle optimiste, sourit-il en lui enlaçant la taille. Et chez toi, qu'est-ce que ça donne ?

— La pluie est entrée par le coin du toit que la tempête a soulevé. Mais rien de bien méchant.

Il lui prit la main, sidéré par le sang-froid dont cette petite bonne femme faisait preuve depuis vingt-quatre heures.

— Viens, proposa Sam. Allons faire un tour en ville pour constater les dégâts.

Ils s'éloignèrent main dans la main et se dirigèrent vers la plage, aux abords de laquelle ils s'immobilisèrent.

Une inextricable forêt d'algues flottait sur la mer grise, tandis que d'autres gisaient par-delà la limite supérieure des eaux, en tas de plusieurs mètres de haut. Les palmiers qui, hier encore, oscillaient dans la brise, le long de la promenade, avaient tous disparu, et quant aux buissons colorés, aux arbres luxuriants qui faisaient pour partie la réputation de Trinity, la hache du cyclone en avait eu raison. Mais c'était le sable qui, surtout, avait métamorphosé la physionomie des lieux. Balayé par les éléments en furie, il formait à présent de hautes dunes sous lesquelles se trouvaient presque enterrés les bungalows les plus proches du littoral. Ce sable emplissait les cours, étouffait les vérandas ; ce sable avait tout recouvert.

Sam serra la main de Maggie dans la sienne.

— C'est fini, dit-il doucement. Elle te fera plus jamais de mal, cette baraque.

— Bah, laissa tomber la jeune femme en haussant le menton avant de se détourner. Fallait être crétin, aussi, pour faire construire dans un endroit pareil. Allez, viens. On ferait mieux de commencer à nettoyer.

— J'ai d'abord deux appels radio à passer. Je veux m'assurer que Cloche-Patte et Smokey ont rejoint leur scierie sans encombre, et que maman va bien.

— J'arrive pas à t'imaginer avec une mère, sourit Maggie.

— Une belle-mère, rectifia l'hôtelier. La meilleure au monde. Et une sacrée battante, ajouta-t-il avec fierté. Mais faut pas lui marcher sur les ripatons, parole. Elle serait capable d'arrêter un taureau en pleine charge rien qu'en le regardant.

L'hôtel leur parut étrangement muet, étrangement vide alors que, cette nuit encore, une foule s'y pressait. Sam aida

Maggie à empiler les matelas avant de rejoindre l'émetteur radio.

— Salut, maman, fit-il en pédalant avec vigueur pour maintenir la liaison. Comment ça va par chez toi ? À vous.

— Ça roule. On a eu un peu de flotte, mais on survivra. Et toi ?

— Rien de catastrophique.

Il jeta un coup d'œil par-dessus son épaule : Maggie s'affairait au bar, là où l'eau s'était insinuée sous la porte.

— Maman..., reprit l'hôtelier. J'ai un service à te demander.

— Tu as besoin d'aide.

Il ne s'agissait en aucun cas d'une question, mais d'une affirmation – une fois de plus, Sam se sentit impressionné par la perspicacité de la vieille dame.

— C'est vrai. Ce truc dont on a parlé l'autre jour... Ça se complique...

— T'as jamais pu cracher ta pastille sans faire mille et un détours, commenta sa correspondante d'une voix bourrue. Que veux-tu que je fasse, Samuel ? Je suis coincée ici, et toi tu es là-bas.

— Je vais venir te voir.

— Pas tout de suite. Il va falloir du temps pour déblayer puis réparer les routes. Par chez nous, elles sont impraticables.

— Je te rendrai visite dès qu'ils auront rouvert les voies à la circulation. Et je viendrai pas seul.

Il y eut un long silence à l'autre bout de la ligne, au point que l'hôtelier se demanda si la communication ne s'était pas interrompue.

— Je serai contente de faire enfin la connaissance de Maggie.

— Comment sais-tu que c'est elle qui m'accompagnera ?

— Je suis peut-être un vieux clou, repartit la belle-mère de l'hôtelier, mais je suis pas gâteuse. Maggie et toi, vous êtes faits l'un pour l'autre depuis le début. Mais bien sûr, comme tous les bonshommes, il t'aura fallu une éternité pour t'en apercevoir.

Sam se mit à rire, s'étendit un peu sur les raisons de sa visite imminente ; il viendrait bientôt, c'était promis. Sur quoi il mit un terme à l'échange. Il avait pesé ses mots avec soin – par bonheur, sa belle-mère, qui était fine mouche, avait lu entre les lignes. Car là résidait l'inconvénient majeur des communications radio : tout le monde pouvait les capter. Ainsi, depuis quelques minutes, l'ensemble du Queensland était-il au courant du lien qui l'unissait désormais à sa gérante – on en ferait ses choux gras pendant des heures.

Bah, songea Sam avec un sourire, pendant ce temps-là, ils oublieraient un peu les ravages causés par le cyclone.

Il changea de fréquence pour tenter de joindre Cloche-Patte.

— Tu m'entends ? Ici Sam. À vous.

Seuls les parasites emplirent son casque.

— Cloche-Patte ? Smokey ? Ici Sam. Comment c'est par chez vous ? Vous avez pu rentrer à temps ?

Une voix à peine audible s'insinua entre d'autres conversations. L'hôtelier crut reconnaître Smokey, mais c'était un son si faible qu'il ne pouvait rien assurer. Par ailleurs, il ne s'agissait pas de la fréquence sur laquelle son ami avait coutume de communiquer. Sam fronça les sourcils en modifiant les réglages de son appareil.

— C'est toi, Smokey ? J'entends rien. Tu émets sur quelle fréquence ?

— … La bagnole… arbre… Cloche-Patte dans un sale état…

Au comble de l'inquiétude, l'hôtelier tendit l'oreille. Sans doute Smokey utilisait-il la radio du pick-up. Ce qui signifiait que les deux compères n'étaient pas parvenus à rejoindre la scierie avant que la tempête se déchaîne. Ils se trouvaient forcément en très mauvaise posture.

— T'es où ?

— À l'est de Barron… On a foncé… La camionnette est foutue…

— Attends. Tu parles bien de Barron Falls ? À vous. Tu m'entends ? Barron Falls ?

— Ouais.

Les parasites engloutirent le filet de voix à l'autre bout de la ligne, tandis que Sam s'évertuait à dénicher un autre canal.

— Smokey! hurla-t-il dans l'émetteur. Vous êtes gravement blessés? Réponds-moi!

Rien, sinon, encore et toujours, ces satanés parasites. L'hôtelier cessa de pédaler, puis se leva d'un bond.

— Maggie!

— Je suis là, pas la peine de crier.

Elle désigna du menton une pile de couvertures, plusieurs Thermos de thé et des rouleaux de bandage.

— J'ai pensé qu'on allait peut-être en avoir besoin, ajouta-t-elle.

Sam l'étreignit.

— Tu es une perle, murmura-t-il. Mais d'abord, il faut qu'on trouve Olivia. On n'aura pas le temps d'aller chercher le toubib. D'autant plus qu'il doit être débordé.

— Elle est partie pour essayer de mettre la main sur Gilles.

Elle consulta la pendule.

— Il a dû se passer quelque chose. Ça fait belle lurette qu'ils auraient dû rentrer.

— Viens, lui lança son compagnon en s'emparant des couvertures, des bandages et des Thermos.

Ils quittèrent l'hôtel en hâte pour se ruer vers le pick-up, à bord duquel ils grimpèrent. Déjà, Sam faisait rugir le moteur et démarrait en trombe.

Allongé dans la pénombre, Gilles émit un pâle sourire. Il aurait reconnu cette voix entre mille.

— Olivia! appela-t-il.

L'effort se révéla trop violent – le jeune homme posa la joue contre les débris. Son cri, pourtant, tenait plutôt du murmure. Enterré sous ce monceau de gravats, il douta que son amie eût pu l'entendre.

Le silence et les ténèbres de son tombeau se refermaient sur lui. Il tendit l'oreille. Olivia hurla de nouveau son prénom, mais il lui adressa une réponse plus inaudible encore que la précédente. Il manquait de salive.

Il tenta d'évaluer sa situation: la poitrine semblait intacte, et le sang avait cessé de couler à son front, ce qui laissait supposer que la blessure était légère. Au-dessous de la ceinture en revanche, il souffrait terriblement. Quelque chose le clouait au sol, de même que son compagnon d'infortune.

Celui-ci respirait à peine. Il lui effleura la main : elle était glacée.

Gallagher gémit en s'efforçant de bouger.

— Non ! haleta Gilles. Restez tranquille.

— Hé ! Il y a quelqu'un là-dessous ?

Cette voix, que l'Anglais n'identifiait pas, le troubla un moment – il aurait pourtant juré avoir perçu plus tôt celle d'Olivia...

— Au secours, articula-t-il. Aidez-nous.

La voix inconnue s'éleva de nouveau, plus fort cette fois.

— Olivia. Ici. Ils sont coincés sous les décombres.

— Qui ça ?

Gilles se raidit. Elle arrivait. Olivia s'approchait.

— J'en ai pas la moindre idée. Mais y a du monde là-dessous, parole.

Étendu dans le noir, le jeune homme luttait contre les nausées, tandis que de sombres nuées lui passaient devant les yeux, menaçant à tout instant de l'avaler. Il se concentra sur les sons au-dessus de sa tête. On soulevait des objets, qu'on repoussait ensuite ; on discutait quant à savoir quoi faire de ce tronc qui, après s'être abattu sur la maisonnette, reposait à présent au milieu des ruines.

— Attendez, intervint Olivia. Laissez-moi écouter.

— Olivia, grogna Gilles. Olivia...

— Gilles ! s'écria-t-elle. C'est bien toi ?

— Olivia...

Il ne s'agissait plus que d'un soupir, car l'Anglais peu à peu perdait conscience.

— Venez m'aider, ordonna la jeune femme. Nous allons déblayer le plus possible, Joe. Mais nous ne pourrons pas faire grand-chose tant que personne ne nous aura débarrassés de cet arbre.

La présence d'Olivia parut ragaillardir un peu son ami, qui revint à lui, l'oreille aux aguets. On tirait des plaques de fer et des morceaux de bois, on rejetait les pierres de la cheminée mise en pièces. À l'évidence, Olivia et Joe étaient seuls.

Combien de temps, songea Gilles, leur faudrait-il avant qu'il pût enfin respirer un peu d'air frais?...

Un moteur gronda, des freins hurlèrent.

— Par ici!

L'Anglais poussa un soupir de soulagement. Il s'agissait de Sam, accompagné, s'il en croyait le nombre de voix autour de lui, par une bonne moitié de la population masculine de Trinity. Ensemble, ils examinèrent les lieux avant de mettre sur pied une stratégie.

Le jeune homme ne distinguait certes rien, mais il se représentait la scène sans la moindre difficulté. Sam, à coup sûr, fronçait les sourcils, perdu dans ses pensées, peut-être même avait-il repoussé son chapeau vers l'arrière pour se frotter le front.

— Il va falloir scier cet arbre avant de pouvoir le déplacer, déclara-t-il. Sinon, il risque de s'effondrer.

Aussitôt dit, aussitôt fait. Le fer des haches se mit à tinter, les scies s'activèrent... Les hommes œuvraient sans mot dire. Des branches craquèrent au-dessus de Gilles. Il y avait aussi des bruits de bottes. Un faux mouvement, un geste malheureux... et il périrait dans cette cavité en compagnie de Gallagher.

— Déblayez-moi ça, commanda l'hôtelier. Olivia, arrêtez de vous flanquer dans nos pattes.

— Je dois leur porter secours, décréta-t-elle. Combien de temps vous faut-il encore?

— C'est un gros arbre. Mais ça sera moins long si vous consentez à dégager de là.

— Taisez-vous et faites vite, le moucha la jeune femme.

Gilles sourit en dépit de la douleur qui le taraudait.

Il attendait, soumis à une tension extrême, qu'on parvînt à déplacer la portion la plus volumineuse du tronc. La respiration du vieillard ne s'améliorait guère et, en dépit de la chaleur qui régnait dans leur geôle minuscule, il était gelé.

Là-haut, l'activité cessa soudain. Un silence absolu tomba.

— Mettez-vous en rang, brailla Sam. Puis, à mon commandement, vous soulèverez ce fichu tronc.

Gilles discerna comme une bousculade, ainsi que des marmonnements confus.

— Un… Deux… Trois… On lève!

L'Anglais ferma les paupières en tâchant d'apaiser son cœur, qui battait la chamade. Il éprouvait une terreur presque aussi vive que celle qu'il avait ressentie le jour où, ayant perdu le contrôle de son appareil, il avait dû l'abandonner en sautant du cockpit en parachute. On traînait à présent des branches; des gravats glissaient, des objets se brisaient autour de lui. Plusieurs hommes jurèrent à mi-voix en tâchant d'emporter le tronc, qui devait peser des tonnes… Un léger courant d'air se coula jusqu'à Gilles, cependant que sa prison ballottait, qu'elle oscillait – de la poussière pénétra dans ses narines et ses yeux.

Olivia exigea le silence.

— Gilles! appela-t-elle. Tu m'entends?

— Oui, répondit-il dans un chuchotement.

Alors il se tourna un peu vers la lueur apparue au-dessus de sa tête, puis il tendit le bras.

— Là! s'exclama la jeune femme. Voilà sa main! Courage, il est tout près!

Du métal dégringola, du verre se brisa. Le bois frottait contre le bois, des clous s'accrochaient ici ou là, les pierres de la cheminée s'éboulaient. D'affreuses nausées secouèrent à nouveau le garçon, qui se mit à fixer la lueur pour ne pas perdre pied. Olivia se trouvait à quelques centimètres de lui…

Peu à peu, cette clarté pareille à une tête d'épingle s'élargit. Maintenant, Gilles distinguait le ciel – dont il constata avec dépit qu'il était de cendre, alors qu'il s'attendait à contempler l'azur.

Puis Olivia se contorsionna pour le rejoindre. Elle lui parla avec rudesse – il devinait que cette âpreté devait moins à la colère qu'à la peur.

— Qu'est-ce que tu fabriques ici?

— J'essaie de sortir, riposta-t-il d'une voix rauque.

Elle était échevelée et couverte de boue, mais son ami la jugea plus belle que jamais.

— Gros malin, siffla-t-elle en lui saisissant le poignet pour tâter son pouls.

— Vilaine grincheuse, répliqua-t-il dans un murmure – et comme il tentait de se redresser, une douleur atroce lui poignarda la cervelle.

— Ne bouge pas, dit-elle doucement en lui posant une main sur la poitrine avant de repousser les mèches qui lui barraient le front. Où as-tu mal?

Il ferma les paupières pendant que la jeune femme effleurait son crâne de ses doigts frais, puis palpait son buste et son bras.

— Partout, répondit-il. Mais tu devrais d'abord examiner Gallagher. Je crois qu'il a eu une crise cardiaque.

— Passez-moi une lampe torche! réclama Olivia aux hommes demeurés en surface. Et essayez de déblayer encore un peu. Mais faites attention: je tiens à les récupérer en un seul morceau.

Une fois la torche en main, la jeune femme s'avança à quatre pattes jusqu'au vieillard.

— Le pouls est très faible, constata-t-elle, et il meurt de froid. Qu'est-ce qui te permet de penser qu'il s'agit d'une crise cardiaque?

Gilles se sentait tout près de défaillir, mais il devait informer Olivia:

— Les comprimés dans sa poche… À faire fondre sous la langue…

Sur quoi il dut s'évanouir car, quand il rouvrit les yeux, son amie lui faisait une piqûre dans le bras.

— Reste calme, murmura-t-elle. Je t'ai administré un peu de morphine, contre la douleur, car nous nous apprêtons à t'extraire de ce trou.

Le garçon détourna le regard, craignant que son amie pût y lire l'admiration sans borne qu'il lui vouait. La morphine l'engourdissait peu à peu.

Il prit à peine conscience qu'Olivia lui serrait les jambes dans des attelles. Il s'éveilla quelque peu lorsqu'on le souleva pour l'installer sur une surface plate et dure. Enfin, il retrouva l'air libre. Émergeant de nouveau, il s'aperçut qu'il était maintenant allongé au fond du pick-up, protégé par une couverture. Olivia continuait à diriger les opérations. Gilles sourit. Dieu du ciel, il l'adorait…

Après qu'on eut installé Gallagher à côté de lui, ce dernier le gratifia d'un regard fielleux en dépit de sa respiration haletante.

— Est-ce que j'aurai quand même mon petit-déjeuner gratos? s'enquit-il auprès d'Olivia, qui venait de grimper dans la camionnette pour s'asseoir près de lui.

Sam se hissa à son tour et s'accroupit entre les deux blessés.

— Tu ferais mieux de te réjouir d'être encore de ce monde, rabroua-t-il le vieillard. Au lieu de t'occuper de ton estomac, pourquoi tu dirais pas plutôt merci à ce gamin-là, qui t'a sauvé la couenne?

Gallagher le guigna d'un œil mauvais, tandis que l'hôtelier lui expliquait que c'était probablement à la table de cuisine que les deux rescapés devaient leur survie; Sam ajouta que de la bicoque du vieux, en revanche, il ne restait strictement rien.

— Si Gilles avait pas été là, à l'heure qu'il est tu serais en train de te faire becqueter par les corbeaux, conclut-il.

Gallagher tourna ses yeux chassieux vers le jeune homme:

— Faut reconnaître que t'es pas trop dégueulasse, lâcha-t-il d'une voix bougonne. Pour un salopard de Rosbif, du moins.

20

Olivia remonta la couverture jusque sous le menton de Gallagher, dont elle tapota la main.

— Reposez-vous, dit-elle doucement. Essayez de dormir.

— Il est où, mon frichti?

— Je vais voir ce que je peux faire, mais vous vous doutez bien que, pour le moment, les choses sont un peu chaotiques à l'hôtel.

Elle le scruta d'un œil pensif.

— Cela dit, si vous avez faim, c'est plutôt bon signe. Alors maintenant, vous allez cesser de geindre et me laisser faire mon travail.

Elle se détourna du vieillard pour se pencher sur Gilles, dont le teint de craie et les vilains cernes lui conféraient un air de grande vulnérabilité. Du moins la morphine avait-elle produit son effet : le garçon resterait KO un moment.

— Comment il va? demanda Maggie en apportant un bol de soupe pour Gallagher, qu'elle aida à se redresser.

— Il va s'en sortir. En revanche, je m'inquiète beaucoup pour Gilles. Je suis à peu près certaine que l'arbre, dans sa chute, lui a fracturé la cavité cotyloïde et les deux fémurs.

La gérante haussa les sourcils ; Olivia sourit.

— La hanche et les os des cuisses, simplifia-t-elle. J'espère au moins me tromper concernant la hanche, car la convalescence dure un temps infini, et il arrive souvent qu'on garde ensuite des séquelles pour marcher.

— Sam a appelé le médecin par radio, mais il risque de pas se montrer avant un bon bout de temps, expliqua Maggie, qui nourrissait Gallagher à la cuiller. Il y a tellement de blessés que le malheureux est complètement bousculé.

— Olivia, appela l'hôtelier depuis le seuil, où il se balançait d'un pied sur l'autre. Il faut qu'on y aille.

La jeune femme opina. Depuis leur retour à l'hôtel, Sam était sur des charbons ardents. Elle s'empara de sa trousse de secours puis, après avoir rajusté la couverture de Gilles, elle se tourna vers Maggie.

— Surveille sa température, veux-tu. Si elle grimpe, tamponne-le avec des linges humides. Il est impossible de lui administrer une autre dose de morphine avant au moins quatre heures.

Elle déposa une seringue sur la table basse.

— Au cas où, dit-elle.

— Tu t'imagines quand même pas que je vais lui faire une piqûre? glapit Maggie, les yeux écarquillés.

— J'espère ne pas m'absenter trop longtemps. Mais si je dois rentrer tard, alors si, tu lui feras cette injection.

Elle posa une main sur l'épaule de la jeune femme.

— Entraîne-toi sur une orange avec la seringue de rechange, lui conseilla-t-elle. C'est de cette façon que j'ai progressé.

— Fini de caqueter, les bonnes femmes! tonna Sam. On perd du temps.

Olivia et Maggie échangèrent un sourire avant que la première n'emboîtât le pas à l'hôtelier qui, quelques minutes plus tard, prenait la direction de Barron Falls au volant de son pick-up.

William pressentait qu'une catastrophe s'était produite. Il avait tenté en vain de joindre Irène par radio, et bien qu'il se doutât qu'elle s'était précipitée vers les écuries à peine la tempête passée, son inquiétude avait grandi face à l'absence prolongée de son ex-femme.

Il roula à tombeau ouvert sur le terrain détrempé ; le pick-up bondissait, cahotait, traversait dans des gerbes

315

d'éclaboussures les ruisselets et les flaques. Cette peste aurait dû regagner Deloraine avant le passage du cyclone, comme il le lui avait conseillé.

La mine sombre, il évitait les nids-de-poule et les troncs, constatant que Deloraine avait peu souffert – on ne recensait que des arbres abattus, ainsi qu'une grange effondrée, guère plus. Une poignée de clôtures arrachées, des toits abîmés... Mais le bétail était sain et sauf, et quelques réparations suffiraient à rendre son lustre à la propriété, une fois que les eaux auraient reflué.

Avec la maison de l'ancien régisseur, cependant, c'était une autre paire de manches. Car des plaines immenses la cernaient, sur lesquelles la tempête en avait très probablement pris à son aise.

William cramponna le volant. S'il lui était arrivé quelque chose, il ne se le pardonnerait jamais. Vingt-deux années de mariage ne comptaient pas pour rien, et s'il n'aimait certes plus Irène, il continuait à se sentir responsable d'elle. Il aurait dû suivre sa première impulsion, faire fi du caractère impossible de son ex-épouse et venir jusqu'ici pour la contraindre à se réfugier avec lui au ranch.

À peine eut-il atteint la petite maison, dépouillée des arbres qui hier encore l'entouraient, qu'il sut que ses pires craintes s'étaient réalisées : la porte était grande ouverte, la véranda écroulée... Et pas la moindre trace d'Irène. Il eut beau appeler, personne ne répondit.

Il pataugea dans l'eau pour se hisser à l'intérieur de la bâtisse, dont il parcourut les pièces à la hâte. Les dégâts s'y révélaient finalement peu nombreux, mais les lieux étaient déserts. Pour quelle raison?...

William ressortit pour prendre la direction des écuries. L'eau, que la terre durcie par de nombreux mois de sécheresse avalait goulûment par la moindre de ses crevasses, se retirait à toute allure. Les chevaux broutaient au loin, tandis qu'un tas de vieilles loques reposait contre le mur principal. Mais toujours personne. William avait la bouche sèche, et son cœur battait de plus en plus fort.

— Irène! appela-t-il. Où es-tu?

Il atteignit la cour pavée. Comme il s'apprêtait à fouiller les stalles une à une, il s'aperçut que cet amoncellement de hardes devant lequel il venait de passer n'était autre que son épouse… Horrifié, il s'agenouilla près d'elle. Baignant dans son sang, elle lui sembla si pâle, si vulnérable… Mais lorsqu'elle lui rendit son regard, il y lut une formidable détermination. Irène était une battante, se dit-il… mais pour combien de temps encore?…

— Il faut que j'aille chercher de l'aide, lui exposa-t-il en lui prenant la main.

Irène ouvrit la bouche, mais aucun son ne s'en échappa. Elle écarquilla des yeux épouvantés et, bientôt, sur ses traits blêmes, la terreur le disputa à la confusion d'avoir perdu l'usage de la parole.

— Ne dis rien, fit doucement William. Et n'essaie pas de bouger. Tu as une vilaine plaie à la tête.

La main d'Irène demeurait inerte dans celle de son époux, mais elle ne le lâchait plus du regard; la peur la suffoquait.

— Je dois te laisser seule un petit moment, insista William. Tes blessures sont trop graves pour que je t'emmène à Deloraine à bord du pick-up. Je vais demander à l'un de mes employés de venir jusqu'ici en avion.

Elle ne respirait plus qu'à peine, au point que William crut pendant un instant qu'elle allait s'évanouir – c'était encore, songea-t-il, ce qui pouvait lui arriver de mieux. Mais déjà elle battait des paupières. Elle n'était plus qu'effroi.

— Je n'en ai pas pour longtemps, murmura-t-il. Je te le promets.

Elle tenta une nouvelle fois de parler, tandis que des larmes roulaient sur ses joues blafardes.

Qu'essayait-elle de lui confier ainsi? William n'en avait pas la moindre idée, et lui-même ne trouvait pas les mots susceptibles de la rassurer un peu. Il se contenta de lui tapoter la main.

— Allons, allons… Chut… Repose-toi. Je vais revenir très vite.

De nouveau, les paupières d'Irène papillotèrent. Cette fois, elle perdit conscience.

317

William posa sur elle une couverture de cheval. Jamais encore il ne l'avait vue à ce point sans défense. Les écailles lui tombèrent des yeux : cette créature désarmée, se dit-il dans un sursaut, était la véritable Irène. Irène, qui luttait bec et ongles pour imposer son âpreté, souffrait en réalité au plus profond d'elle-même. Irène, qui se dissimulait derrière un masque féroce, ne demandait qu'à être aimée. Mais elle ignorait comment s'y prendre pour qu'on lui manifestât de la tendresse.

Il regagna la maison d'un pas triste et lourd pour y appeler le ranch par radio ; dans quelques minutes, l'avion décollerait. Il appela ensuite l'hôpital de Cairns pour avertir le personnel de leur arrivée. Sur ce, il reprit le chemin des écuries. Il avait envie d'étreindre son épouse pour lui communiquer sa chaleur, mais il craignait, ce faisant, d'empirer son état – il redoutait de lui rompre la moelle épinière et de la tuer.

Elle souleva les paupières. Des larmes tremblaient sur ses cils. De nouveau, elle tenta de lui faire comprendre quelque chose, mais d'entre ses lèvres ne filtra qu'une sourde plainte.

— L'avion ne va plus tarder, la rassura William. N'essaie pas de parler ni de bouger. Repose-toi.

Il guettait à l'horizon l'arrivée de l'appareil. Irène était gravement blessée. Sa respiration se réduisait à un souffle et elle était brûlante. Si les secours n'intervenaient pas au plus vite, elle mourrait. Il lui prit la main, et patienta avec elle.

La route principale se révélant à peu près impraticable, Sam finit par s'en détourner. Le terrain était plus plat, les obstacles moins nombreux : ils parviendraient plus vite à destination.

— Où se trouve Barron Falls ? demanda Olivia en se cramponnant pour éviter d'être éjectée du véhicule.

— Dans l'ouest. Sur les hauts plateaux. Il y a beaucoup d'arbres dans ce coin-là, on risque d'avoir du mal à les repérer.

Agrippée à la portière, la jeune femme n'émit aucun commentaire. Elle songeait au centre médical, dont les circonstances prouvaient avec éclat qu'il devenait indispensable – il faudrait en entreprendre la construction au plus tôt. En un sens, le cyclone leur avait rendu service : il avait balayé la cahute achetée par Olivia, en sorte qu'il ne restait plus qu'à déblayer les gravats avant d'ériger un bâtiment neuf.

Sam immobilisa le pick-up dans un grand crissement de freins.

— On y est presque. Mais il va falloir continuer à pied.

L'Anglaise regarda autour d'elle. Ils se trouvaient sur une pente raide, et des troncs abattus les cernaient. On peinait à discerner la piste sous les branches brisées, sous les racines mises au jour de ces arbres qui, quelques heures plus tôt, composaient encore une exceptionnelle forêt pluviale.

— Comment savez-vous dans quelle direction aller ? s'enquit Olivia auprès de Sam après avoir récupéré sa trousse de secours.

— Cette piste mène à la scierie. Cloche-Patte et Smokey l'avaient forcément empruntée pour rentrer chez eux quand ils ont eu leur accident.

Il saisit une hache à l'arrière de sa camionnette, ainsi qu'une corde, qu'il jeta sur son épaule.

Pour progresser au milieu du chaos que la tempête avait abandonné dans son sillage, la jeune femme dut se concentrer, bander son énergie autant que ses muscles… Elle n'osait pas imaginer ce qu'ils risquaient de découvrir au terme de leur parcours.

Ils marchaient depuis un moment déjà quand Olivia, qui baissait la tête, fonça droit sur l'hôtelier, qui referma ses bras sur elle.

— Attention, poulette.

Troublée par la force brute qui émanait de lui, elle se libéra de son étreinte avant d'essuyer la sueur qui perlait à son front.

— Pour quelle raison vous êtes-vous arrêté ?

— Là, répondit-il en désignant quelque chose de l'index. Regarde.

Une trouée s'enfonçait au cœur du sous-bois, et l'Anglaise ne tarda pas à distinguer des empreintes de pneus dans la boue. Cette brèche se refermait sur un arbre gigantesque, que le cyclone avait jeté bas. Olivia devina un éclat blanchâtre entre les branches noueuses.

— Oh mon Dieu, souffla-t-elle. S'ils se trouvent là-dessous, je doute qu'ils aient survécu.

— Smokey était vivant tout à l'heure, puisqu'il a passé un appel radio.

Sam se dirigea vers ses amis, Olivia sur les talons. Elle avait la bouche sèche, et son pouls s'accélérait à chaque pas. Elle n'avait aucune idée de ce qui les attendait sous cet arbre, mais elle craignait que ses talents d'infirmière ne lui fussent que d'un maigre secours.

Car l'arbre, en s'abattant sur le pick-up, l'avait littéralement coupé en deux. Son tronc imposant gisait à présent parmi le métal tordu, la tôle horriblement froissée – le bois avait éclaté sous le choc, révélant des cavités où, plusieurs siècles durant, s'étaient épanouis les termites. À l'une de ces branches, passée au travers du pare-brise en miettes, se balançait la jambe en bois de Cloche-Patte, assortie de ses sangles de cuir.

Sans un mot, Sam et Olivia escaladèrent l'épave à la recherche des deux hommes.

— Sam? C'est toi?

Ils se figèrent.

— Smokey?

— T'en as mis, du temps, grommela ce dernier. Par ici.

La jeune femme fut la première à identifier la chemise à carreaux du garçon.

Les deux amis reposaient l'un sur l'autre, dans un enchevêtrement de branches et de broussailles. Progressant à quatre pattes, Olivia s'approcha le plus près possible, mais se trouva bientôt bloquée. Au comble de l'exaspération, elle ferrailla avec cet entrelacs végétal. En vain.

— Pensez-vous être gravement touché? lança-t-elle en direction de Smokey.

— Aucune idée. J'ai les côtes qui me font un mal de chien, et je crois bien que mon bras est foutu. Cloche-Patte, lui, il a tourné de l'œil depuis un sacré bout de temps. Mais il respire toujours.

— Êtes-vous capable de bouger?

— Pas avec ce salopard sur le paletot.

Olivia demeurerait impuissante tant qu'elle ne se serait pas frayé un passage jusqu'aux blessés. Elle revint donc exposer la situation à Sam.

— Cela dit, conclut-elle en essuyant la sueur qui lui piquait les yeux, ils ont eu de la chance dans leur malheur. Ils ont atterri sur le dos, dans une espèce de dépression qu'on dirait creusée par les roues d'un gros engin.

— Des grumiers passent ici chaque jour, l'éclaira l'hôtelier.

— Toujours est-il que ce creux a dû amortir leur chute, et les protéger un peu lorsque l'arbre est tombé.

Son cœur battait moins vite à présent, et sa respiration s'apaisait.

Sam agita sa hache.

— Je coupe les branches, puis tu les écartes du chemin.

Il considéra l'Anglaise d'un œil inquiet.

— Tu te sens d'attaque?

— Absolument. Et dépêchons-nous. Le soleil ne va pas tarder à décliner.

Le fer de la hache se mit à résonner dans la troublante ataraxie de la forêt ruinée. On progressait centimètre par centimètre, parmi une inextricable confusion de branches, de fougères, et de feuilles au bord tranchant comme des lames de rasoir.

— Fais gaffe où t'abats ta hache! grogna Smokey.

— Si tu la boucles pas, je fais demi-tour et je rentre chez moi.

Les deux hommes se livrèrent à cette joute verbale tout le temps que dura l'opération. La hache volait, cependant qu'Olivia, une à une, nouait la corde autour des branches pour les repousser sur le côté. Elle transpirait à grosses gouttes, tremblait de fatigue, ignorant les insectes qui, en lourds nuages autour des sauveteurs, la piquaient ou la mordaient. Les moustiques étaient à la fête au cœur de cette humidité.

Lorsqu'ils atteignirent enfin les deux garçons, le jour baissait déjà. Il fallait agir vite : dans deux heures, la nuit tomberait.

— Je vais d'abord m'occuper de Cloche-Patte, indiqua Olivia à Smokey. Ensuite, nous le dégagerons pour vous libérer.

— Comment il va?

— Je ne le saurai qu'après l'avoir examiné.

Le pouls du jeune homme se révéla très faible. Il avait la peau glacée et les lèvres bleuies. L'Anglaise le palpa. Il s'était cassé un bras, et probablement quelques côtes. Il arborait au flanc une vilaine blessure, qui par bonheur ne saignait plus. En revanche, sa jambe amputée inquiétait l'infirmière : le moignon, dont la chair était presque à vif là où se fixaient les sangles, formait un angle peu commun avec la hanche.

— Qu'est-il arrivé à sa jambe? s'enquit-elle en nettoyant l'extrémité meurtrie du moignon avant de la bander.

— Il a fallu que je tire à toute vitesse à cause de l'arbre, expliqua Smokey. J'ai pas eu le temps de bien défaire la dernière courroie.

Olivia contempla la prothèse en bois, qui oscillait toujours dans la brise. Smokey avait assurément sauvé la vie de son ami, mais il lui avait sans doute luxé la hanche dans la bagarre.

— Je vais lui administrer un antalgique, déclara la jeune femme en remplissant une seringue, après quoi Sam et moi le déplacerons.

— C'est pas trop tôt, maugréa Smokey sans colère. Ce cochon-là pèse une tonne.

Il émit une espèce de menu rire ironique.

— Depuis le temps que je lui dis qu'il ferait mieux de se mettre au régime.

Sam et Olivia soulevèrent avec mille précautions le blessé inconscient, avant de l'emmener jusqu'au pick-up, au fond duquel ils le déposèrent. L'ayant protégé d'une couverture, ils retournèrent vers Smokey.

— Ça roule, annonça celui-ci en titubant à leur rencontre. J'ai pété ma guibole en fer, mais je peux encore marcher.

Il avait néanmoins blêmi et, comme il s'écroulait presque, Sam le récupéra pour le porter à son tour jusqu'à la camionnette.

— Surtout, raconte pas ça au pub, souffla le garçon contre la poitrine de l'hôtelier. Sinon ils me foutront jamais la paix.

Le cyclone avait largement épargné l'hôpital de Cairns, dont on avait rappelé l'ensemble du personnel à la suite de la catastrophe ; les urgences et le service de traumatologie étaient en état de siège. Les bénévoles accourus avaient beau s'affairer, le flot des patients ne tarissait plus. Quant aux trois blocs opératoires, ils ne désemplissaient pas. L'appareil du médecin volant s'était déjà posé à quatre reprises sur la piste d'atterrissage. Incapable de répondre à toutes les demandes, l'unique ambulance de la ville se voyait à présent secondée par des camions, des camionnettes et des voitures, qui se garaient dans le plus grand désordre devant l'établissement.

William, au comble de l'appréhension, arpentait le couloir. Les blessures d'Irène devaient être plus sérieuses qu'il ne l'avait cru, pour que l'intervention durât aussi longtemps. Il finit par se planter devant la fenêtre, fixant le dehors sans y prêter attention. La nuit était tombée, mais les lumières de l'hôpital éclaboussaient l'obscurité. William émergea de ses brumes sombres en voyant approcher un pick-up, qui se gara dans un hurlement de freins. Une autre victime de la tempête. L'établissement prenait des allures de ruche.

William se raidit en voyant descendre le conducteur et sa passagère. Le premier n'était autre que Sam, qui habitait Trinity, et quant à cette jeune femme, il lui semblait la reconnaître... Il scruta mieux... Olivia. Aussitôt, il se précipita à sa rencontre.

Elle avançait à côté d'une civière, sur laquelle gisait un homme grièvement atteint. Sam, pour sa part, poussait un fauteuil roulant, dont l'occupant maugréait. Le visage d'Olivia était sale, couvert d'égratignures et de piqûres d'insecte ; elle paraissait épuisée. William attendit que deux infirmières eussent pris en charge les blessés pour se rapprocher.

— Olivia... Est-ce que vous allez bien ?

— William ? s'étonna la jeune femme. Tout va bien, oui. Je me suis simplement fait dévorer par des hordes de moustiques. Mais que faites-vous ici ?

— C'est Irène..., répondit-il après avoir salué Sam d'un hochement de tête. Elle est au plus mal. J'ignore si elle va s'en tirer...

Sa voix avait tremblé ; il se savait au bord des larmes.

— Où se trouve-t-elle ?

— Au bloc numéro deux – sur quoi il ôta son chapeau pour s'éponger le front avec la manche de sa chemise. Depuis plusieurs heures, ajouta-t-il.

— Je ne compte pas repartir tout de suite, lui exposa Olivia d'un ton distrait – elle contemplait le chaos qui régnait dans la salle d'attente. Ils ont manifestement besoin d'aide.

Elle adressa à son beau-frère un pâle sourire.

— Prévenez-moi quand elle sortira du bloc. Je passerai lui rendre visite.

— Elle en sera ravie, j'en suis certain, se hâta de commenter William.

L'Anglaise fronça les sourcils.

— Nous n'avons pourtant rien à nous dire, observa-t-elle en soupirant. Mais je viendrai, promis. Elle est ma sœur, après tout.

— Je suis navré que vos retrouvailles ne se soient pas déroulées selon vos vœux. À ce propos, quels étaient donc ces documents que vous lui avez montrés ? Peut-être pourrais-je vous aider à y voir plus clair ?

— J'en doute, mais merci quand même.

Elle rejeta ses cheveux vers l'arrière en regardant les infirmières courir de droite et de gauche pour tenter de prendre en charge ces dizaines de patients qui affluaient.

— Pardon, William, mais il faut que je me débarbouille, et je suis épuisée. Je crois que ce n'est ni l'heure ni le lieu pour rouvrir une fois encore les vieilles blessures.

William se rendit ; ce soir, il ne tirerait plus rien d'elle.

— Promettez-moi simplement de passer la voir.

Olivia acquiesça avant de se tourner vers Sam.

— Je vais rester ici jusqu'à ce que la situation s'apaise. De ton côté, regagne Trinity, et occupe-toi de Gilles.

— Je pense qu'à l'heure qu'il est le médecin volant a déjà dû se charger de lui, répondit l'hôtelier en réprimant un bâillement. Si ses blessures sont graves, tu tarderas pas à le voir rappliquer ici.

William la regarda s'éloigner. Quelques minutes après qu'elle se fut entretenue avec un médecin aux traits tirés, on l'accueillit avec gratitude au sein de l'équipe médicale ; et déjà, elle filait s'occuper de son premier patient.

— Je vais retourner attendre Irène, souffla-t-il à mi-voix.

— À plus tard, fit Sam, qui déguerpit à grandes foulées ; il se hissa à bord de sa camionnette.

William recommença à faire les cent pas à proximité du bloc opératoire. Il lui fallut patienter une heure de plus avant qu'enfin un médecin franchît les portes battantes.

Il ôta son masque, l'œil las et le teint blafard dans l'impitoyable lumière électrique.

— Votre épouse va très mal, annonça-t-il d'une voix triste. Je suis désolé, mais le cerveau a été endommagé. Si elle survit, elle ne quittera plus jamais son lit.

William s'assit.

— Le cerveau a été endommagé ? haleta-t-il. Je me doutais que c'était sérieux quand j'ai constaté qu'elle ne pouvait plus parler, mais il y a tout de même bien quelque chose à faire pour y remédier ?

Le chirurgien secoua la tête.

— Nous nous trouvons ici dans un hôpital de campagne, mais son état est trop instable pour que nous puissions la transporter par avion jusqu'à Sydney. Je ne pense d'ailleurs pas que cela changerait grand-chose.

Il soupira, se frotta le visage de ses mains.

— Je suis vraiment navré d'avoir à vous annoncer de pareilles nouvelles, William. Les plaies aux jambes, en revanche, nous en viendrons à bout.

— Quelle importance, si elle ne peut plus poser un pied par terre, s'affligea son époux.

Le médecin referma sa main sur son épaule.

— Il faut attendre. Mais je préférais vous prévenir : elle se trouve sur le fil du rasoir.

— Bonté divine, souffla William. Vous croyez qu'elle va s'en tirer ?

La main du chirurgien se fit soudain plus lourde sur son épaule.

— Elle a perdu énormément de sang. Elle est très faible. Je ne peux rien affirmer pour le moment.

Le menton sur la poitrine, dévoré par la culpabilité, William s'efforçait de digérer l'affreuse nouvelle. Si seulement il avait insisté pour qu'elle le rejoignît à Deloraine. Si seulement il avait attendu que le cyclone fût passé pour la flanquer à la porte du ranch… Si seulement… Ces mots-là, hélas, ne servaient plus à rien.

Il savait en outre que le chirurgien devait regagner le bloc au plus vite.

— Quand saurons-nous si elle va survivre? l'interrogea-t-il.

— Les vingt-quatre prochaines heures vont se révéler cruciales. Ensuite… Ce sera à Irène de se battre.

Une affliction croissante se peignait sur ses traits.

— Mais elle ne remarchera jamais. Sans doute ne retrouvera-t-elle pas davantage l'usage de la parole. Vous devez vous préparer au pire.

— Dans ce cas, mieux vaudrait qu'elle ne survive pas, soupira l'époux de la patiente – si on lui en laissait le choix, Irène opterait assurément pour la mort plutôt que pour cet enfer de mutisme et d'immobilité.

Le médecin haussa les épaules.

— Je suis chaque jour surpris de constater combien nos patients les plus mal en point se cramponnent malgré tout à l'existence. Irène possède une volonté de fer. Elle pourrait fort bien vous surprendre.

Il consulta sa montre.

— Il faut que j'y aille. Nous sommes très occupés.

Après l'avoir regardé partir, William se laissa de nouveau tomber sur une chaise, anesthésié par le choc. Mille pensées tournoyaient dans sa tête. La tempête venait de réduire en miettes l'avenir qu'il s'était concocté en compagnie de Martha. Car si Irène survivait, elle nécessiterait des soins constants, or puisque tout était sa faute, c'était à lui qu'incomberait la tâche de veiller sur elle. Il la ramènerait à Deloraine, qu'il ferait aménager en fonction de son handicap.

21

Gilles avait eu de la chance. Le médecin volant l'avait transporté par avion jusqu'à l'hôpital de Cairns, où les radios n'avaient révélé qu'une hanche luxée, ainsi qu'une fêlure au niveau de la jambe. Il avait dû serrer les dents lorsqu'on avait replacé la tête fémorale dans le cotyle, mais la souffrance s'était rapidement atténuée grâce aux analgésiques, puis on l'avait plâtré, en sorte qu'il ne souffrait plus – il finissait par juger qu'il usurpait sa place au sein de cet établissement.

— Ne sois pas ridicule, le rabroua un soir Olivia, lors d'une de ses visites. Ta hanche reste forcément douloureuse, et tu as besoin de la ménager avant de poser à nouveau le pied par terre – le plâtre ne fait qu'accroître les tensions qui s'exercent sur la zone lésée.

Gilles lui prit la main.

— En parlant de se ménager, dit-il doucement. Voilà plus de deux semaines que tu te dépenses sans compter. Tu m'as l'air épuisée.

— Je me sens capable de tenir encore un petit moment. Le pire est derrière nous.

— Tu es censée être en vacances, lui rappela-t-il.

— Je n'ai jamais tenu ce voyage pour des vacances, objecta-t-elle en replaçant ses cheveux sous son impeccable petite coiffe blanche. Quoi qu'il en soit, j'ai échoué sur toute la ligne. Et maintenant que la communication avec Irène se résume à quelques jeux de regards, je doute de jamais percer le mystère.

Gilles alluma un cigarillo, avant de tendre la main vers le cendrier posé sur la table de chevet.

— Le mystère…, répéta-t-il. Le fait est que tu ne m'as toujours pas expliqué de quel mystère il s'agissait.

Il la considéra avec intensité. Visiblement à bout de fatigue, elle arborait des cernes violacés et le coin de ses lèvres s'affaissait.

— As-tu envie de m'en parler?

La jeune femme lissa le drap, puis lui confisqua le cigarillo, qu'elle écrasa dans le cendrier.

— Ce serait inutile. Irène est la seule à détenir les réponses, or elle se trouve entre la vie et la mort.

Elle embrassa doucement Gilles sur la joue.

— Il faut que j'y aille. Je suis de nuit. Je tâcherai de repasser te voir brièvement demain matin, avant d'aller me coucher.

Son ami la retint par le poignet.

— J'aurais mieux fait de me taire, je le sais, mais jamais je n'ai désiré perdre ton amitié.

Une brève lueur tressaillit dans le regard de la jeune femme, dont les traits s'adoucirent.

— Jamais tu ne la perdras, répondit-elle avec une infinie tendresse. Je t'aime de tout mon cœur, Gilles, mais je ne t'aime pas comme tu voudrais que je t'aime. Je suis navrée. J'aurais tellement préféré qu'il en aille autrement.

L'Anglais reposa la tête sur son oreiller avec un sourire mélancolique.

— Au moins, nous savons désormais à quoi nous en tenir l'un et l'autre.

Olivia l'embrassa sur le front, avant de s'éclipser. Elle se retourna soudain en tendant vers lui un index faussement agressif.

— Si je te surprends à marcher avant guérison complète, tu auras affaire à moi.

Il sourit cette fois d'une oreille à l'autre.

— Un vrai sergent-major! la taquina-t-il.

Elle sourit en retour, puis consulta la petite montre épinglée à son tablier.

— Cette fois, je file. Je suis déjà terriblement en retard. L'infirmière en chef va m'arracher les yeux.

Elle lui souffla un baiser. Comme elle s'éloignait dans la salle commune, Gilles la vit saluer un médecin jeune et beau, qui lui glissa un mot à l'oreille – la jeune femme se mit à rire. Son harassement parut s'envoler d'un coup, et elle gambadait presque en quittant la pièce. Gilles l'avait maintes fois repéré, ce bellâtre, depuis deux semaines qu'il logeait entre ces murs. En outre, il avait entendu les rumeurs. Et dès qu'Olivia paraissait ici, le docteur semblait s'y matérialiser aussi, s'empressant à tout coup de lui faire un brin de causette. Et les sentiments qu'il nourrissait pour l'Anglaise semblaient réciproques.

Une vague de jalousie le souleva – leur arrivait-il de dîner ensemble après le travail ? Se rendaient-ils au cinéma ? Allaient-ils danser quelquefois ? Il régnait à Cairns, disait-on, beaucoup d'animation.

À la pensée qu'Olivia pût se blottir entre les bras d'un autre, il se cabra. Cela devait pourtant se produire un jour. La jeune femme s'éloignait de lui pour suivre enfin sa propre voie ; une voie sur laquelle il n'avait pas sa place. Elle ne pouvait lui offrir que son amitié et, bien qu'il chérît ce lien qui les unissait, il ne lui suffisait pas. Elle s'était réinstallée en Australie comme si elle ne l'avait jamais quittée – il y avait fort à parier que ses projets de centre médical et sa relation avec Maggie l'empêcheraient de retourner un jour en Angleterre.

Il ferma les paupières. Ses valises dormaient dans un placard, à l'autre bout de la salle commune. Pour quelle raison retournerait-il à Trinity ? L'aéroport avait rouvert : une fois qu'on le laisserait sortir d'ici, il s'enquerrait d'un vol pour Sydney. De là, il embarquerait à bord d'un navire pour regagner l'Europe. Il était temps pour lui de libérer Olivia de ses chaînes. Et de se libérer aussi, pour aller enfin de l'avant.

Durant les deux semaines suivant le cyclone, Maggie et Sam ne se quittèrent pas. Ensemble, ils remirent l'hôtel sur pied, afin de pouvoir, au plus vite, y accueillir à nouveau des clients. Il fallut s'attaquer au toit, aux volets, aux moustiquaires ; on fit remplacer les gouttières. Les dégâts constatés à l'étage représentèrent l'occasion, pour le couple, de décoller le vieux papier peint et de se débarrasser des moquettes trempées – désormais, les parquets cirés reluisaient, et les murs peints de frais conféraient au lieu une deuxième jeunesse.

La ville, de son côté, perdait peu à peu ses navrantes allures de zone de guerre. À peine achevé le déblaiement, la reconstruction allait bon train ; lorsque les eaux se seraient retirées, l'existence reprendrait son paisible cours ordinaire.

Un dimanche soir, comme Sam et Maggie se détendaient dans le boudoir, le fracas d'une porte qu'on venait d'ouvrir à toute volée fit bondir l'hôtelier sur ses pieds – les tasses dépareillées tremblèrent sur la table basse.

— J'espère qu'il te reste du thé pour moi : j'ai la gorge comme du papier de verre.

— Smokey !

Maggie se jeta à son cou.

— Tu nous avais pas dit que tu allais rentrer. Comment tu as fait pour venir jusqu'ici ?

Il s'empourpra, tandis que la jeune femme l'embrassait.

— On m'a amené en bagnole. La route est dégagée, à présent. On n'a pas mis bien longtemps.

Il rajusta plus confortablement son bras plâtré dans son écharpe.

Maggie s'apprêtait à lui demander qui s'était montré assez serviable pour le rapatrier de Cairns à cette heure tardive, lorsqu'elle repéra la compagne du garçon.

— Comptes-tu faire un jour les présentations ? le taquina-t-elle.

Smokey piqua un autre fard en saisissant la jeune femme par la main pour l'attirer à ses côtés.

— Voici Ann, annonça-t-il. Elle a pris quelques jours de congé maintenant qu'il y a moins de boulot à l'hôpital, et comme je suis toujours en convalescence, elle préfère garder un œil sur moi…

— Bonjour, lança Maggie à la nouvelle venue, dont elle serra la main.

Ann était une petite bonne femme joliment potelée, au visage franc, aux yeux rieurs – et ces yeux contemplaient Smokey avec adoration. Elle plut immédiatement à Maggie.

— Sacré mariole, fit Sam à son ami en lui donnant une claque dans le dos. Je vais chercher de la bière pour fêter ça.

— Il faut aussi que vous mangiez, intervint Maggie. Vous devez mourir de faim.

Après avoir avalé quelques sandwichs, on but de la bière en bavardant. Ann, en sa qualité d'infirmière, était au courant des derniers potins de la région.

— Comment va Olivia? s'enquit Maggie, alors que la conversation mourait un peu. J'ai essayé de lui téléphoner, mais l'infirmière en chef m'a l'air d'un fieffé dragon. Elle a refusé de prendre mes messages.

— Elle va bien, sourit Ann. Elle continue à bosser comme une dingue.

Son œil étincela de plaisir.

— Des rumeurs courent à son propos et celui d'un de nos internes. Chacun prend des paris pour tâcher de savoir si leur histoire va durer. Pour le moment, une majorité du personnel est convaincue qu'ils se marieront avant l'été.

— Pauvre Gilles, soupira Maggie. Le voilà définitivement sur la touche.

— Il est réaliste, commenta l'infirmière en haussant les épaules. Et puis son état s'améliore tous les jours. Je l'ai même surpris en train de conter fleurette à l'une de mes collègues, l'autre soir.

Son interlocutrice grimaça.

— Eh bien... il se sera vite consolé, murmura-t-elle. Cela dit, j'ai plutôt l'impression qu'il essaie de faire bonne figure.

— Il aurait tort de se priver, intervint Sam. Il a toute la vie devant lui, et un brin de flirt n'a jamais fait de mal à personne.

Sa compagne haussa les sourcils. On pouvait faire confiance à l'hôtelier pour défendre l'Anglais bec et ongles. Solidarité masculine...

— Et Irène Hamilton? demanda-t-elle pour changer de sujet.

Ann se rembrunit.

— Elle s'accroche, mais le pronostic n'est pas bon. Elle reste paralysée, et elle ne parle toujours pas. Son pauvre mari a à peine quitté son chevet depuis qu'on l'a amenée à l'hôpital.

Smokey ouvrit une autre bouteille de bière.

— Cloche-Patte, lui, n'est pas près de sortir non plus, mais son état s'améliore.

Il décocha à son auditoire un large sourire.

— On va lui fournir une belle prothèse en métal, pile à ses mensurations. Autant dire qu'il va falloir organiser la crémation de sa guibole en bois, puis lui dégoter un nouveau surnom.

Pauvre Gilles, se répéta Maggie en silence. Il avait enduré tellement d'épreuves, pour voir finalement un jeune médecin lui chiper son amie. C'était injuste. Mais il fallait bien qu'Olivia allât de l'avant, et il eût été indigne d'eux qu'elle demeurât auprès de Gilles par pitié, ou alors mue par un sens gauchi de la loyauté. Quant à Irène... Maggie se sentait navrée, mais guère davantage. C'était pour William qu'elle avait de la peine, car si son épouse survivait, son existence à lui se changerait en enfer.

Ann et Smokey, qui se tenaient toujours par la main, ne se lâchaient pas des yeux.

— Combien de temps comptez-vous rester ici? demanda Maggie, ravie de les voir aussi heureux.

— C'est justement de ça qu'on est venus vous parler, exposa Smokey. Je te dois une fière chandelle, Sam. Alors Ann et moi, on s'est dit qu'on pourrait gérer l'hôtel pendant une semaine, histoire que Maggie et toi preniez un peu de vacances.

— Tu me dois que dalle, répliqua Sam en rougissant. N'importe qui, à ma place, en aurait fait autant. Par ailleurs, faudrait que je sois complètement dingo pour te confier les rênes de cette baraque pendant une semaine entière. Tu t'empresserais de picoler tous mes bénéfices, ajouta-t-il, le regard pétillant d'espièglerie.

— Bien vu, admit son visiteur. Cela dit, il m'est déjà arrivé de te donner un coup de main ici, et puis Ann a bien l'intention de me surveiller de près. Je serai sage comme une image.

Sa compagne lui souriant, il s'empourpra encore.

— De toute façon, faut que j'économise de quoi remettre la scierie sur pied avant le retour de Cloche-Patte.

— Qu'en penses-tu, Maggie? demanda Sam avec entrain. Te sens-tu prête à abandonner notre moyen de subsistance à ce jeune dépravé?

La jeune femme éclata de rire.

— Pourquoi pas? Ann m'a tout l'air d'avoir la tête sur les épaules, et on dirait bien que Smokey en a profité pour s'acheter une conduite.

— Blague à part, enchaîna l'hôtelier en se tournant à nouveau vers son ami. Tu t'en sens capable? C'est une lourde responsabilité, tu sais, et t'es pas encore tout à fait d'aplomb.

— Mes côtes se ressoudent, et tout roule du côté du bras. Ann et moi, on va se débrouiller comme des chefs, parole. D'autant plus que ça nous fera du bien de passer un petit bout de temps loin de l'hôpital. Vous bilez pas, les gars.

Sam se frappa la cuisse.

— Marché conclu! On partira demain pour Cairns, où on ira saluer Cloche-Patte. Et si la direction de l'hôpital est d'accord, on emmènera Olivia se mettre au vert avec nous.

Il sourit à sa compagne.

— On pourrait aller voir maman à Port Douglas, qu'est-ce que tu en dis? Elle meurt d'envie de faire ta connaissance. C'est l'occasion rêvée.

Maggie gloussa. Elle se réjouissait à la perspective de retrouver Olivia. En revanche, cette visite à la belle-mère de Sam ne correspondait guère à l'idée qu'elle se faisait d'une escapade romantique. Elle éprouvait néanmoins de la curiosité à son égard. Et brûlait d'en apprendre davantage sur ce drôle d'oiseau dont elle était tombée éperdument amoureuse.

— Comment cela, il a signé une décharge?

Olivia posa le regard sur le lit fait avec soin. C'était comme si Gilles n'avait jamais posé le pied dans cet hôpital.

— Il a beaucoup insisté, et puisque le médecin jugeait ses progrès plus que satisfaisants, il ne s'y est pas opposé.

L'infirmière en chef avait les yeux battus.

— Je suis désolée, Olivia. Mais il vous a laissé un message.

— Merci, murmura la jeune femme en s'emparant du feuillet que sa supérieure lui tendait.

Elle se détourna, quitta la salle commune au pas de course pour se réfugier dans le jardin. La nuit avait été longue, et lorsqu'elle s'était rendue au chevet de Gilles, elle n'avait plus envie que de dormir. Mais la fuite du jeune homme avait balayé d'un coup toute fatigue… Elle déchira l'enveloppe d'une main tremblante.

> *Ma si chère Olivia,*
>
> *À l'heure où tu liras ces lignes, je serai en chemin pour regagner l'Angleterre. En effet, j'ai pris la décision de rentrer chez moi, et de reprendre mon existence en main. Sans doute me taxeras-tu de lâcheté pour m'être éclipsé de cette façon, mais j'ai agi ainsi dans notre double intérêt, car ni toi ni moi ne goûtons les adieux. Je n'ai cessé d'espérer qu'un jour viendrait où tu réussirais à m'aimer comme je t'aime, mais je sais à présent qu'il s'agissait d'un impossible rêve. C'est pourquoi je préfère te quitter, en formulant des vœux pour que la vie te sourie. Je louerai jusqu'à mon dernier souffle nos souvenirs communs; je te remercie pour l'amitié que tu m'as offerte, et pour la loyauté dont tu as toujours fait preuve à mon égard – elles resteront pour jamais chères à mon cœur.*
>
> *Écris-moi lorsque tu le pourras, je retourne m'installer à Wimbledon.*
>
> *Avec toute mon amitié,*
> *Gilles*

Debout dans les premières lueurs de l'aube, Olivia pleurait à chaudes larmes. Le monde lui paraissait soudain plus désert sans Gilles – moins amène, et bien plus hostile qu'autrefois. Alors qu'elle n'avait que dix ans, Gilles était devenu son roc, et son meilleur ami. Elle mesurait à présent le vide que le jeune homme laissait derrière lui. Jamais il n'aurait dû décamper de la sorte.

Serrant toujours la lettre entre ses doigts, elle fila à l'accueil.

— À quelle heure a-t-il quitté l'hôpital? Et savez-vous où il comptait se rendre?

La réceptionniste pinça les lèvres.

— Il a commandé un taxi pour 6 heures ce matin, à bord duquel il est parti pour l'aéroport.

Elle consulta sa montre.

— 8 h 30. Il m'a indiqué que son avion décollait à 6 h 30, autant dire qu'il doit être loin, à présent. Mais j'ignore où il allait.

Accablée de chagrin, Olivia se détourna, heurtant dans sa hâte le docteur Watson.

— Pardon, souffla-t-elle.

— Mais vous pleurez, Olivia! Que se passe-t-il?

Et, déjà, le médecin lui avait saisi l'avant-bras, la mine perplexe.

À peine la jeune femme eut-elle levé le regard vers le charmant visage qu'elle comprit qu'elle ne l'aimait pas. Elle avait flirté avec lui, rien de plus. Elle s'était offert quelques moments agréables entre ses longues heures de présence à l'hôpital, quelques pauses au beau milieu d'un emploi du temps surchargé. Elle s'était amusée, mais cela s'arrêtait là. Quant aux rumeurs, elle les avait ignorées, mais elle songeait à présent qu'elles avaient joué leur rôle dans le départ précipité de Gilles. Elle se sentit affreusement coupable. Comment avait-elle pu se montrer à ce point désinvolte?…

Sam, au volant du pick-up qui les emmenait à Cairns, ne cessait plus de sourire. Assise à ses côtés, Maggie babillait sans discontinuer – jamais il ne l'avait vue plus heureuse. Il se sentait si bien qu'il se croyait tout près d'éclater. Il avait hâte de présenter la jeune femme à sa belle-mère qui, à coup sûr, l'aimerait presque autant qu'il l'aimait.

Il tourna en direction de l'hôpital. D'abord, ils y chercheraient Olivia, puis rendraient visite à Cloche-Patte avant de prendre tous trois la route de Port Douglas.

— Arrête-toi! s'écria Maggie. C'est Olivia.

335

Debout sur la pédale de frein, Sam immobilisa son véhicule à côté de l'Anglaise, qui venait de descendre de l'autobus.

Elle ne parut pas particulièrement surprise de les découvrir là. À peine un peu troublée.

— Oh…, lâcha-t-elle en se ressaisissant. Que faites-vous ici?

— On est venus te chercher, répondit gaiement Maggie en ouvrant l'une des portières.

Mais de l'inquiétude se peignit sur ses traits, et sa voix se durcit.

— Qu'est-ce qui se passe, Olivia?

Cette dernière s'étant hissée à côté de l'hôtelière, elle fixa la route d'un air triste. Sam, qui crut distinguer des traces de larmes sur ses joues, lorgna sa compagne. Ils échangèrent un regard alarmé.

— Qu'est-ce qui se passe? répéta Maggie. Allons, ma chérie, vas-y, crache le morceau.

— Gilles est parti. J'ai tenté de découvrir sa destination, mais personne n'a été en mesure de me renseigner à l'aéroport.

L'hôtelier ne dissimulait pas son étonnement; il aurait cru l'Anglais plus prompt à affronter les difficultés qu'à jouer les filles de l'air.

— Il a pas dû y avoir tant de vols que ça au départ de Cairns ce matin, observa-t-il.

— Deux, répondit Olivia, l'œil vide. Deux vols de moins d'une heure chacun, en direction du sud. Mais ensuite, depuis Townsville ou Rockhampton, les correspondances sont innombrables. Il peut se trouver n'importe où.

Maggie passa un bras autour des épaules de la malheureuse, tandis que Sam reprenait la route vers l'hôpital.

— En tout cas, lança sa compagne avec une allégresse qu'elle n'éprouvait pas, on peut dire qu'on tombe à pic. Sam et moi, on avait prévu d'aller à Port Douglas, et on s'est dit que tu serais peut-être contente de changer un peu de décor.

Olivia se tourna vers la fenêtre.

— Pourquoi ne m'a-t-il même pas permis de le saluer?… L'ai-je fait souffrir au point qu'il n'ait pas supporté l'idée de me voir une dernière fois avant de s'en aller?

— Tu connais les bonshommes, chuchota Maggie sur un ton de conspiratrice. Ils fuient les problèmes comme la peste. Il a sans doute pensé que c'était la meilleure solution pour vous deux.

— N'importe quoi! se récria Sam.

— Tu vois ce que je veux dire? enchaîna Maggie à l'adresse d'Olivia, à laquelle elle décocha un large sourire. Allez, zou. Va faire tes valises, et on file.

— Je n'ai pas la moindre envie de prendre des vacances, objecta l'infirmière. Et puis, Sam et toi vous sentirez beaucoup mieux en tête à tête.

Elle soupira, tandis que l'hôtelier se garait sur le parking.

— Sans compter qu'ici, poursuivit-elle, il reste énormément de travail.

Elle paraissait à la fois si calme, si lointaine et si abattue que Sam comprit à quel point le départ de Gilles l'affectait. Il en profita pour réviser son jugement sur elle: ainsi, songea-t-il, il arrivait à cette Anglaise flegmatique d'être sincèrement ébranlée. Elle se dominait moins qu'il ne l'avait longtemps cru.

— Viens avec nous, insista-t-il. Tu es bien trop crevée pour être encore utile à qui que ce soit, et tu as largement fait ta part. On va rendre visite à Cloche-Patte pendant que tu leur remets ta démission. On se retrouve dehors dans environ une heure.

— Se montre-t-il toujours aussi autoritaire? s'enquit-elle auprès de Maggie, avec un faible sourire dans lequel s'insinuait cependant un peu de facétie.

— Seulement quand il veut vraiment quelque chose, s'amusa la compagne de l'hôtelier. Le reste du temps, tu penses bien que j'en fais qu'à ma tête.

Elles le taquinaient; Sam préféra se taire. Quelles créatures étranges que les femmes, se dit-il en regardant un groupe d'infirmières traverser la route. Les hommes avaient beau s'imaginer les connaître bien, elles parvenaient toujours à les surprendre et à leur damer le pion.

— Nous devrions passer voir William et Irène, proposa soudain Olivia à Maggie. Irène n'en a probablement plus pour très longtemps, et ce pauvre William a grand besoin de réconfort.

— Nous? répéta la compagne de Sam en écarquillant les yeux. Pour quelle raison j'irais, moi?

Olivia haussa les épaules.

— Malgré tout ce dont elle a pu se rendre coupable par le passé, elle est en train de mourir. Je m'étais dit que tu souhaiterais peut-être faire la paix avec elle avant qu'il ne soit trop tard.

— Je croyais qu'elle était dans le coma, laissa tomber Maggie sans émotion.

— Pas exactement. Ce sont les médicaments qui l'assomment la majeure partie du temps. Mais elle connaît de loin en loin des moments de lucidité.

— Je crois pas que ça servirait à grand-chose... Elle peut pas parler, et moi j'ai rien de spécial à lui dire.

— À défaut de te faire du bien, tâcha de l'amadouer Olivia, cela ne te ferait pas de mal...

— C'est exactement ce que j'ai pensé le jour où j'ai posé pour la première fois le pied à Trinity, lui assena calmement la jeune femme. Tu sais aussi bien que moi où cette histoire m'a menée.

— Comme tu voudras, murmura l'infirmière. Mais si tu changes d'avis, elle se trouve dans l'aile privée, chambre numéro cinq. J'y passerai d'ici une heure à peu près.

Olivia refusa le poste d'infirmière en chef qu'on lui proposait, puis salua ses collègues avant de rassembler ses affaires. Elle s'était fait ici quelques amis; ils lui manqueraient beaucoup, comme lui manqueraient l'effervescence qui régnait entre ces murs, et la satisfaction d'appartenir à une équipe de professionnels émérites.

Néanmoins, les chagrins accumulés devenaient trop lourds. Elle avait contraint Gilles à s'enfuir comme un voleur. Comment avait-elle pu négliger à ce point les sentiments qu'il lui portait? Comment n'avait-elle pas compris plus tôt qu'il l'aimait de toute son âme, probablement depuis leur plus tendre enfance?

Et puis il y avait Irène. Cette sœur qu'elle avait toujours haïe, mais qui pourtant représentait sa plus proche parente. Irène allait mourir, et Olivia en concevait de la tristesse, car elle se remémorait la belle jeune fille débordante d'énergie que l'agonisante avait un jour été. Irène éprouvait pour l'existence un indéniable appétit. Elle avait aimé, elle avait perdu et gagné, elle avait jeté toutes ses forces dans son élevage de chevaux… Et dire que c'était l'un d'eux qui, d'un coup de sabot, l'avait condamnée…

Ayant déposé son sac à l'accueil, Olivia se rendit dans l'aile privée. Cette visite à la chambre numéro cinq, elle s'y résolvait davantage pour William que pour Irène. William abattu, William rongé par la culpabilité, William qui lui avait confié, au comble du désespoir, ses projets d'avenir avec Martha, soudain anéantis.

Elle sourit en découvrant Maggie, qui parcourait le couloir avec nervosité.

— Je suis contente que tu sois venue, murmura-t-elle. Tout se passera bien, tu verras.

Irène était consciente, mais elle évoluait dans un univers cotonneux, amoindri par les substances qui s'écoulaient le long d'un enchevêtrement de tuyaux et de tubes, pour s'introduire finalement dans ses veines. Elle tourna les yeux – la seule chose qu'elle fût encore capable de faire. Assis sur une chaise, non loin de la fenêtre, William n'avait pas bougé. Il lisait le journal.

Lorsque Irène entendit la porte s'ouvrir, son cœur bondit dans sa poitrine. Son regard s'agrandit : Olivia et Maggie pénétraient dans la pièce.

— Te voilà réveillée, lança Olivia avec un enthousiasme de façade – une habitude probablement contractée dans l'exercice de son métier. Cela fait plaisir.

Elle posa alors, sur les draps tendus au-dessus des jambes de la patiente, un œil apitoyé qui n'échappa pas à Irène ; elle aurait souhaité hurler. Elle ne voulait pas d'Olivia dans cette chambre. Elle refusait que quiconque la vît dans un pareil état. Hélas, elle ne disposait d'aucun moyen pour imposer ses avis. Impossible de décréter qu'il était hors de question que ses deux ennemies pussent contempler sa carcasse mutilée.

— Comment te sens-tu aujourd'hui? s'enquit Olivia, qui se tenait à son chevet.

L'autre était demeurée sur le seuil. Au moins celle-ci avait-elle la décence de manifester ouvertement son embarras.

Irène rendit son regard à Olivia; hélas, elle bavait. Pourquoi diable William ne s'en apercevait-il pas? Pourquoi ne lui avait-il pas déjà essuyé la bouche, comme il le faisait régulièrement?

— Elle va beaucoup mieux, se hâta de répondre l'homme en posant son journal pour venir saluer Olivia d'une poignée de main. Le médecin est ravi des progrès qu'elle accomplit chaque jour. Elle voit et comprend tout ce qui se passe autour d'elle.

La fatigue avait creusé ses traits, il avait l'œil vitreux... De quoi démentir le fol espoir qu'il tentait en vain d'insuffler dans ses mots.

Lorsque Olivia lui présenta Maggie, il fronça les sourcils. Son regard courut à plusieurs reprises d'une jeune femme à l'autre. À l'évidence, il se sentait perdu. De leur côté, les yeux d'Irène croisèrent soudain ceux de l'Anglaise: celle-ci discernait-elle l'angoisse dont elle était le siège? Devinait-elle toute l'étendue de sa fragilité? Ce face-à-face avec ces deux gamines, dans d'aussi terribles circonstances, lui était intolérable. Déjà, elle avait oublié la promesse lancée au beau milieu de la tempête: celle d'œuvrer, si Dieu lui prêtait vie, à une vaste réconciliation. Jamais elle ne leur pardonnerait quoi que ce fût et leur pitié, elle la repoussait de toute son âme.

— J'ai pensé que ce serait une bonne chose de l'amener avec moi, lui exposa Olivia. Je sais qui elle est...

Le pouls d'Irène s'accéléra. Il lui sembla que les bips et le bourdonnement des machines autour d'elle s'immisçaient à l'intérieur de son crâne. Elle savait. Olivia connaissait la vérité. L'œil agrandi par l'effroi, elle sentit couler sa salive entre ses lèvres molles.

— Pourquoi parais-tu si surprise ? enchaîna la jeune femme avec froideur. Il fallait bien qu'un jour Maggie et moi nous retrouvions.

Non… Le mot résonna dans la cervelle de la patiente, qui roulait des yeux en suffoquant. Olivia ne comprenait pas. Comment aurait-elle pu comprendre ? Ne se trouvait-elle ici que pour la narguer ? Pour exulter face au navrant spectacle que la mourante offrait ? Pour se venger ? Dans ce cas, Irène préférait que ses deux visiteuses décampent. Qu'elles lui fichent donc la paix, qu'elles la laissent seule avec ce qui surnageait de sa misérable existence.

Elle sentit les larmes couler sur ses joues, traîtresses larmes qu'elle n'était plus en mesure d'essuyer d'un revers de la main.

— Ça vous vaudra rien de pleurer, lui assena Maggie. Ce que vous avez fait, vous l'avez fait, et maintenant vous voudriez tirer un trait dessus avant de passer l'arme à gauche. Trop tard. Les dégâts, vous les avez causés, et comptez pas sur moi pour vous les pardonner.

— Je vous interdis de vous adresser à mon épouse sur ce ton, intervint William. J'ignore de quoi vous parlez, mais je souhaite qu'on la ménage.

— Nous avons eu tort d'effectuer cette visite, dit Olivia, qui lisait de la fureur dans les yeux de Maggie. Tu as encore les nerfs à vif, et Irène n'est pas en mesure de se défendre.

Elle tourna vers celle-ci un regard de commisération.

— Je regrette que nous n'ayons jamais été proches. Je regrette la douleur que nous avons pu te causer en venant jusqu'ici. Je ne désirais pourtant qu'une chose : apporter un peu de paix au sein de cette famille déchirée.

Elle baissa la tête.

— J'ai échoué, chuchota-t-elle. Les souffrances que tu as infligées à tes proches au fil des années se révèlent trop profondes.

Irène crut que son cœur allait exploser. Un étau lui serrait la poitrine et sa tête vrombissait. Les machines devenaient folles, et la chambre tournoyait. De toutes ses forces, elle souhaitait leur expliquer pour quelle raison elle avait agi comme elle l'avait fait. Elle désirait leur expliquer qu'à chaque étape de sa vie on avait dédaigné son amour. Expliquer de quelle manière le sort s'était ingénié à brouiller les cartes pour qu'à tout coup elle perdît la partie. Jamais elle n'avait voulu provoquer de tels drames. Si seulement…

Les ténèbres enfin se refermèrent sur elle, pour l'entraîner vers un néant radieux où la douleur et les défaites ne comptaient plus.

Olivia pressa le bouton à côté du lit.

— Il nous faut un médecin, exposa-t-elle à William. Son cœur bat de plus en plus vite. À l'évidence, elle subit un terrible stress, et son teint prend une vilaine couleur.

— Je savais bien qu'on n'aurait pas dû venir, souffla Maggie avec angoisse. Regarde un peu ce qu'on a fait…

L'ombre d'un chagrin passa sur son visage.

— Ça va aller, hein?

— Non, ça ne va pas aller, puisque ça ne va pas, siffla William en prenant dans les siennes la main glacée de son épouse.

Le médecin fit irruption dans la pièce, immédiatement suivi de trois infirmières, qui contraignirent William, Olivia et Maggie à quitter les lieux.

— Pour quelle raison lui avez-vous rendu visite? exigea de savoir le mari d'Irène. Je croyais que vous étiez venues lui souhaiter un prompt rétablissement, ou bien lui dire au revoir…

Il considéra Olivia, puis Maggie, qui lui tournait à présent le dos – debout devant la fenêtre, elle avait croisé les bras sur sa poitrine.

— Et qui est cette jeune femme? enchaîna William à l'adresse d'Olivia. Que se passe-t-il?

Celle-ci s'approcha en soupirant de Maggie, sur l'épaule de laquelle elle posa une main.

— Maggie est la fille d'Irène, déclara-t-elle avec douceur.

William demeura bouche bée. Puis il fourra les mains dans les poches de son pantalon en contemplant le bout de ses vieilles bottes.

— Je mentirais en prétendant que cette révélation m'étonne. Mais quand je pense qu'elle m'a trompé pendant des années sur un sujet aussi important… La pilule est dure à avaler.

Il se tut, considéra les deux visiteuses.

— Je connais Irène comme ma poche, reprit-il. Elle n'a pas sa pareille pour rouler les gens dans la farine. Mais cette fois, il y a autre chose. Quelque chose de beaucoup plus grave, qui la dévore depuis au moins un an.

Olivia le toisa sans amitié.

— Ne trouvez-vous pas, William, que renier sa propre fille représente déjà une faute suffisamment lourde? Car non contente de la proposer à l'adoption quelques jours après sa naissance, elle a commencé par nier toute relation avec Maggie lorsque celle-ci lui a rendu visite l'année dernière.

Elle soupira.

— Je suis navrée, William. Je sais que le moment est mal choisi pour vous assener ces révélations, mais je préfère que vous connaissiez la vérité.

L'homme opina en se tournant vers la porte de la chambre, dans laquelle le personnel médical s'affairait.

— L'existence l'avait comblée, souffla-t-il. Et elle a tout rejeté en bloc. Pourquoi?…

— Irène a toujours été sa pire ennemie, souligna Olivia. Elle adorait manipuler les autres, et jouer avec leurs émotions. Elle tirait les ficelles, elle en jouissait. La jalousie gouvernait la plupart de ses actes, et elle ne supportait pas que l'attention se détourne vers quelqu'un d'autre qu'elle. Sans doute parce qu'elle ne m'a jamais acceptée. Elle aurait voulu garder notre mère pour elle seule. Et pourtant, derrière le souverain mépris qu'elle a toujours affiché, je reste persuadée qu'elle se sentait très seule.

Le médecin sortit de la chambre, la mine grave.

— Vous pouvez aller la voir, William. Nous lui avons administré de quoi dormir un moment. Mais ses signes vitaux ne sont pas bons. Vous devez vous préparer au pire.

Olivia posa une main douce sur le bras de son beau-frère.

— Je suis désolée.

— Elle a besoin de moi. Il faut que j'y aille.

Comme l'Anglaise se détournait, il lui saisit le poignet.

— Merci d'être venue. Merci de m'avoir éclairé au sujet de Maggie. Mais Irène demeure mon épouse, et bien qu'il ne s'agisse d'une consolation pour personne, je tiens à rester auprès d'elle jusqu'au bout. Je veux qu'elle sache qu'enfin elle n'est plus seule. Et qu'elle aura été aimée.

Les deux jeunes femmes quittèrent l'hôpital, devant lequel elles retrouvèrent Sam, adossé au pick-up garé sur le parking. Il ne souffla mot, ce dont elles lui surent gré. On plaça le sac d'Olivia dans le coffre, puis on grimpa à bord de la camionnette.

La jeune infirmière, qui regardait à travers la vitre, ne distinguait à peu près rien. Elle se sentait épuisée, sans que cet épuisement eût le moindre rapport avec le manque de sommeil et les longues heures consacrées à veiller ses patients. Ce qui l'exténuait était plutôt la douleur d'avoir elle aussi laissé passer sa chance de se réconcilier avec Irène. Comme elle lui paraissait incongrue, cette tristesse qui l'étreignait, quand entre les deux sœurs pourtant n'avait jamais existé que du fiel. Contre toute attente, songea-t-elle, elle allait se sentir bien seule après son décès.

De leur côté, Sam et Maggie conversaient à mi-voix. Elle se fit l'effet d'une étrangère. Les barrières invisibles qui la cernaient l'avaient placée à part; le monde risquait de lui paraître difficile à supporter, elle qui ne possédait plus la moindre attache. Gilles avait-il éprouvé la même chose? Était-ce ce qui l'avait poussé à regagner l'Angleterre? Assurément. Elle se promit de lui écrire au plus vite, afin qu'il découvrît la lettre dès son arrivée à Wimbledon. Car même s'ils ne seraient jamais des amants, leur amitié se révélait inestimable.

— Est-ce que ça va? l'interrogea Maggie, inquiète.

— Pas vraiment.

— Je comprends. Je suis désolée pour elle, même après ce qu'elle a fait. C'est une bien vilaine façon de mourir. Incapable de parler ou de remuer ne serait-ce que le petit doigt. Complètement impuissante. Je m'en veux d'avoir pété un boulon dans sa chambre.

— Bah… c'était à prévoir. Irène a toujours eu l'art de faire sortir les gens de leurs gonds.

Maggie cligna des yeux pour en chasser les larmes.

— C'est idiot, s'exaspéra-t-elle. Elle me dégoûte, et pourtant à la voir dans cet état-là… en sachant qu'elle est en train d'agoniser…

— Je pense qu'on devrait manger un morceau, intervint Sam quelques minutes plus tard, en se garant devant un relais routier. Une bonne tasse de café avec une assiettée de viande frite et d'œufs, ça va nous ragaillardir.

Olivia descendit du véhicule, huma l'air humide et chaud. Certes, le décès imminent de son aînée l'affectait mais, déjà, ses serrements de cœur l'irritaient : après tout, Irène avait choisi son destin, et sa cadette, au fond, éprouvait surtout pour elle de la pitié.

Quant à Gilles, elle finit par songer que son départ précipité était encore ce qui pouvait lui arriver de mieux. Grâce à lui, en effet, elle avait compris combien profonds étaient leurs liens, et combien elle avait compté sur le soutien du jeune homme. Force lui était maintenant de reconsidérer son existence, d'en dresser le bilan. Il ne s'agissait pas d'une fin, se dit-elle, mais d'un nouveau départ. Et comme il faisait bon se sentir vivant…

Elle jeta autour d'elle des regards ravis. Trois jours après le cyclone, les oiseaux étaient revenus : le bush aujourd'hui résonnait de leurs chants. Le ciel se révélait d'un bleu pur, tandis que la mer étincelait sous le soleil.

— Tu as raison, Sam, lança-t-elle en prenant ses deux amis par le bras. Je meurs de faim !

On leur servit un petit-déjeuner pantagruélique, qu'ils engloutirent en l'accompagnant de plusieurs tasses de café. Quand ils regagnèrent le pick-up, ils se sentaient repus.

— On devrait pas mettre plus de quelques heures pour atteindre Port Douglas, annonça l'hôtelier. Profitez du paysage, les filles. C'est le plus chouette au monde.

Olivia s'abandonna au confort relatif de la banquette et s'exécuta. De hautes herbes se balançaient dans le vent chaud, un parfum de fleurs chatouilla sa narine lorsque la voiture longea de petits éboulis de rochers couleur d'ébène, qui dégringolaient jusqu'à la plage.

Les eaux prenaient des tons de turquoise sous le ciel sans nuage – à marée basse, il resta sur le sable très pâle des flaques qu'on aurait crues emplies de joyaux. De minuscules baies désertes ornaient le littoral, chacune protégée du vent par des dunes basses, des amoncellements rocheux, des herbes robustes et des buissons qui se cramponnaient au bord de la route. L'Éden ne devait pas être plus beau.

Olivia, qui ne connaissait pas la région – lorsqu'elle était enfant, sa mère et elle ne poussaient jamais plus loin que Cairns –, fut agréablement surprise de constater que Port Arthur se résumait à une poignée de maisons juchées sur des collines; seuls leurs toits se distinguaient parmi la luxuriante végétation tropicale.

Des fleurs aux tons éclatants se disputaient les houppiers des palmiers, cependant que des oiseaux de toutes les couleurs filaient dans les airs. La ville proprement dite consistait en une route unique bordée de bâtiments qu'ombrageaient des vérandas, ainsi que d'autres palmiers. La plage était de sable, l'eau bleue attendait qu'on y plongeât.

— Nous y voilà, annonça Sam en s'immobilisant avant de couper le moteur. Le petit coin de paradis de maman. Il faudrait un pied-de-biche pour l'en déloger, et je peux vraiment pas le lui reprocher.

Olivia admira le bungalow. C'était une maisonnette telle qu'on en trouvait par milliers en Australie, bâtie sur un coteau d'où l'on dominait la mer. De l'autre côté de la palissade se donnait à voir un jardin soigneusement entretenu, tandis que des bougainvillées prenaient d'assaut la véranda, montaient le long de la cheminée pour atteindre le toit. Des palmiers et des fougères dispensaient leur ombre bienfaisante. On avait, enfin, récemment repeint les moustiquaires, dans des tons violets qui contrastaient joliment avec les murs blancs.

— Tu es sûr que nous n'allons pas la déranger? s'inquiéta Olivia en voyant un rideau frémir à l'une des fenêtres.

L'Anglaise se sentait soudain nerveuse, ce qui ne lui ressemblait guère.

— Plus on est de fous, plus on rit! répondit l'hôtelier. Maman est au courant de notre visite. Je l'ai prévenue hier soir par radio. Depuis, elle doit plus quitter sa cuisine.

La jeune infirmière suivit le couple dans l'allée en contemplant les fleurs – il y avait là tant de variétés exotiques qu'elle aurait été bien en peine de les nommer toutes; leur parfum l'enivrait.

Comme la porte s'ouvrait, elle recula. Une sémillante petite bonne femme surgit de la maison. La belle-mère de Sam pouvait approcher les quatre-vingts ans, mais lorsqu'elle jeta ses bras autour de la taille du garçon en lui reprochant pour rire d'arriver en retard, Olivia devina sans peine la jeune fille qu'elle avait été.

Des cheveux gris et crantés encadraient un visage avenant, qu'elle n'avait pas maquillé; un visage que les travaux sous le soleil d'Australie avaient ridé, et dans lequel brillaient deux yeux bleus pétillants d'intelligence. Cette petite femme trapue incarnait la grand-mère idéale – à ceci près qu'elle possédait une manière d'extravagance peu commune, qui s'affirmait dans ses volumineuses boucles d'oreilles, qu'on voyait se balancer d'avant en arrière au moindre de ses mouvements.

— Je constate que vous êtes en train d'admirer mes perroquets, lança-t-elle gaiement à Olivia en portant les mains à ses bijoux – Sam venait de la présenter à Maggie. Ce sont mes boucles d'oreilles préférées. Mais j'en ai un paquet d'autres.

Elle pencha la tête.

— Vous devez être Olivia, enchaîna-t-elle en tendant la main à la jeune femme.

Celle-ci opina, un peu déconcertée par le regard pénétrant de leur hôtesse. La belle-mère de l'hôtelier lui rappelait quelqu'un, mais qui?… Elle lui serra la main et sourit.

— Je suis ravie de faire enfin votre connaissance. J'espère que nous ne vous importunons pas.

— Au contraire. J'ai ici de quoi nourrir un régiment entier. Vous avez intérêt à avoir faim.

Elle ouvrit la porte en invitant d'un geste ses visiteurs à entrer.

— Allons déjà prendre le thé, ajouta-t-elle.

Les trois jeunes gens empruntèrent l'étroit couloir. Le revêtement de sol rutilait, tandis que les murs disparaissaient derrière les photos de famille. Olivia aurait aimé prendre le temps de les examiner toutes, mais la vieille dame les pressait vers l'avant – il aurait été grossier de s'attarder.

Le salon débordait de meubles proprets – même si l'odeur de la cire d'abeille ne masquait pas tout à fait celle des chats. La belle-mère de Sam ayant tiré les rideaux pour repousser le soleil trop vif, il fallut quelques secondes à l'Anglaise pour s'accoutumer à la pénombre.

Dans chacun des deux fauteuils dormait un chat. Sur la petite table placée sous la fenêtre trônait, sur un napperon de dentelle, un service à thé en porcelaine. Un vaisselier et un bahut, qui occupaient presque tout l'espace, croulaient sous les bibelots et les photographies. Le tapis, enfin, était une horreur fleurie d'orange et de brun, qui jurait atrocement avec les rideaux roses – mais la pièce elle-même se révélait à ce point accueillante que cette association malheureuse importait peu. Ici s'imposaient la paix et la douceur de vivre.

— Hésitez pas à chasser les chats pour vous asseoir. Pendant ce temps-là, je vais préparer le thé.

Olivia contempla le gros matou, qu'elle choisit de laisser tranquille après qu'il eut dardé sur elle un regard jaune aux lueurs maléfiques. Elle s'installa sur une chaise, à côté de la table, puis sourit à Maggie.

— Elle est adorable, n'est-ce pas?

— Une merveille, répondit la jeune femme en pressant la main de son compagnon.

Sam lui baisa le dessus du crâne avant de se jucher sur l'accoudoir du fauteuil.

— Maman est épatante. Une femme en or.

— Comment il faut qu'on l'appelle? On n'est pas de la même famille, on peut tout de même pas lui donner du «maman» long comme le bras?

La vieille dame revint de la cuisine avec une théière, qu'elle plaça sur la table. Puis elle fit un pas en arrière et croisa les mains. Son regard courut de Maggie à Sam, avant de se poser sur Olivia.

— Appelez-moi «maman». Après tout, c'est ce que je suis, et j'en tire une immense fierté.

Il passa sur les traits d'Olivia beaucoup de confusion. La proposition était certes charmante, mais elle ne suffirait pas à faire taire l'éducation strictement anglaise qu'Eva lui avait donnée. Jamais elle ne pourrait être à tu et à toi avec cette femme beaucoup plus âgée qu'elle.

Celle-ci se mit à rire – les perroquets dansaient à ses oreilles. Elle s'assit dans le fauteuil dont elle venait d'écarter le chat récalcitrant.

— Appelle-moi comme bon te semblera, ma chérie. Je suis pas du genre à faire des chichis. Ta mère a dû te le dire, d'ailleurs.

Olivia se figea.

— Ma mère?… Que… Comment ma mère aurait-elle pu…?

La petite main potelée s'avança pour se refermer sur les doigts de l'Anglaise.

— Tu te souviens pas de moi, hein?

Olivia avait la bouche sèche. Son pouls s'accéléra. Elle confirma d'un mouvement de tête.

— La dernière fois qu'on s'est vues, tu étais une toute petite fille qui s'apprêtait à grimper sur un très gros bateau en partance pour l'Angleterre. À l'époque, tu m'appelais Jessie.

22

Les mots manquaient à Olivia. Cependant, comme elle scrutait intensément les traits de son interlocutrice, elle comprit pour quelle raison son visage lui avait paru si familier dès le premier abord. Ces yeux, cette façon de pencher la tête, l'énergie qui émanait d'elle… Les années l'avaient flétrie, mais la Jessie d'autrefois ne s'était pas évanouie, au point que la jeune femme se demanda comment elle avait pu ne pas la reconnaître.

— Mais Irène m'a affirmé que tu étais morte, souffla-t-elle.

Jessie lui tapota la main avant de se relever pour servir le thé.

— Ça m'étonne pas.

— Pourquoi?

Olivia fit passer distraitement les tasses.

— Pour quelle raison Irène m'aurait-elle empêchée de te revoir?

Jessie déposa sur une assiette du cake, des sandwichs et des scones, qu'elle tendit à Sam.

— Parce qu'elle avait beaucoup à perdre, répondit la vieille dame sur un ton énigmatique.

Olivia avait surpris le regard entendu que venaient d'échanger Jessie et son beau-fils. Que savait celui-ci au juste?

— Tu connaissais les liens qui unissaient Jessie à notre famille, n'est-ce pas? lui dit-elle. Et ce n'est pas par hasard que tu nous as amenées ici?

— Jette pas la pierre à Samuel, intervint l'ancienne gouvernante qui, ayant saisi la pile d'assiettes, les distribuait à la ronde. Il a fait de son mieux.

Olivia repoussa son assiette. Elle n'avait plus faim. Ou plutôt si : elle avait faim. De réponses.

— Qu'a-t-il fait exactement ?

Jessie avala une gorgée de thé, avant de replacer la tasse dans sa soucoupe.

— Samuel m'a raconté que Maggie avait appris qu'Irène était sa mère. J'aurais bien aimé l'aider à traverser cette épreuve, la pauvre poulette. Parce qu'Irène est vraiment pas un cadeau.

— Et encore, vous connaissez pas le tiers du quart, intervint Maggie avec amertume. Et toi, apostropha-t-elle Sam en se tournant vers lui. Pourquoi tu m'as rien dit ? Depuis quand tu es au courant ?

L'hôtelier, qui tentait de passer un bras autour de l'épaule de sa compagne, se vit repousser sans ménagement.

— Arrête, Maggie. J'ai pensé que ce serait une chouette surprise. Et puis, avec le cyclone et tout le tintouin…

Sa voix mourut, et il se tourna vers sa belle-mère en quête de soutien.

Jessie pinça avec affection la joue de Maggie.

— Vous êtes ici, maintenant, toutes les deux. C'est ça qui compte, ma cocotte. Et t'imagines pas le plaisir que ça me fait.

Elle sourit, les larmes aux yeux.

— Il est temps que Sam se recase enfin, et même si ma belle-fille adorée me manquera toujours, je sais qu'elle t'aurait eue à la bonne. Parole.

Elle renifla, et les perroquets oscillèrent.

— Je sais que tu as des questions à me poser, et je te promets d'y répondre plus tard.

Elle reporta son attention sur Olivia.

— Et toi ? Y a pas des choses dont tu voulais me parler ? Des choses qui te chiffonnaient assez pour t'avoir poussée à faire le voyage jusqu'en Australie ?

— Comment es-tu au courant ?

— Je l'étais pas, mais après la visite d'Irène, j'ai pas eu de mal à raccrocher les wagons, et ta présence ici m'a prouvé que j'avais vu juste.

— Irène est venue te voir? Quand donc?

— Il y a un mois environ. Peu après que tu lui as rendu visite à Deloraine, je suppose.

L'Anglaise sentait monter sa colère.

— Alors, si je comprends bien, non contente de me faire croire que tu étais morte, elle est venue ici pour s'assurer que tu ne me révélerais rien? Je suis navrée qu'elle t'ait tourmentée par ma faute.

Elle contempla le doux visage empreint de tristesse.

— Te bile pas, la rassura la maîtresse de maison en lui tapotant le genou. Les manigances d'Irène glissent sur moi comme de l'eau sur les plumes d'un canard, soupira-t-elle. En tout cas, elle était retournée. Elle s'est crue plus maligne que moi en m'adressant des menaces voilées. Mais je la connais comme si je l'avais tricotée. J'ai deviné presque tout de suite ce qui avait dû se passer.

Elle se désaltéra avec un peu de thé.

— C'était une drôle de conversation, parole. De ces conversations où on n'échange presque rien, mais où tout le monde comprend quand même de quoi on est en train de causer...

— Raconte-moi, Jessie.

La jeune femme lorgna Maggie – celle-ci s'était blottie contre Sam, mais elle avait les épaules raides, et l'œil aux abois.

— Et tant pis s'il faut pour cela que tu nous bouleverses. Maggie et moi avons les reins solides. Nous nous en relèverons.

Jessie reposa sa tasse et sa soucoupe sur la table.

— Vous avez peut-être les reins solides, mais des fois, mieux vaut s'abstenir de se mêler de choses qu'on maîtrise pas.

— J'ai effectué un long voyage, Jessie. Je crois que je mérite d'apprendre enfin la vérité, au bout de tant d'années.

— Je me rends, soupira la vieille dame. Je vais tout vous raconter.

Jessie était en train de nettoyer ses vitres, lorsque la voiture vert pâle et blanc se gara devant sa maison. Une Holden, un véhicule de luxe – le plus jeune de ses petits-fils convoitait ce modèle depuis qu'il l'avait admiré lors d'un salon automobile à Melbourne.

Intriguée, elle demeura cachée derrière ses rideaux. Sans doute un citadin qui cherchait sa route. Mais quand la conductrice descendit du bolide pour se diriger vers la barrière, Jessie retint son souffle. Que diable Irène venait-elle faire ici? Elle ne lui avait plus rendu visite depuis de nombreuses années. Il devait se passer quelque chose…

Irène frappa à la porte. La vieille dame hésita. Se frotter à Irène ne vous valait jamais que des ennuis, mais Jessie n'était pas femme à fuir devant l'adversité. Elle finit par ouvrir.

— Entre donc, déclara-t-elle d'un ton neutre.

— Réprime un peu ton enthousiasme, veux-tu, la cingla la visiteuse.

— Dépêche-toi plutôt de refermer cette porte. Sinon, les mouches vont envahir la maison.

Jessie avait parlé rudement. La porte à moustiquaire claqua; elle emmena Irène au salon.

— Assieds-toi, dit-elle en s'emparant du chat qui se prélassait dans un fauteuil pour prendre sa place, avant de déposer le félin sur ses genoux.

Irène, de son côté, hésitait à chasser l'autre matou – elle eut une moue dédaigneuse. Elle finit par renoncer, lissa longuement sa jupe avant d'opter pour la chaise la plus inconfortable de la pièce, où elle se jucha sur la pointe des fesses.

— Qu'est-ce que tu veux, Irène?

— Pour quelle raison faudrait-il à tout prix que je veuille quelque chose?

La visiteuse ôta ses gants, avant de considérer le décor d'un œil dégoûté.

— Je constate que rien n'a changé, laissa-t-elle tomber.

Jessie préféra ignorer le sarcasme.

— Pourquoi tu es venue?

Irène débarrassa sa jupe des poils de chat qui y adhéraient.

— J'ai de mauvaises nouvelles à t'annoncer, déclara-t-elle sur un ton de fausse gravité. Mère est morte.

— J'en suis navrée, réagit son hôtesse. Eva était une femme exceptionnelle.

Irène s'impatientait – Jessie le devinait à la façon dont elle ne cessait plus de jouer avec ses gants blancs.

— Vous écriviez-vous de temps à autre? s'enquit-elle.

La vieille dame, qui déjà pressentait que cette discussion risquait de les mener très loin, pesa ses mots avant de répondre :

— On s'est écrit pendant un moment. Jamais de façon régulière.

— Mais vous êtes-vous trouvées récemment en contact? insista la visiteuse.

Jessie ne comptait pas lui faciliter la tâche – pas après tout ce qu'elle lui avait fait subir jadis.

— Pourquoi tu me poses la question?

— Je t'ai interrogée sans raison particulière.

Elle mentait – Irène n'entreprenait jamais rien sans raison.

— Tu as eu des nouvelles d'Olivia? demanda la vieille dame, qui savait que sa question perturberait assez son interlocutrice pour qu'elle parvînt à reprendre les rênes de la discussion.

— Nous n'entretenons aucune relation.

— Dommage, murmura Jessie. Une famille unie, ça vaut quand même mieux.

Elle darda sur Irène un regard brûlant avant de poursuivre :

— Mais la famille, ça a jamais été ton truc, pas vrai?

À l'évidence, la visiteuse éprouvait toutes les peines du monde à réprimer l'un de ces terribles emportements qui avaient fait sa réputation. Combien de temps s'écoulerait-il avant que craquât enfin ce vernis policé? Irène considéra ses ongles manucurés, si rouges contre la blancheur de sa jupe.

— Olivia mène sa propre existence, commença-t-elle.

Comme elle relevait le menton, les deux femmes se dévisagèrent avec une aversion mutuelle.

— Et puisque c'est elle qui a raflé l'héritage, elle n'a qu'à continuer à se prélasser en Angleterre dans la plus parfaite ignorance. J'avoue que j'en conçois une certaine amertume, car mère ne m'a laissé qu'une poignée de vieux bijoux mais, que veux-tu, ce qui est fait, est fait.

— Eva t'a réservé une belle somme le jour où elle est partie pour l'Angleterre, répliqua Jessie. Tu avais le choix : soit tu touchais l'argent tout de suite, soit tu le touchais plus tard. Tu as préféré récupérer l'intégralité du pactole à ce moment-là, et tu savais parfaitement que rien d'autre ne te tomberait plus du ciel après ça.

— Mon héritage ne te regarde en rien, siffla Irène. Comment mère a-t-elle osé te confier ces arrangements ?

La vieille dame haussa les épaules.

— C'est toi qui as abordé le sujet, rétorqua-t-elle d'un ton bourru.

Irène lui adressa un regard courroucé.

— Olivia et moi n'avons jamais réussi à nous entendre, mais c'est l'avenir qui doit nous préoccuper à présent.

Elle se tut un instant, puis s'humecta les lèvres.

— Il me déplairait infiniment que des vies se trouvent détruites par les ragots, ou par l'ingérence de certaines personnes dans des affaires qui ne les concernent pas…

Elle émit un sourire crispé et faux ; son œil était de glace.

— Me suis-je bien fait comprendre ?

Jessie, qui avait déjà deviné la raison pour laquelle Irène s'était présentée à sa porte, vit ses soupçons se confirmer : Olivia se trouvait en Australie, et elle était en train de poser des questions. Voilà ce qui chamboulait Irène à ce point.

— Message reçu, répondit calmement l'ancienne gouvernante.

Sur quoi elle se leva, laissa tomber le chat au fond du fauteuil qu'elle venait de quitter.

— Tes menaces m'effraient pas. Je suis une vieille femme, et j'ai été témoin de trop de choses pour me sentir encore impressionnée par une pimbêche de ton espèce.

Elles se toisèrent un moment en silence, avant que Jessie n'enchaîne :

— Mais pour une fois, je suis d'accord avec toi. Mieux vaut laisser Olivia en dehors de cette histoire.

Irène se remit debout, posa un œil venimeux sur son hôtesse, puis s'en fut. Elle demeura quelques instants dans l'allée du jardin, où elle prit une profonde inspiration avant de regagner sa voiture.

— J'étais sortie derrière elle, indiqua la vieille dame, qui émergeait de ses songes. J'ai regardé filer la bagnole à toute allure, après quoi je suis rentrée, la cervelle en ébullition.

Elle sourit à Olivia et Maggie. Elle aurait tant souhaité ne pas leur gâcher ainsi cette visite. Sur leurs traits pâles se lisait de l'angoisse, mais elles étaient en droit de connaître la vérité. Jessie versa à Samuel une autre tasse de thé ; il était le seul à se régaler des bonnes choses qu'elle avait préparées.

— Le soleil donne jamais directement dans cette pièce, reprit-elle, et c'est tant mieux. J'ai passé l'âge de supporter les grosses chaleurs, les mouches et les moustiques… C'est d'ailleurs pour ça qu'en plus je tire toujours le rideau. Et cependant, j'ai même seulement jamais songé à regagner l'Angleterre. Depuis le temps, c'est ici que se trouvent mes racines. Dans le nord du Queensland.

— Mère s'est aisément réhabituée à la Grande-Bretagne, objecta Olivia. Elle avait pourtant passé de nombreuses années en Australie.

— Mais Eva avait de la famille, en Angleterre, des relations, et puis un joli petit bas de laine. Moi, j'aurais rien eu du tout, par comparaison avec ce que j'ai obtenu ici.

Elle contempla les photographies. Ces clichés comptaient parmi ses biens les plus précieux ; jamais elle ne s'en séparerait.

— J'ai six enfants, dix petits-enfants, trois arrière-petits-enfants et un quatrième qui devrait pointer le bout de son nez dans quelques jours, énonça Jessie avec fierté. Il y a eu des tragédies, évidemment, comme chez tout le monde. J'oublierai jamais le jour où ma Stella et son petit Paul sont morts dans l'incendie. Quand on lui a appris la nouvelle, j'ai bien cru que la douleur allait rendre fou ce pauvre Samuel.

Elle sourit à son beau-fils. Enfin, songea-t-elle, il était guéri – si différent de l'homme éperdu qui s'était présenté chez elle à son retour de la guerre. Cette métamorphose, il la devait à

Maggie ; l'ancienne gouvernante se réjouissait sans mesure que ces deux-là se fussent trouvés.

— J'ai atteint un âge où la mort et le chagrin sont devenus des compagnons de route. Malgré tout, ce pays a été bon pour moi, et pour les miens. L'Australie m'a offert une seconde chance.

Parcourant encore les photographies, son regard s'arrêta sur le visage de son second époux.

— J'ai rencontré Joshua Reynolds peu après avoir quitté Melbourne pour m'installer dans le nord. Il était veuf, et il avait une petite fille, prénommée Stella. Eva nous a donné des sous pour qu'on puisse emménager à Port Douglas, où on a fondé notre famille. On avait une maison, on avait un travail. Je menais une existence bien plus belle que celle que j'aurais vécue si j'étais restée en Angleterre.

— Mère m'a souvent parlé de toi, lui dit Olivia. Mais j'ignorais que vous entreteniez une correspondance, toutes les deux.

Jessie soupira en agençant mieux les photographies sur le meuble ; elle s'empara d'un cliché sépia.

— On était aussi différentes que l'eau et le feu, commenta-t-elle avec tendresse. Eva était une vraie lady, et je me sens honorée d'être devenue son amie.

Elle remit la photo à Olivia.

— Frederick et elle formaient un joli couple, pas vrai ?

Elle attendit que le cliché fût passé de main en main avant de le replacer sur le bahut.

— Il manquait terriblement à Eva quand il s'absentait pendant plusieurs mois. Elle me l'a avoué bien des fois – elle pouvait se permettre de me faire des confidences, parce qu'elle savait que je raconterais jamais rien à personne. Et quand enfin il rentrait, on aurait cru une jeune mariée. Elle retrouvait tout son entrain, elle fourmillait de projets. La maison reprenait vie.

— Elle devait se sentir d'autant plus abattue lorsqu'il repartait ?

— Pour sûr. Physiquement, elle me faisait l'impression de se ratatiner. Mais pour le reste, elle jetait toute son énergie dans des œuvres charitables, manière de tromper l'attente. Elle me faisait peur, alors. Je la trouvais surexcitée.

— La naissance d'Irène a dû changer beaucoup de choses. Mère rêvait d'avoir un enfant, elle me l'a confié à de nombreuses reprises.

— Elle a fait plusieurs fausses couches, et puis il y avait eu des déceptions. Quand Irène est venue au monde, elle s'est sentie comblée.

Elle sourit.

— Moi aussi. Je m'en occupais comme si ça avait été la mienne. On lui a donné tout notre amour. On tenait à elle comme à la prunelle de nos yeux. Et son avenir... Ah, on en a rêvé, des rêves...

La vieille dame se tut, accablée de tristesse.

— Avec le recul, je m'aperçois qu'on l'a pourrie gâtée. C'est nous qui avons fait d'elle ce qu'elle est aujourd'hui.

Comme elle posait les yeux sur les photos d'Irène, elle se mordit la lèvre inférieure. Oui, elle avait jadis éprouvé pour cette enfant une passion égale à celle que nourrissait Eva. Hélas, on avait si tôt fait aujourd'hui de rapprocher cette fillette posant devant l'objectif avec la blonde impitoyable qui lui avait rendu visite avant le cyclone. Car le photographe, déjà, avait immortalisé le regard déterminé qui ne vous lâchait plus ; il avait su capter l'inébranlable assurance, si déroutante chez un être aussi jeune.

— Irène et moi, reprit Jessie, excédée par sa propre douleur, on a vécu un moment ensemble à Trinity, pendant la guerre. On avait des disputes épouvantables. Elle a toujours été une manipulatrice, et je me rappelle encore ses colères, ses crises de jalousie, ce désir insensé d'être le centre de toutes les attentions. C'est ça qui a fini par bousiller sa relation avec Eva.

— Avez-vous séjourné toutes les deux à Trinity pendant que maman était enceinte de moi?

— Oui.

— Mais qu'a-t-il bien pu se passer entre Eva et Irène pour qu'un pareil fossé se creuse? Il devait s'agir d'une chose terrible...

358

— En effet, murmura l'ancienne gouvernante.

Elle contempla longuement la jeune femme. Elle savait déjà où les mènerait cette conversation. Olivia n'avait certes pas posé la question à laquelle Jessie s'attendait, mais elle sondait les ténèbres, interrogeait les ombres, s'enfonçait au cœur du secret. Elle ne serait satisfaite qu'une fois la vérité dévoilée.

La vieille dame ouvrit un tiroir, dont elle fit surgir un paquet de lettres. Eva lui manquait, comme lui manquaient les nouvelles qui, sans désemparer, avaient entre elles sillonné la planète plusieurs années durant. Cette correspondance les avait rapprochées. Elle avait resserré les liens qui, bien avant le départ d'Eva, les unissaient déjà.

Ayant ferraillé quelques secondes avec l'enveloppe, elle renonça pour la poser sur ses genoux.

— J'ai laissé mes lunettes dans la chambre, exposa-t-elle, mais j'en ai pas besoin. Cette lettre-là, je la connais par cœur. La dernière lettre d'Eva, écrite voilà près d'un an et demi.

— Tu étais donc au courant de son décès avant la visite d'Irène? s'étonna Olivia, des larmes plein les yeux. Que t'a-t-elle écrit, Jessie?

— Elle m'a écrit combien elle t'aimait, elle m'a remerciée pour l'amitié que je lui portais, elle m'a indiqué à quel point elle s'attristait de jamais avoir pu recoller les morceaux avec Irène. Elle regrettait aussi certaines de ses décisions qui, selon elle, avaient effacé toutes les traces menant à la vérité. Elle m'a demandé conseil. Sa conscience la torturait.

— Mais pourquoi? intervint Maggie. Qu'est-ce qu'elle avait fait? Est-ce qu'elle était de mèche avec Irène au sujet de mon adoption? C'est pour ça qu'elle se sentait coupable?

— Non, ma chérie, la rassura Jessie – la souffrance défigurait presque la jeune femme. Ce qui t'est arrivé, elle y est strictement pour rien. Au contraire. Elle s'est mise en quatre pour essayer de te retrouver. Mais Irène a jamais voulu cracher sa pastille, et jamais Eva a pu mettre la main sur le moindre registre. Quand elle est retournée en Angleterre avec Olivia, elle avait fini par se résigner. Il lui restait plus qu'à espérer que tu étais heureuse.

359

Maggie éclata en sanglots. Sam l'étreignit. Olivia, de son côté, cligna des yeux pour chasser ses propres larmes, les poings serrés sur ses genoux.

Jessie baissa le regard sur l'enveloppe et soupira encore. Elle s'était pourtant hâtée de répondre, mais trop tard. Peu après, elle avait reçu le courrier d'un notaire londonien contenant le titre de propriété de son bungalow de Port Douglas, ainsi qu'un chèque de mille livres.

Le gros matou traversa le salon pour se frotter à ses chevilles. Il ronronnait. Il venait rappeler à sa maîtresse qu'il avait faim ; celle-ci le caressa distraitement.

— Attends un peu, Blue. Je suis occupée.

— Mais alors, s'immisça Olivia, de quoi s'agissait-il ?

L'Anglaise se sentait sur des charbons ardents – l'ancienne gouvernante la voyait guerroyer pour maîtriser son émoi.

— Ta mère savait qu'elle allait mourir quand elle m'a écrit. Elle a jamais reçu ma réponse. Je me demandais, depuis, si elle avait réussi à soulager sa conscience, ou si c'était le destin qui se chargerait de la suite.

Elle scruta de nouveau Olivia.

— Après la visite d'Irène, j'ai compris que tu te trouvais sur ce continent, et que tu enquêtais. Alors, j'ai appelé Samuel pour lui demander son avis. Je me doutais que tu étais forcément dans les parages.

Elle sourit encore, mais les regrets l'oppressaient.

— Quand il m'a expliqué que tu étais descendue dans son hôtel, j'ai pigé que, malgré ses efforts, Eva avait pas détruit tous les indices.

Le silence tomba sur le salon, où la tension devenait palpable.

— Tu as déniché les papiers, hein ?

— En effet. Ce sont eux qui m'ont amenée à accomplir ce voyage.

La jeune femme se leva, ouvrit les minces rideaux de coton pour contempler au-dehors la végétation tropicale. Elle n'était plus très sûre de vouloir entendre ce que Jessie s'apprêtait à lui révéler – quelques heures plus tôt, elle avait vécu une terrible scène dans la chambre d'Irène, au terme de longues journées passées à s'affairer auprès de ses patients… Elle était recrue de fatigue. Elle ferma les paupières, se rappela Priscilla, son amie d'enfance – personne ne la connaissait mieux qu'elle. Que lui conseillerait cette amie imaginaire si elle se trouvait auprès d'elle en cet instant?…

Olivia prit une profonde inspiration. Il n'y avait plus de Priscilla qui tînt. La jeune femme était en âge, aujourd'hui, d'affronter seule les démons de ses origines. Elle se tourna vers Maggie – Maggie qui allait souffrir, indubitablement, mais Jessie et Olivia lui devaient bien cela.

— Lorsque j'ai découvert ces documents, j'ai cru périr d'effroi. Ou de chagrin.

Elle fit silence en se remémorant ces jours enténébrés par les larmes et la douleur, ces jours durant lesquels il lui avait fallu admettre qu'Eva lui avait menti.

— Mais au fil des mois, reprit-elle, je me suis rendu compte que ces papiers donnaient un sens à des choses qui, jusqu'alors, m'étaient demeurées un mystère.

Elle soutint le regard de Maggie, à laquelle elle tentait de transmettre en silence tout son amour et son soutien.

— Ensuite, je me suis rendue à Trinity, et j'ai découvert ton existence. Ça m'a complètement démolie.

La phrase fit à la compagne de Sam l'effet d'une gifle.

— Je te remercie. Et moi qui m'imaginais qu'on était des amies.

— Nous le sommes, répondit Olivia en lui prenant la main. N'en doute jamais, je t'en conjure.

Maggie se sentit déchirée. L'œil dans celui de l'Anglaise, elle désirait ardemment la croire, bien qu'une petite voix au fond d'elle lui soufflât tout au contraire de se défier d'elle. Les épreuves et la solitude l'avaient rendue farouche – même l'amour qu'elle portait à l'hôtelier était terni par la crainte qu'elle éprouvait qu'il la quittât un jour. Elle n'avait pas encore réussi à tomber l'armure.

Elle haussa le menton, fâchée que les larmes qu'elle avait versées tout à l'heure eussent donné d'elle l'image d'une créature fragile. Or, elle se devait de rester, contre vents et marées, la Maggie que chacun connaissait, robuste et enflammée.

— Vas-y, envoie, lança-t-elle avec un entrain qu'elle n'éprouvait pas. J'en ai tellement bavé dans ma vie que je vois pas bien ce qui pourrait encore me choquer.

Olivia retourna à la fenêtre.

— Tu me sembles drôlement amère, intervint Jessie, la mine inquiète.

— C'est pas très étonnant vu le genre de parcours auquel j'ai eu droit, ironisa la jeune femme.

Sur quoi elle raconta son existence à l'ancienne gouvernante, comme elle l'avait plus tôt narrée à Olivia.

— Et voilà, conclut-elle, vous savez tout. Je veux bien comprendre pourquoi Irène voulait pas de moi. Elle avait sûrement commis une erreur. Elle s'était embringuée dans une liaison sans lendemain, et ma naissance risquait de flanquer en l'air sa réputation et de ruiner sa vie. Mais vous avez raconté tout à l'heure qu'Eva avait passé plusieurs années à essayer de me retrouver. Pourquoi vous lui avez pas expliqué où j'étais? Vous deviez être au courant, pour les religieuses. À partir de là, elle aurait pas eu de mal à me mettre la main dessus.

— J'ignorais tout, déclara Jessie. Irène m'a rien dit à ton sujet.

Maggie se leva d'un bond, ivre de rage.

— Vous saviez forcément! hurla-t-elle. Vous viviez ensemble, au moment de ma naissance.

L'ancienne gouvernante opina, nullement impressionnée par l'éclat de la jeune femme.

— Tu as raison, on habitait sous le même toit. Mais me dis pas que t'as pas déjà pigé de quel genre de fourberie Irène était capable. Je peux t'assurer qu'en matière de cachotteries je lui arrivais pas à la cheville.

Elle baissa les yeux sur le chat qui dormait sur ses genoux. Le caressa.

— Je suppose que tu me crois pas, mais quand j'ai compris ce qu'elle avait fait, il était trop tard.

— Mais Olivia a déniché des documents, s'obstina Maggie. Ça veut dire qu'Eva l'avait découverte, elle, la vérité.

— Non, repartit Olivia avec une rudesse qui ne lui ressemblait pas.

— Qu'est-ce que tu racontes?

Maggie traversa le salon pour venir se planter devant l'infirmière, qu'elle contraignit à lui faire face.

— Si ces papiers-là parlaient pas de moi, pourquoi tu aurais fait le voyage jusqu'à Trinity?

Olivia et Jessie échangèrent un bref regard, que la compagne de Sam surprit – elle aurait juré que l'une implorait l'aide de l'autre.

— Allons, Olivia, s'acharna-t-elle âprement. Tu as prétendu que tu étais mon amie. Alors prouve-le. Dis-moi la vérité une fois pour toutes, au lieu de te défiler.

L'Anglaise inspira profondément.

— Ces documents ne te concernaient en rien. J'ai ignoré ton existence jusqu'à cette nuit où nous nous sommes retrouvées sur la plage, et où tu t'es confiée à moi.

Elle saisit les mains de Maggie entre les siennes.

— Ces documents constituaient seulement la preuve que tout ce que j'avais tenu pour acquis depuis toujours se réduisait à un vaste mensonge.

23

— Ces papiers-là, intervint Jessie, c'est qu'une partie de la vérité. Pour que tu comprennes le fin mot de l'histoire, il faut d'abord que je te la raconte en entier.

Maggie se laissa tomber sur sa chaise, où Sam la serra contre lui comme pour la protéger de ce que sa belle-mère risquait de mettre au jour. Olivia, de son côté, se rassit à la table, le teint blême.

L'ancienne gouvernante, qui lisait de la souffrance sur les traits des deux jeunes femmes, espéra que, peut-être, la vérité qu'elle allait dévoiler corrigerait les décisions qu'avec Eva elle avait prises par le passé. Elle effleura le pelage de son chat, dont elle perçut le ronronnement conciliateur. Comme elle regrettait qu'Eva ne se trouvât pas dans ce salon. Elle s'exprimait tellement mieux qu'elle ; elle aurait, à coup sûr, choisi les mots les plus appropriés.

Elle contempla une fois encore les photographies disposées sur le bahut, puis de l'œil elle chercha son amie. Cette silhouette menue vêtue d'une élégante robe longue et blanche ne laissait rien deviner de la ténacité sans faille qui la portait, rien de sa force de caractère – cette résolution, on l'entrapercevait néanmoins au fond du regard sombre et dans le menton volontaire. L'opulente chevelure, qui ondoyait, et les pommettes délicates n'évoquaient pour leur part que la féminité, mais Eva se montrait parfois plus opiniâtre qu'un homme – et lorsque cela se produisait, elle jetait par-dessus les moulins les contraintes imposées par la société au sein de laquelle elle évoluait. Elle n'était assurément pas de ces créatures qui, comme beaucoup de femmes de sa génération, pensaient rarement par elles-mêmes, préférant s'en remettre à l'opinion de leur époux, à l'ombre duquel elles s'épanouissaient.

En somme, songea Jessie, elle était en avance sur son temps. Indépendante en diable. Une femme qui avait affronté de son mieux chacune des épreuves que l'existence lui avait réservées, sans plus se soucier du qu'en-dira-t-on. Cependant, le scandale provoqué par Irène avait bien failli l'anéantir. Elle n'avait eu d'autre choix que de regagner l'Angleterre.

Lorsque l'ancienne gouvernante prit la parole, il lui sembla que son amie lui soufflait ses paroles à l'oreille.

*

Eva faisait les cent pas, tâchant de remettre un semblant d'ordre dans ses pensées, tandis que le silence de la vaste demeure de Melbourne se refermait sur elle. Comme cette maison lui semblait vide, sans la présence d'Irène et de Jessie. Quant à la disparition de Frederick, elle la tenait éveillée durant des nuits entières.

Non qu'elle ne se souciât pas de sa fille – au contraire –, mais du moins la savait-elle en sécurité, et entre de bonnes mains. Frederick, lui, errait quelque part dans ces terribles contrées, où l'on pouvait mettre plusieurs mois avant de retrouver un blessé. Les images qui se matérialisaient l'une après l'autre dans l'esprit d'Eva devenaient insoutenables.

Elle s'immobilisa devant l'une des hautes fenêtres dominant le jardin. L'immense pelouse se déployait à l'arrière de la demeure, bordée d'arbres délicats, et d'un mélange de fleurs aux coloris exubérants. Il pleuvait, comme d'habitude, et la température, exceptionnellement fraîche pour l'été, lui rappela l'Angleterre. L'odeur des roses ne fit qu'aviver son souvenir – soudain, le désir de revoir sa terre natale la submergea ; elle souhaitait ardemment revoir ses parents et ses sœurs, elle souhaitait jouir de cette protection qu'en des temps troublés seule une famille se révèle à même d'offrir.

Elle laissa retomber le rideau de mousseline.

— Ridicule, murmura-t-elle. Père me jetterait à la figure qu'il me l'avait bien dit, et mère abonderait dans son sens.

Ses parents en effet s'étaient opposés à son départ pour l'Australie, ils s'étaient opposés à son union avec Frederick, en dépit des relations du jeune homme. Leur avouer qu'elle n'était pas heureuse aurait été reconnaître sa défaite. Hors de question.

Elle s'assit dans son fauteuil favori, à côté de la fenêtre, et s'empara d'un livre. Peu après, elle reposa l'ouvrage. Elle brassait tant de soucis qu'elle ne parvenait à se concentrer sur rien.

Elle posa les mains sur son ventre un peu rond, contenant l'enfant à naître. Frederick était déjà reparti en expédition lorsque Eva avait découvert qu'elle allait devenir mère pour la seconde fois – elle se sentait presque soulagée de n'avoir pas eu l'occasion de lui annoncer la nouvelle, car des déceptions, ils en avaient déjà connu plus d'une. Néanmoins, la perspective de cette naissance aurait pu le pousser à avancer son retour ; peut-être, pour la même raison, aurait-il pris moins de risques.

Elle soupira, tandis que ses pensées se tournaient vers Irène, qui n'allait plus tarder à accoucher. Elle aurait aimé se trouver auprès d'elle dans le Queensland. Mère et fille auraient dû se voir réunies en de tels moments – des moments à même de resserrer leurs liens, des moments à même de les rapprocher.

Il n'existait aucune complicité entre Irène et Eva. Dans le fond, se dit-elle, elle la connaissait mal – sinon, sa fille se serait-elle jetée au cou de cet homme ? Et prévoirait-elle à présent de se débarrasser de son bébé sans plus de remords que s'il s'agissait de jeter à la poubelle une vieille robe ? Elle se figea : son enfant venait de bouger à l'intérieur de son ventre. Était-ce un péché que d'aimer trop ? Fallait-il tenir pour une erreur de jugement le fait de placer une fillette sur un piédestal ? Le destin d'une mère consistait-il à porter ses enfants, puis à les regarder lui briser le cœur sans broncher ?

Ses yeux s'embuèrent. Irène avait été jadis un pur joyau, mais depuis deux ans, elle avait dévoilé une autre facette de sa personnalité : celle d'une jeune femme trop gâtée que le mensonge n'effrayait pas. Néanmoins, le sort venait de lui infliger un fameux revers. Proposer son enfant à l'adoption dans l'espoir de ne pas hypothéquer son avenir... Eva songea qu'elle-même aurait sans doute été incapable d'un pareil sacrifice. Les bébés qu'elle avait attendus, elle les avait désirés si fort... Et elle avait longuement pleuré chacun de ceux qu'elle avait perdus... Comment aurait-elle pu comprendre ce que vivait Irène ?

Les quelques coups légers frappés à la porte la tirèrent de sa rêverie. Eva lissa sa jupe, puis rajusta sa coiffure.

— Entrez.

Eliza, la nouvelle gouvernante, demeurait un peu gauche, mais elle progressait – la maîtresse de maison s'en avisa lorsque la jeune fille esquissa une révérence.

— Le gouverneur est ici, madame Hamilton. Je ne savais pas si vous receviez cet après-midi.

Eva eut un mauvais pressentiment, qui la glaça.

— Faites-le entrer, Eliza.

Colosse de près d'un mètre quatre-vingt-dix à la voix tonitruante, Maurice Wilson parut emplir le salon dès qu'il y eut pénétré.

— Chère madame, tonna-t-il en faisant le baisemain.

— Gouverneur Wilson, répondit-elle en inclinant la tête. Puis-je vous offrir quelque chose à boire ?

Il secoua sa tête léonine, la mine sombre.

— Non, merci, chère madame. Il ne s'agit pas d'une visite de courtoisie.

D'un mouvement du menton, la maîtresse de maison congédia la gouvernante, qui referma la porte derrière elle. Elle se sentait faible, mais il n'était pas question qu'elle s'effondrât devant ce sinistre individu. Car aussi séduisant fût-il, Maurice Wilson, gouverneur de Melbourne, était issu des bas-fonds.

Elle se rassit avec toute la dignité dont elle se révélait capable en de telles circonstances.

— Vous avez des nouvelles de mon époux.

Il s'agissait d'une affirmation, énoncée avec fermeté en dépit de la terreur qui commençait à l'envahir.

Maurice Wilson opina en prenant place sur le sofa, à côté d'elle.

— Un messager appartenant à la dernière équipe de recherches est revenu voilà deux nuits, indiqua-t-il avec gravité.

— Deux nuits? Pourquoi ne m'en a-t-on pas informée immédiatement?

— J'ai jugé plus opportun d'attendre d'obtenir des renseignements définitifs pour vous les transmettre, énonça-t-il lentement.

— Il est mort, n'est-ce pas?

Eva s'était exprimée d'un ton neutre ; ses traits immobiles dissimulaient son effroi.

— On a découvert son corps dans le lit asséché d'une rivière. À en juger par ses blessures, le pisteur a supposé qu'après une chute de cheval il avait tenté de se diriger vers un cours d'eau. Hélas, vous n'ignorez pas qu'une terrible sécheresse a sévi dans le Territoire du Nord. Il n'avait pas la moindre chance. Je suis navré.

Pauvre Frederick, songea son épouse, qui le voyait rampant au cœur de cet âpre désert rouge en quête d'un point d'eau. Pauvre Frederick... Si cher Frederick... Pourquoi, comme les autres hommes, n'as-tu pas fait le choix d'une existence sédentaire?... Elle baissa le menton, aveuglée par les larmes. Mais c'était aussi pour sa soif d'aventure qu'elle l'avait aimé. Elle avait admiré son courage, ainsi que l'indéfectible enthousiasme qu'il manifestait pour ces terres impitoyables. Frederick était mort comme il avait vécu – au beau milieu d'une région qu'il adorait.

— Qu'en est-il des autres membres de l'expédition?

Maurice Wilson tapota les mains d'Eva, qu'elle avait croisées sur ses genoux.

— On ne compte qu'un survivant, chère madame, trop mal en point à l'heure qu'il est pour tenir des propos cohérents. L'équipe de recherches l'a découvert à plusieurs kilomètres de votre époux. Nous en avons déduit que les membres de la mission s'étaient séparés.

Il s'interrompit quelques instants, de ses doigts frôlant le dos de la main de son hôtesse.

— Souhaitez-vous que je demande à quelqu'un de venir vous tenir compagnie? J'ai cru comprendre que votre fille était en visite chez des amis dans le nord du pays.

Eva secoua la tête en retirant sa main. Elle ne désirait pas que cet homme la touchât. Elle avait besoin d'être seule. Elle avait besoin qu'il s'en aille.

— Nos hommes sont en train de ramener sa dépouille à Melbourne, et je me suis permis d'organiser les obsèques. J'espère que vous n'y voyez pas d'inconvénient?

Elle le regarda, abrutie de chagrin.

— Quand l'enterrement aura-t-il lieu?

— Dans trois jours.

Eva, qui s'était levée, se réinstalla sur le sofa, incapable de penser.

— Ne désirez-vous vraiment pas que je prenne contact avec quelqu'un pour vous? insista le gouverneur, la voix singulièrement tendue – par bonheur, il ne tenta pas de l'effleurer à nouveau. Je pourrais expédier un télégramme à votre fille?

— Je joindrai ma fille moi-même. Il est néanmoins quelque chose que vous pourriez faire pour moi... J'aimerais voir le rescapé.

— Je ne sais..., balbutia Maurice Wilson.

Elle leva une main pour le réduire au silence.

— J'aimerais le rencontrer aujourd'hui. Il est le seul en mesure d'évoquer pour moi les derniers jours de mon malheureux époux. Acceptez-vous de vous en charger?

— J'agirai selon vos instructions, soupira l'homme. Mais ne placez pas d'espoirs excessifs dans cette entrevue. Il se porte très mal.

— Merci d'être venu, gouverneur. Il ne s'agissait pas d'une tâche facile.

Il referma sa grande main sur les doigts menus de son hôtesse.

— Je vous ferai connaître en temps utile le détail des dispositions pour les obsèques. Et si je peux faire autre chose pour vous, n'hésitez pas à me le demander. Frederick était un homme exemplaire, que mes collaborateurs et moi admirions beaucoup.

Eva patienta jusqu'à ce qu'il eût refermé la porte derrière lui, après quoi elle se laissa tomber sur le sofa pour donner libre cours à son chagrin.

Jessie regagna le présent, repoussa le chat qui dormait sur ses genoux.

— Je vais refaire du thé, décréta-t-elle avec fermeté. Ça donne soif de jouer les conteuses.

Refusant l'aide que son beau-fils lui proposait, elle rassembla la théière, les tasses et les soucoupes, qu'elle emporta, sur un plateau, dans la petite cuisine située à l'arrière de la maison. Elle y posa la bouilloire sur le fourneau, avant de nourrir ses chats. Ces quelques minutes muettes lui étaient nécessaires pour remettre de l'ordre dans ses pensées. Ces événements s'étaient déroulés de nombreuses années plus tôt, il ne fallait surtout pas qu'elle commît d'erreurs dans la chronologie.

Elle remplit d'eau chaude la théière, lava la vaisselle, puis l'essuya avant de rejoindre le salon. Elle n'apprécia guère le silence pesant qui l'accueillit, ni les sourires crispés; elle se remémora aussitôt l'arrivée d'Eva à Trinity.

Le thé, chaud et fort, la ragaillardit. Mieux valait que les révélations ne tardent plus, songea-t-elle. Elle était trop âgée pour supporter longtemps encore cette électricité dans l'air. Trop âgée pour baratter ces souvenirs douloureux. Trop âgée pour supporter le fardeau du secret qu'elles avaient été trois à partager jusqu'alors.

— Mère m'a parlé des obsèques, intervint Olivia pour briser la glace. Un moment terrible pour elle. Lorsque la cérémonie s'est enfin terminée, elle en a conçu beaucoup de soulagement.

Jessie opina.

— Le gouverneur lui a rien épargné. Des vraies funérailles nationales, à peu de chose près. Les rues étaient bondées, le cortège interminable... Des canassons tout noirs, avec leurs plumets noirs, et puis un corbillard vitré. Des dignitaires ont prononcé des discours, après quoi on a donné un déjeuner du tonnerre dans le palais du gouverneur. Eva était laminée.

Elle aurait nettement préféré faire ses adieux à Frederick en petit comité, sans tout ce ramdam.

— Ce devait être d'autant plus harassant qu'elle était enceinte, commenta Olivia.

Jessie observa dans l'œil de la jeune femme une lueur qui la mit mal à l'aise. Elle opta pour une réponse lapidaire, sans explications superflues :

— Pour sûr. Mais Eva était une sacrée petite bonne femme. Elle se laissait jamais abattre bien longtemps.

Olivia lui adressa un regard acrimonieux, mais ne souffla mot. L'ancienne gouvernante vida sa tasse de thé. Comme elle se calait mieux dans son fauteuil, elle s'aperçut, en lorgnant entre les rideaux, que la nuit commençait à tomber. Elle était pourtant loin d'avoir achevé son récit.

— Est-ce qu'Eva a fini par savoir ce qui s'était passé pendant l'expédition ? demanda Maggie. Est-ce qu'elle a pu parler au rescapé ?

Jessie se tourna vers elle et acquiesça :

— Oui. Mais au terme de leur conversation, elle s'est retrouvée avec plus de questions sur les bras que de réponses.

— Parce qu'il a pas pu lui expliquer grand-chose ?

— Il en savait beaucoup plus que ce qu'il a bien voulu confier à Eva. Mais vu le genre du bonhomme, c'est pas très étonnant.

— Pourquoi ?

Le regard de la vieille dame se perdit en direction de la fenêtre. Elle se rappelait Eva en train de lui rapporter par le menu la rencontre. Elle se souvenait de chacun des mots qu'elle avait alors employés.

Ayant pénétré dans la salle commune de l'hôpital, Eva s'installa à côté du lit de fer, sur une inconfortable chaise en bois. Elle considéra l'homme allongé dans ce lit, songeant aux circonstances qui avaient amené leurs chemins à se croiser. Tous débordaient alors d'enthousiasme et d'espoir. Aujourd'hui, elle était veuve.

Il battit des paupières, puis se tourna vers elle.

— Je suis désolé, Eva, souffla-t-il. Affreusement désolé.

Eva serra plus fort son sac à main et ses gants.

— Que s'est-il passé? exigea-t-elle de savoir.

Il remua les jambes sous le drap et grimaça.

— Nous nous sommes séparés. Frederick m'a affirmé qu'il savait où trouver de l'eau. Il a refusé de m'écouter, et il est parti de son côté.

— Mais vous occupiez pourtant une fonction de guide, répliqua-t-elle. Et vous étiez son bras droit. Vous auriez dû le suivre.

— Je devais veiller sur trois autres garçons mal en point. Frederick, lui, était à même de se débrouiller seul. Et puis il était maître de ses décisions.

Eva posa sur l'homme un œil impitoyable.

— Comment se fait-il que vous seul ayez survécu?

— Je connaissais l'emplacement d'un vieux point d'eau aborigène. C'était un pari dangereux, assurément, car il pouvait avoir tari entre-temps. Mais il fallait que je tente ma chance.

Il adressa à sa visiteuse un sourire épuisé.

— Et de la chance, le fait est que j'en ai eu.

Cet homme était un séducteur, songea Eva. Un menteur. Et un ambitieux de la plus vilaine eau. Elle ne l'aimait pas, et l'état dans lequel il se trouvait à présent n'y changeait rien. Il lui semblait qu'il avait répété son texte avant de le lui débiter, et de son regard fuyant, elle concluait qu'il ne lui livrait pas tout.

— De la chance? répéta-t-elle avec froideur. C'est le moins qu'on puisse dire. D'un groupe de seize hommes, vous êtes le seul à être revenu vivant du Territoire du Nord.

Ils se dévisagèrent longuement en silence. Il fut le premier à baisser les yeux.

— Mais c'est justement parce que vous avez survécu, enchaîna la visiteuse, et parce que je connais votre véritable nature, que c'en est fini de la chance insolente dont vous avez joui jusqu'à maintenant. Non seulement j'ai perdu mon époux par votre faute, mais j'ai aussi perdu une fille, et sans doute un petit-fils ou une petite-fille.

Il se tourna de nouveau vers elle, sa tignasse rousse embrasée par le soleil qui pénétrait par une fenêtre proche. Il n'était plus trace de faux-semblant dans son regard, qui brillait à présent d'un feu transi.

— Votre mari était un imbécile, et votre fille est une catin. Balayez donc devant votre porte avant de chapitrer les autres.

Eva s'empourpra mais, déjà, refusant de mordre à son cruel hameçon, elle aborda un autre sujet.

— Quels projets nourrissez-vous pour l'avenir?

— Mon épouse est décédée, répondit-il avec humeur. J'ai quatre fillettes à élever et mes blessures risquent de m'empê-cher longtemps de gagner correctement ma vie.

Eva aussitôt ouvrit son sac, dont elle fit surgir un chèque.

— Voici de quoi vous permettre de subvenir un moment à vos besoins, ainsi qu'à ceux de vos filles, déclara-t-elle en lui présentant le titre de paiement. Mais je ne vous le remettrai qu'à condition que vous quittiez cette région de l'Australie et que vous ne cherchiez plus jamais à entrer en contact avec ma fille ou moi-même.

Il écarquilla les yeux en découvrant la somme qu'elle s'apprêtait à lui offrir.

— Ces conditions ne sont pas négociables, poursuivit-elle. Si l'envie vous prenait de me faire chanter, sachez que je ferais diligenter une enquête concernant le rôle exact que vous avez tenu lors de cette tragique expédition.

Elle se pencha vers lui, afin que nul n'entendît ses paroles.

— Je suis persuadée que vous avez abandonné mon époux, chuchota-t-elle. Je suis persuadée que vous n'avez cherché qu'à sauver votre peau. Dieu seul sait ce qui s'est produit là-bas entre Frederick et vous, mais je possède une imagination fertile, et je suis loin d'être sotte. Avisez-vous de croiser à nouveau ma route, et vous trouverez face à vous une adversaire de taille.

Eva jeta le chèque sur le drap avant de se lever.

— Je regrette le jour où nous avons fait connaissance, Bluey MacDonald. Adieu.

— Bluey MacDonald, répéta Jessie. L'amant d'Irène.

Elle baissa les yeux sur son giron.

— Désolée, Maggie. Ça doit pas être coton pour toi.

— Vous savez ce qu'il est devenu? s'enquit la jeune hôtelière, blanche comme un linge.

L'ancienne gouvernante fit non de la tête. D'aucuns prétendaient qu'il s'était réinstallé sur la côte occidentale. D'autres murmuraient qu'il avait profité de l'argent d'Eva pour dénicher une femme fortunée, à laquelle il s'était uni en secondes noces…

— Au moins, cracha Maggie, les choses sont claires. Ma mère est une carne et mon père un salaud.

Elle dévisagea son compagnon.

— As-tu toujours envie de m'épouser? Maintenant que tu sais quel genre d'ordures étaient mes parents?

Sam l'embrassa, puis l'attira contre lui.

— C'est pas avec eux que je vais me marier, répondit-il doucement. C'est avec toi. Et va pas changer d'avis au dernier moment, Maggie, parce que j'ai déjà commandé un nouveau costume.

Elle lui décocha un sourire radieux, avant d'enfouir son visage contre lui.

— Alors c'est réglé, gloussa-t-elle. Manquerait plus que tu aies dépensé tes sous pour des prunes.

Jessie éprouva un immense soulagement. La néfaste influence de Bluey MacDonald avait certes fini par anéantir la famille d'Eva, mais Maggie et Samuel, eux, se préparaient à couler des jours heureux, car ils se vouaient un amour sincère et suffisamment puissant pour leur permettre de surmonter les difficultés.

Olivia se racla la gorge.

— As-tu entendu parler de lui depuis?

Le sang avait reflué des joues de la jeune femme, qui n'ignorait pas que l'ancienne gouvernante n'avait pas encore atteint le bout de son récit. Cette dernière se resservit du thé, dont elle avala une gorgée – amer et tiède, il n'étancha pas sa soif. Elle ignora la question – à laquelle, néanmoins, il lui faudrait répondre plus tard –, pour retourner aux affreux événements qu'Eva avait alors affrontés.

— Eva a dû déménager peu après l'enterrement. La maison appartenait au gouvernement, et le nouvel arpenteur de Sa Majesté devait arriver avec sa famille quelques semaines plus tard. Elle a donc emballé toutes ses affaires, dont elle a fait déposer la plus grosse partie dans un garde-meuble. Ensuite, malgré les mises en garde de son médecin, elle a entrepris le long voyage qui devait l'amener jusqu'à Trinity.

Eva arriva dans la petite ville le 10 mars 1915. Jessie, qui avait briqué la maisonnette du sol au plafond, attendait avec impatience, plantée à la fenêtre, que la voiture parût.

— N'oublie pas, lui rappela Irène, qui venait de la rejoindre. Tu me laisseras parler.

La gouvernante la lorgna durement.

— Elle a le droit de connaître la vérité, s'obstina-t-elle.

La jeune fille secoua la tête – ses boucles d'or sautillèrent de part et d'autre de son visage.

— Mais c'est moi qui la lui apprendrai. Quand je l'aurai décidé. Ose seulement ouvrir la bouche, et je te gâcherai l'existence jusqu'à la fin de tes jours. C'est bien compris?

Jamais Jessie n'avait menti à Eva, et elle n'approuvait pas les projets d'Irène.

— Tu me demandes de la fermer, alors que tu as commis une chose impardonnable. D'ailleurs, Eva est pas une imbécile, figure-toi. Elle aura tôt fait de flairer que je lui cache un truc.

La jeune femme referma l'étau de ses doigts sur le poignet de la gouvernante.

— Tu n'as qu'à jouer correctement ton rôle, et elle ne s'apercevra de rien. Je te conseille de m'obéir.

Elle tordit le bras de Jessie.

— Sinon, je lui raconterai que tu as introduit Joshua Reynolds dans cette maison, puis que tu as dormi avec lui dans la chambre attenante à la mienne. Je lui dirai qu'il m'a fait des avances. Je peux t'assurer que plus jamais on ne l'autorisera à poser le pied dans l'école où il travaille.

Les larmes montèrent aux yeux de la gouvernante. Irène lui meurtrissait le bras.

— C'est pas vrai, hoqueta-t-elle. Joshua est jamais entré ici. Et pour ce qui est de te faire du gringue…

Les mots lui manquèrent.

— Toi et moi savons parfaitement, s'acharna la jeune femme, qu'il est bien trop bête pour oser une chose pareille, mais mère, elle, ne le connaît pas. Il ne me sera pas bien difficile de la convaincre, et la direction de l'école par la même occasion, qu'il s'est mal conduit avec moi.

Le cliquetis d'un attelage se fit entendre sur le sentier. Jessie rendit à Irène son regard malveillant, puis détourna les yeux. Cette gamine pouvait en effet se révéler très persuasive et elle-même, après tout, n'était qu'une domestique. Ce serait sa parole contre celle d'Irène. Jamais elle n'obtiendrait gain de cause.

— Elle arrive, souffla-t-elle, la gorge nouée. Tu pourrais au moins mettre le nez dehors pour l'accueillir.

La jeune fille sourit en se recoiffant un peu.

— Allons-y ensemble, suggéra-t-elle. Je suis certaine qu'elle préférerait nous voir toutes les deux, après une si longue séparation…

Jessie demeura dans l'ombre de la véranda, tandis qu'Irène se précipitait dans l'allée à la rencontre d'Eva. Celle-ci descendit du véhicule avec peine pour serrer son enfant contre son cœur. Elle avait mauvaise mine. La mort de Frederick avait constitué pour elle un terrible choc, et elle avait peut-être présumé de ses forces en entreprenant cet interminable voyage aussitôt après le drame.

Eva se rapprocha de la maisonnette en souriant ; d'un bras elle enlaçait la taille de sa fille.

— Jessie, murmura-t-elle en lui tendant la main. Quel plaisir de vous revoir enfin. Vous m'avez manqué.

Quand les deux femmes s'étreignirent, la gouvernante se navra de sentir Eva si maigre entre ses bras. Il n'en restait plus rien. Jessie s'écarta, s'obligea à sourire : son amie déchanterait bientôt, aussi devait-elle se montrer forte pour deux.

— Je suis contente de vous revoir aussi, répondit-elle avec une gaieté de commande. Entrez donc, le soleil tape fort. Je vais vous préparer une tasse de thé.

376

Eva se mit à rire.

— Jessie et ses tasses de thé! lança-t-elle à Irène. La panacée universelle contre toutes les maladies et contre tous les désastres.

Elle pénétra d'un pas plus alerte dans la maison, dont elle admira les cuivres rutilants, les rideaux fraîchement lavés et le linoléum impeccable.

— Toutes mes félicitations, complimenta-t-elle la gouvernante en ôtant ses épingles à chapeau avant de s'éponger le front avec un mouchoir.

— J'ai fait de mon mieux, répondit Jessie en organisant avec le cocher le déchargement des bagages. Mais il y a ici autant de poussière qu'à Melbourne, et je vous parle pas du sable, qui se fourre partout.

Eva lui sourit, mais elle avait les traits tirés, et des cernes sombres sous les yeux; sa tristesse se donnait à voir dans les coins affaissés de sa bouche.

— Vous avez toujours été une véritable fée du logis.

Elle la saisit par la main.

— Mais au fait, j'ai cru comprendre qu'il y avait du mariage dans l'air? Quand comptez-vous me présenter à M. Reynolds?

Jessie piqua un fard.

— Il y a école aujourd'hui. Joshua se trouve donc à Cairns avec Stella. Je leur ai proposé de venir déjeuner avec nous dimanche. Est-ce que ça vous convient?

— Absolument. Vous êtes ici chez vous, et je serai ravie de faire la connaissance de Joshua et de son enfant. Depuis le temps que vous me parlez d'eux dans vos lettres…

La gouvernante installa la mère et la fille au salon. Le cocher ayant déposé l'ensemble des bagages dans la troisième chambrette, elle le paya avant de filer à la cuisine. Elle prépara le thé, les mains tremblantes – elle se sentait tendue comme un arc. Irène et Eva conversaient. Elles échangèrent des nouvelles, pleurèrent ensemble la mort de Frederick. La maison était petite, en sorte que si ni l'une ni l'autre n'élevait la voix, Jessie comprenait pourtant sans peine tout ce qu'elles racontaient.

— Comment te sens-tu, ma chérie? Jessie m'a informée par télégramme que tout s'était passé au mieux.

— Je me sens bien, mère, je te remercie. Mais j'ai hâte de retrouver ma taille de guêpe. Je n'arrive toujours pas à enfiler les jolies tenues que j'ai apportées ici.

— Et le bébé? La petite fille? As-tu éprouvé beaucoup de chagrin lorsque tu t'en es séparée?

Il y eut un long silence; Jessie retenait son souffle sur le seuil de la cuisine.

— J'ai changé d'avis, répondit enfin Irène. Du moins pour l'instant.

La gouvernante exhala un lourd soupir. Elle continuait de se cramponner à la poignée de la porte comme si sa vie même en dépendait.

— Voilà une merveilleuse nouvelle, ma chérie. Je me doutais que tu ne parviendrais pas à renoncer à cette enfant. Les bébés se révèlent de très précieux cadeaux, et une fois qu'ils sont entrés dans nos vies, il nous devient impossible de ne pas les aimer.

— Oh, mais je ne l'aime pas.

— Tu ne l'aimes pas? répéta Eva d'un ton incrédule. Alors, pourquoi l'as-tu gardée?

— Parce que.

— Mais encore?

L'âpreté qu'on discernait à présent dans la voix de la mère faisait écho à celle de la fille.

— Elle est plutôt mignonne et elle ne pleure pas trop. Lorsque je l'aurai montrée à Bluey, il changera forcément d'avis, et il m'épousera.

Jessie ferma les paupières; elle ne respirait plus qu'à peine.

— Que vient-il faire dans cette histoire?

— Il est le père de l'enfant.

— Une enfant que tu ne comptes tout de même pas utiliser pour contraindre un homme à se marier avec toi? N'as-tu donc aucune fierté? Aucune décence?

— La fierté ne sert pas à grand-chose lorsqu'on est fille mère. Quant à la décence... Cette enfant est la sienne autant que la mienne, et maintenant qu'il a perdu sa femme, il ne peut nous renier ni l'une ni l'autre. Il nous rendra visite la semaine prochaine, et je peux t'assurer que nous regagnerons Melbourne ensemble, en qualité d'épouse et de mari.

La jeune fille exultait.

— Et si ton projet échoue? l'interrogea sa mère.

— Je la proposerai à l'adoption.

— Tu n'es décidément qu'une sale petite peste. Une sale petite peste égoïste et trop gâtée. Comment oses-tu te servir ainsi d'une enfant?

— Autant qu'elle me serve à quelque chose. De toute façon, elle est trop jeune pour se rendre compte de quoi que ce soit. Qu'elle reste auprès de moi ou bien que je la place, ce sera pour elle du pareil au même.

Jessie, qui avait pris appui contre le chambranle de la porte, sentait les larmes l'aveugler, bien qu'elle les empêchât de rouler sur ses joues. La pauvre fillette, qui ne possédait même pas de prénom, aurait été plus en sécurité n'importe où ailleurs plutôt qu'entre les mains de cette harpie. Mais du moins Eva la défendrait-elle bec et ongles. Enfin, une voix s'élevait pour s'exprimer au nom de cette créature innocente.

La mère d'Irène se tut un long moment.

— À l'évidence, tu as pris ta décision, laissa-t-elle enfin tomber. Cette petite fille t'appartient, malheureusement. Il n'est pas grand-chose que je puisse faire. Permets-moi de te dire néanmoins ceci : jamais je ne te pardonnerai l'acte que tu t'apprêtes à commettre. Quelle que soit l'issue de ce drame, ton enfant en sera la victime.

Sur quoi Eva se remit debout dans un froissement de jupons pour se diriger vers l'entrée.

— Jessie? appela-t-elle. Je sais que vous êtes en train d'écouter notre conversation. Quel commentaire souhaitez-vous émettre sur le sujet?

La gouvernante s'essuya les yeux, prit une profonde inspiration. Eva était loin d'avoir appris toute la vérité, mais Irène dardait son regard sur l'employée, pour l'obliger à garder le silence.

— Ça me plaît pas, madame Hamilton. Ça me plaît pas du tout.

— À moi non plus. Mais j'ai bien l'impression qu'il ne nous reste d'autre choix que de participer à cette sombre comédie.

Elle saisit son amie par le bras.

— Allons, montrez-la-moi, cette enfant. A-t-elle seulement un prénom?

Maggie posa sur Jessie un regard épouvanté.

— Pourquoi vous avez rien fait pour l'arrêter? Vous avez laissé cette carne m'utiliser comme un pion dans son horrible partie d'échecs! J'étais qu'un bébé, pour l'amour du ciel! Un tout petit bébé...

— Maggie, fit doucement l'ancienne gouvernante en tendant la main vers la jeune femme, dont elle devinait la fureur.

— Me touchez pas! Vous me dégoûtez.

— Arrête, Maggie, intervint Sam, bouleversé. Je t'interdis de parler à maman sur ce ton. Elle a fait ce qu'on lui a ordonné de faire, c'est tout.

La gérante de l'hôtel bondit sur ses pieds; elle était hors d'elle.

— Les SS aussi, ils ont obéi aux ordres! Résultat: plusieurs millions de morts!

La gifle résonna dans le silence du salon. Maggie demeura bouche ouverte, portant la main à sa joue, sur laquelle les doigts d'Olivia venaient de laisser une marque rouge.

— Calme-toi, commanda celle-ci. Tu frôles la crise d'hystérie, et ce n'est utile à personne.

Elle serra contre elle son amie, que la rancœur continuait de raidir.

— C'est facile de jouer les grandes dames, contre-attaqua la compagne de Sam. C'est pas de toi qu'on s'est servi. Qu'est-ce que tu peux deviner de ce que j'éprouve, toi, avec ton enfance de rêve et ta mère en or?

Olivia battit en retraite, blessée.

— Ne compte pas sur moi pour m'excuser d'avoir connu une enfance privilégiée. J'ai eu de la chance et, en effet, il m'est impossible de me mettre à ta place.

Ses traits s'adoucirent.

— Mais ne t'en prends pas à Jessie, s'il te plaît. Elle aussi n'était qu'une marionnette au cœur de cette abominable mascarade. Au même titre que toi.

— Maggie…, intervint l'ancienne gouvernante, au bord des larmes. Écoute-moi. Tu comprends pas.

La jeune femme baissa le regard sur la vieillarde, pour laquelle elle ne ressentait plus que mépris.

— Je comprends trop bien, au contraire. Et je préfère ficher le camp plutôt que de continuer à vous écouter débiter vos sornettes.

— Tu vas pourtant rester, exigea cette fois Jessie d'une voix forte – et elle se leva pour faire barrage à Maggie. Assieds-toi.

La jeune femme hésita, cueillie par le brusque éclat de son hôtesse. Elle se tourna vers Olivia, dont le visage de craie se déformait sous l'effet d'une terrible détresse. Puis elle observa Sam, triste et troublé par la scène à laquelle il était en train d'assister.

— Pourquoi je devrais me rasseoir? lança-t-elle d'un ton bravache.

— Parce que je t'en ai donné l'ordre, rétorqua Jessie, les bras croisés sur sa poitrine et les épaules droites. Je tiens enfin ma chance de réparer les misères de jadis, alors je te prie de croire que, cette fois, plus personne me fera taire.

Maggie regagna sa chaise. Son compagnon, qui lui avait aussitôt pardonné sa colère, la serra contre lui; un bien-être rare envahit la jeune femme. Dans le fond, songea-t-elle, ces vieilles histoires importaient peu. C'était le présent qui comptait, et puis l'avenir plein de promesses que Sam lui offrait. Il n'empêche : jamais elle n'oublierait les révélations de Jessie, qu'elle devrait enfouir au plus profond de son cœur pour éviter qu'elles la détruisent.

— Vous en avez pourtant assez dit, maugréa-t-elle. Irène a fait chou blanc avec ses manigances. Sinon, je me serais pas retrouvée chez les bonnes sœurs.

La vieille dame secoua la tête.

— Je suis désolée, Maggie, mais je crois que je me suis mal exprimée. Du coup, j'ai fait qu'empirer les choses.

— Comment ça pourrait être pire?

Jessie se réinstalla dans son fauteuil, la nuque ployée. Elle se sentait soudain privée de l'énergie qui l'avait portée jusqu'alors; elle avait l'impression de vieillir à vue d'œil, de se ratatiner au fond de son siège.

— Ça s'est pas passé du tout comme ça, fit-elle doucement.

Eva n'en pouvait plus. Les pleurs du bébé lui brisaient le cœur. Elle avait beau se porter très mal, elle quitta son lit pour se pencher sur le berceau, puis prendre la fillette dans ses bras.

— Elle est trempée, murmura-t-elle. Et elle a faim. Tu ne devrais pas la laisser hurler aussi longtemps.

Irène haussa les épaules en examinant son reflet dans le miroir.

— Tu n'as qu'à la nourrir, répondit-elle – elle passa les mains sur ses hanches, ravie d'avoir enfin retrouvé sa silhouette d'antan.

— On ne peut pas dire qu'elle respire la santé. C'est de ton lait qu'elle a besoin. Rien ne saurait remplacer le lait maternel.

La jeune femme fit la moue.

— C'est déjà bien assez pénible de se retrouver ficelée comme une dinde qu'on s'apprête à enfourner. Je n'ai pas l'intention d'empester le lait par-dessus le marché.

Elle se pinça les joues pour les faire rosir, avant de rajuster une boucle rebelle.

— Demande à Jessie de la changer, et puis il y a du lait à revendre dans la cuisine. Dépêche-toi. Il ne va plus tarder.

Eva considéra sa fille en se demandant comment, au fil des années, elle avait pu se changer en ce monstre d'indifférence. Elle emmena l'enfant à la cuisine, où elle changea sa couche pendant que la gouvernante faisait chauffer du lait. C'était une fillette adorable, avec de grands yeux marron et de superbes boucles brunes. Qui, sinon Irène, n'aurait pas fondu instantanément à sa vue?...

Jessie lui remit le biberon en silence; les deux femmes échangèrent un regard éperdu. Si seulement la jeune fille consentait à porter enfin un peu d'attention à ce bébé, se dit Eva tandis qu'elle le nourrissait, les écailles lui tomberaient des yeux et elle renoncerait sur l'heure à son ignoble projet.

— Je t'ai dit de la confier à Jessie, décréta Irène en pénétrant dans la pièce. J'ai besoin de toi pour finir de me préparer.

— Elle a presque terminé son biberon, répondit Eva comme la fillette battait des cils; elle s'endormait.

— J'ai besoin de toi, mère. Et sur-le-champ.

Eva nota les pommettes rougies de sa fille, ainsi que la lueur de hardiesse qui enflammait son regard. Elle avait si longtemps régné sur son entourage qu'elle ne supportait pas de se voir tout à coup reléguée à la deuxième place. Même au profit de son propre enfant, elle refusait d'abdiquer.

Eva remit le bébé endormi entre les bras de la gouvernante.

— Tu es habillée de pied en cap, fit-elle remarquer à Irène. Qu'y a-t-il donc de si urgent?

— Mes cheveux, la cingla celle-ci. Il faut que tu m'aides.

Elle se tourna vers Jessie.

— Quand elle aura fini de dégobiller partout, habille-la avec l'une des tenues que mère a apportées de Melbourne.

Eva jugeait la coiffure de sa fille impeccable, mais elle consentit à la suivre dans sa chambre. Elle redoutait la décision de Bluey MacDonald. Pour le bien-être du bébé, elle la craignait. Elle se tut néanmoins: il fallait qu'Irène découvrît par elle-même de quel genre d'homme elle s'était entichée.

On déjeuna dans le silence le plus complet. La tension s'intensifia à mesure que s'écoulaient les heures, le visiteur ne paraissant toujours pas. Jessie débarrassa la table, puis servit le café au salon où Irène, à présent, faisait les cent pas.

Eva, qui brûlait d'ôter cette robe trop raide pour sa condition, puis de regagner son lit, s'assit cependant avec un livre sur les genoux; sa fille se décomposait à vue d'œil. Eva finit par reposer son ouvrage, incapable de se concentrer – l'oreille dressée, elle guettait les pleurs du bébé. Elle pria pour que quelque chose – n'importe quoi – vînt rompre ce silence intolérable; une chape de désespoir s'était refermée sur la maisonnée tout entière. Elle jeta un coup d'œil en direction de la pendule posée sur la cheminée. L'heure tournait.

— Il aura été retardé, décréta Irène. Il va venir. Il me l'a promis.

— Irène, commença sa mère. Ne crois-tu pas que...?

— Quoi donc?

Sur les traits de la jeune fille, qui venait de se détourner de la fenêtre, Eva lut la certitude affreuse qu'elle avait acquise: il ne se montrerait pas. L'envie la prit aussitôt de l'étreindre pour la consoler.

— Ma chérie... Je suis navrée...

On frappa à la porte. Irène bondit.

— Le voilà! lança-t-elle avec un ton de triomphe. Je t'avais bien dit qu'il viendrait.

Comme elle quittait le salon en hâte, elle manqua de renverser Jessie, qui s'approchait avec l'enfant.

— Donne-la-moi, exigea-t-elle.

Les mains d'Eva tremblaient. Irène s'empara du bébé, rajusta le châle de laine sur son bras pour qu'il fît meilleur effet. Un tableau charmant, songea la mère de la jeune fille. Mais, ajouta-t-elle pour elle-même, il en faudrait bien davantage à Bluey pour se laisser attendrir.

Irène ouvrit la porte avec un geste théâtral.

— Madame Hamilton? J'ai un télégramme pour vous. Veuillez signer ici, s'il vous plaît.

La jeune mère recula d'un pas.

— Non..., souffla-t-elle.

Eva s'empara du télégramme à sa place, signa, puis claqua la porte au nez du livreur, demeuré bouche bée. Elle prit le bébé des mains de sa fille pour le remettre à Jessie; elle conduisit Irène au salon. Elle la fit asseoir, avant de considérer le feuillet de papier brun. Il émanait d'un avocat de Melbourne.

— Que dit-il? s'enquit Irène, le teint blafard et la voix dévorée par l'angoisse.

— Son client nie toute implication. Le tribunal, qui a statué aujourd'hui, interdit à Irène Hamilton de prendre de nouveau contact avec son client ou l'un quelconque des membres de sa famille. Si Irène Hamilton s'obstine à prétendre que son client est le père de son enfant, d'autres poursuites seront engagées contre elle. Ce télégramme constitue le dernier avertissement.

Eva chiffonna le feuillet. Bluey avait donc décidé de conserver l'argent et de s'épargner le courroux d'Irène.

— Il ne vaut pas la peine que tu t'accroches à lui. Le bébé et toi serez infiniment mieux sans ce triste sire.

Elle jeta le télégramme dans l'âtre vide.

— J'espère bien que ce menteur invétéré rôtira un jour en enfer, siffla-t-elle.

Irène contempla le feuillet chiffonné ; son expression était indéchiffrable.

Sa mère traversa la pièce pour se jucher sur l'accoudoir du fauteuil où elle avait installé son enfant.

— Ne te tourmente pas, ma chérie. Tu n'es pas seule. Je suis là, ainsi que Jessie et le bébé. Nous sommes faites d'un bois autrement plus robuste que ce couard. Nous n'avons pas besoin de lui.

Irène repoussa la main que sa mère avait posée sur la sienne et se leva.

— Tu n'as toujours rien compris, n'est-ce pas ?

Elle se dirigea vers le trumeau pour y observer un instant son reflet avant de se retourner vers Eva.

— J'avais besoin de lui pour éviter la disgrâce. Besoin de lui pour fuir cette existence pitoyable que je mène auprès de toi, de Jessie et de cette horrible gamine. As-tu la moindre idée de ce que j'ai enduré depuis notre installation dans cette bicoque loin de tout ? Privée de mes amis, privée des fêtes auxquelles j'avais coutume d'assister ?… Ici, il ne m'a été donné de faire qu'une seule chose : enfler.

Eva la considéra avec consternation.

— Mais…, commença-t-elle.

— Mais rien. Je suis lasse de t'obéir. Lasse de croupir dans cette maison qui est aussi ma geôle, en compagnie de cette sale petite morveuse qui passe le plus clair de son temps à hurler. À partir de maintenant, je vivrai selon mon bon plaisir.

— Et l'enfant ? Tu ne comptes tout de même pas te résoudre à la faire adopter ?

— Pourquoi pas ?

Irène ne cillait pas.

— Elle ne m'est plus d'aucune utilité, et elle ne pourrait qu'entraver mes projets d'avenir.

— Quels sont-ils? s'enquit Eva après avoir humecté ses lèvres sèches.

— Vivre. M'amuser. Puis, le jour où je me sentirai prête, je dénicherai un homme riche, et je l'épouserai.

Eva se tourna vers Jessie, tendit les bras. La gouvernante lui remit avec précaution la fillette endormie, sur laquelle sa grand-mère baissa les yeux, le cœur si gros que les mots lui manquaient. Cette innocente créature n'avait pas demandé à venir au monde. Elle n'avait rien demandé, mais elle méritait qu'on la traitât selon sa naissance. Eva ne permettrait pas à Irène de s'en débarrasser.

— Je vais garder cette enfant, décréta-t-elle, la voix brisée par l'émotion. Et puisque tu n'as pas même daigné lui donner un prénom, je l'appellerai Olivia.

— C'est impossible, souffla celle-ci. Je ne peux pas être la fille d'Irène. C'est Maggie. Elle possède un certificat de naissance pour le prouver. Et l'enfant qu'Eva attendait à cette époque? Que lui est-il arrivé?

— Eva a fait une fausse couche peu après son installation à Trinity.

Jessie se tourna vers Olivia.

— Les documents que tu as découverts t'ont appris qu'Eva t'avait adoptée. Ce sont ces documents qui t'ont poussée à venir jusqu'ici. Tu avais besoin de réponses. Tu avais besoin que quelqu'un te dévoile la vérité.

— En effet, soupira la jeune femme. Mais ces certificats indiquent que j'avais six ans lorsque Eva m'a adoptée. Cela n'a pas le moindre sens. Pourquoi avoir attendu aussi longtemps?

— Et moi? intervint Maggie. Ça veut dire que mon certificat de naissance à moi est un faux?

Elle secoua la tête avec violence.

— Pas question que je gobe vos salades, Jessie. Irène elle-même a reconnu que j'étais sa fille.

L'heure avait sonné pour la vieille dame de tordre le cou aux derniers doutes, aux ultimes soupçons. Elle se leva, tendit les mains vers les deux jeunes femmes, qu'elle mena jusqu'au miroir accroché au-dessus de l'âtre.

— Qu'est-ce que vous voyez? leur demanda-t-elle avec douceur.

Olivia et Maggie scrutèrent intensément leur reflet; il régnait au salon un silence absolu. Bientôt, elles comprirent ce que l'ancienne gouvernante savait depuis toujours: Irène avait donné naissance à des jumelles.

24

Maggie ne lâchait plus des yeux leur double reflet. Il lui semblait que son cœur allait bondir sous peu hors de sa poitrine et, à l'intérieur de son crâne, un océan complet paraissait se déchaîner, écumant, se brassant, écrasant l'une après l'autre ses vagues contre les tympans de la jeune femme jusqu'à étouffer tout autre son. Une immense allégresse d'abord s'empara d'elle, aussitôt balayée par un sentiment d'horreur pure face aux agissements d'Irène.

— Non, émit-elle entre ses dents, cependant qu'elle secouait la tête avec vigueur pour tenter de chasser les deux reflets dans la glace. Non… C'est pas possible. Même une femme comme elle a pas pu faire une chose pareille…

Olivia, qui l'avait saisie par la taille, ne la lâchait plus ; les deux jeunes femmes tremblaient des pieds à la tête.

— Regarde, Maggie, murmura Olivia d'un ton que l'émerveillement rendait plus doux que le velours. Ne vois-tu donc pas?…

Maggie tâcha d'essuyer les larmes qui lui inondaient les joues.

— Je veux rien voir du tout, lâcha-t-elle d'une voix rauque. C'est pas vrai.

— Mais si, insista Olivia. Regarde, je t'en conjure.

Terrorisée, Maggie releva les yeux en direction du miroir. À travers le brouillard de ses pleurs, elle nota l'une après l'autre les ressemblances discrètes qui, jusqu'alors, leur avaient échappé.

Il s'agissait de similitudes ténues, à peine perceptibles, pareilles à un mince écho. Maggie finit cependant par conclure, à chaque instant plus meurtrie, qu'elle n'était guère qu'une pâle copie de la splendeur brune qui se tenait debout à ses côtés. Dans ses cheveux à elle, plus clairs, s'embrasaient ici et là des flammes d'acajou, tandis que les petits points d'or qui luisaient dans ses iris conféraient à ces derniers une nuance noisette. En revanche, de l'une à l'autre la forme des yeux et des sourcils se révélait la même ; celle du visage aussi. Et puis leur port de tête. Que dire encore de ces épaules pareillement étroites, de ces bustes minces qui se répondaient en dépit des tenues différentes ?…

Elle s'écarta avec brusquerie d'Olivia, dont le contact soudain lui répugnait.

— Tu étais au courant ? l'interrogea-t-elle.

Elle sentait sous son calme apparent bouillonner une violence qui menaçait à chaque instant de jaillir, telle une giclée de vitriol. Mais si elle voulait obtenir toutes les réponses à ses questions, elle allait devoir se maîtriser encore.

— Pas vraiment, répondit Olivia, qui jeta un bref coup d'œil en direction de Jessie avant de revenir à sa sœur.

— Allons, s'agaça celle-ci. Crache-la, ta pastille.

— Je n'ai compris qu'aujourd'hui.

Sa voix frémissait, et son regard fuyait celui de Maggie.

— Il me restait mille questions en tête, dont je n'étais pas parvenue à obtenir la réponse, et quant aux quelques ressemblances que j'avais repérées entre nous, il me semblait possible de les justifier de plusieurs façons, dont aucune, néanmoins, ne me satisfaisait.

— Continue.

— Pourquoi Eva a-t-elle attendu six ans avant de m'adopter ? Pourquoi ne pas avoir entrepris ces démarches dès les premiers jours de son installation à Trinity ? Une seule explication possible à mes yeux, même si elle me faisait horreur : j'étais la fille d'Irène. De quoi justifier l'aversion de cette dernière à mon égard. De quoi justifier la jalousie qu'elle éprouvait à constater le lien qui m'unissait à Eva. De quoi justifier aussi le secret dont celle-ci s'est toujours entourée, et le fait qu'elle ait attendu si longtemps avant de faire officiellement de moi son enfant.

Maggie frissonna en dépit de la chaleur qui continuait à régner dans la pièce.

— Eva m'a adoptée une semaine après les fiançailles d'Irène et de William. Avec le recul, j'ai saisi qu'elle avait tenté par ce biais de préserver l'affreux secret de sa fille.

L'amertume dévorait la gorge de Maggie.

— Affreux secret ou pas, tu aurais quand même pu m'en parler. Me lâcher au moins une poignée d'indices, histoire de me préparer au choc.

Le regard sombre d'Olivia s'emplit de larmes ; elle tentait à toute force de garder contenance.

— Je ne pouvais pas, Maggie... Je ne possédais pas la moindre preuve, je n'avais que des soupçons. Lorsque Irène m'a annoncé le décès de Jessie, j'ai pensé que jamais je ne découvrirais le fin mot de l'histoire. C'est pour cette raison que je me suis tue. Je ne souhaitais pas te bouleverser davantage.

Elle baissa le menton.

— Je suis navrée, Maggie. J'ai eu tort.

— Je te faisais confiance. Je t'ai raconté des trucs que j'avais encore jamais racontés. Pas même à Sam. Mais toi, tu as pas jugé bon de me dire quoi que ce soit.

Elle éprouvait toutes les peines du monde à se contenir ; à la moindre étincelle, elle exploserait.

Olivia tendit une main vers elle, mais Maggie se déroba. Elle refusait qu'on la touchât. La pitié qu'elle lisait dans l'œil de sa sœur, elle n'en voulait pas.

— Pourquoi moi ? exigea-t-elle de savoir en se tournant à présent vers Jessie. Pourquoi c'est de moi qu'Irène a choisi de se débarrasser ? Pourquoi pas d'elle ?

L'ancienne gouvernante, qui paraissait avoir vieilli d'un siècle, torturait un mouchoir entre ses doigts tremblants.

— Irène possédait pas une once d'instinct maternel, murmura-t-elle. Le jour de son accouchement, j'ai cru qu'elle allait s'étrangler. Un enfant, c'était déjà une plaie pour elle, mais deux... La seule raison pour laquelle elle vous a pas expédiées chez les religieuses, c'est qu'elle a cru qu'en en gardant une avec elle, elle obligerait votre père à l'épouser.

— Mais pourquoi moi? répéta Maggie avec froideur et détermination.

— Le hasard. Ça s'est fait sur un coup de tête.

— Un coup de tête? hurla la jeune femme, au comble de l'aigreur. Elle m'a éjectée sur un coup de tête?

— Je me suis mal exprimée, s'excusa Jessie. Je suis pas fortiche pour les explications.

— Vous vous êtes bien débrouillée jusqu'ici, grinça Maggie. Vous avez qu'à continuer sur le même registre.

L'ancienne gouvernante devenait nerveuse.

— Tu étais plus remuante que ta sœur, tu avais toujours faim, tu réclamais beaucoup d'attention. Ce matin-là, Olivia dormait, alors que toi, tu pleurais. Et pas moyen de t'apaiser. Alors Irène t'a couchée dans le landau, et puis elle est partie en m'expliquant qu'elle allait te faire prendre l'air. Elle s'est absentée longtemps. Tellement longtemps que je commençais sérieusement à me faire de la bile quand elle est rentrée.

Une larme unique roula sur la joue de la vieille dame.

— Le landau était vide, murmura-t-elle. Tout ce qui restait de toi, c'était un oreiller mouillé de larmes et un seul petit chausson blanc.

— Sur ce, votre sang a fait qu'un tour, et vous avez foncé pour me récupérer.

Le sarcasme résonna comme un coup de tonnerre dans ce silence de plomb. Maggie s'avisa qu'elle poussait loin le bouchon, mais elle n'en avait cure. Qu'ils s'en aillent donc griller en enfer, se dit-elle, tous autant qu'ils étaient…

— Irène et moi, on s'est écharpées comme jamais. Mais elle a pas voulu me lâcher un mot, et quand je suis allée poser des questions en ville, personne avait rien vu, rien entendu. J'avais pas la moindre piste. J'ai fini par me demander si elle t'avait abandonnée pour de bon, ou si elle t'avait fait du mal. J'ai vécu les pires heures de mon existence : j'ai emprunté un cheval, sur le dos duquel j'ai sillonné la région. J'ai arpenté la ville, les enclos… J'ai fouiné du côté de la plage, dune par dune, j'ai fouillé la forêt de fond en comble… Rien… J'ai fini par baisser les bras.

La rancœur et la rage de Maggie refluèrent assez pour qu'elle comprît enfin que Jessie n'était pas responsable de son infortune. Comment aurait-elle pu rivaliser avec la perfidie d'Irène?…

— Merci pour vos efforts. Il y a au moins une personne que mon sort intéressait.

— Ton sort m'intéresse, fit Olivia avec douceur.

— Vraiment?

L'intervention de la jeune femme constitua la goutte d'eau qui devait faire déborder le vase.

— Pourquoi? enchaîna Maggie. On est des étrangères. Deux femmes qui ont grandi aux antipodes l'une de l'autre. On possède rien en commun, sauf nos parents : une charogne et un fieffé pourri. C'est toi qu'on a choisie. La gentille fifille qui chouinait jamais. Nos chemins se séparent ici, et plus vite tu seras retournée à ta jolie petite vie peinarde en Angleterre, mieux ça vaudra pour moi.

— Maggie, je t'en prie…

De nouveau, Olivia tendit une main dans sa direction.

— T'avise pas de me toucher, siffla sa sœur.

Les jumelles se faisaient face à présent. On n'entendait plus dans la pièce que leur double souffle précipité.

— Pourquoi? finit par lâcher Olivia d'un ton glacé. Parce que tu crains de devoir accepter ce que nous sommes et qui nous sommes? Parce que tu juges la vérité plus douloureuse que les mille et un secrets dont on nous a abreuvées depuis notre plus tendre enfance? Moi aussi, je souffre, figure-toi. Je ne suis pour rien dans cette tragédie. Je n'en suis pas plus responsable que toi. Ne me repousse pas. Nous avons plus que jamais besoin l'une de l'autre.

Les oreilles de Maggie bourdonnaient jusqu'à la rendre folle. On l'avait rejetée, on l'avait jugée indigne de la famille au sein de laquelle elle avait vu le jour. C'était un rude fardeau que le sien, qui peu à peu étouffait les flammes de son courroux, qui anesthésiait ses sens un à un. Ses parents ne l'avaient pas désirée. Ses parents ne l'avaient pas aimée.

Les trente-deux années qu'elle venait de vivre, elle pouvait désormais les ramasser en un seul mot : abandon.

Le cœur d'Olivia se serra lorsqu'elle lut sur les traits de Maggie toute l'étendue du martyre qu'elle avait enduré, et endurait encore.

— Je m'en occupe, intervint Sam, à la fois triste et résolu.

Il attira sa compagne à lui.

— Viens, chérie. On va prendre l'air.

Olivia les regarda quitter le salon – la vivante étincelle qui avait jusqu'alors fait de Maggie la femme qu'elle était s'embraserait-elle de nouveau ?

— Je suppose que tu vas retourner en Angleterre, observa Jessie d'un ton mélancolique, maintenant que tu as obtenu les réponses à toutes tes questions.

— Je n'irai nulle part tant que Maggie ne se portera pas mieux.

Elle écarta le rideau pour scruter les ténèbres, au cœur desquelles elle ne parvint à entrapercevoir que le halo de la chemise blanche de Sam, ainsi que l'extrémité rougeoyante de deux cigarettes.

— À mon avis, il va lui falloir du temps pour avaler la pilule, commenta l'ancienne gouvernante en s'extirpant de son fauteuil pour débarrasser la table. Cette gamine souffre, et Dieu seul sait ce qu'elle pense à l'heure qu'il est.

— Elle souffre, en effet. Elle éprouve aussi beaucoup de rage. Elle est bouleversée. À l'évidence, elle me tient pour responsable de toutes les épreuves qu'elle a traversées, et je doute que nous réussissions à nous rapprocher de nouveau tant qu'elle n'aura pas fait la paix avec elle-même.

— Et toi ? Comment tu vas ?

— Je me sens très seule.

Elle avait parlé sans réfléchir, mais cette courte phrase assurément résumait tout. Elle se croyait égarée, dérivant, lui semblait-il, au beau milieu d'une mer immense, sans voile ni gouvernail. Maggie n'était pas la seule à avoir tout perdu.

— Je pense…

— Je sais ce que tu penses, l'interrompit Jessie, dont les perroquets de nouveau se balançaient à ses oreilles. On a souillé tes plus chers souvenirs. L'amour et la confiance que tu vouais à Eva se sont trouvés ternis par ce que je t'ai raconté. Voilà ce que tu penses. Mais un jour viendra, crois-moi, où tu comprendras pourquoi elle t'a jamais rien dit. Elle t'aimait comme sa propre fille. Tu le sais, ça, hein?

Incapable de parler, la jeune femme se contenta de hocher la tête.

— Alors vois pas ça comme une trahison. Considère plutôt son silence comme un cadeau. Comme une preuve d'amour. Tout ce qu'elle a essayé de faire, c'est de te protéger de l'horrible vérité. Jamais elle a eu l'intention de vous blesser, ni l'une ni l'autre.

La vieille dame referma ses doigts noueux sur le poignet d'Olivia.

— Et Maggie? souffla celle-ci. Me pardonnera-t-elle un jour d'être celle qu'Irène a choisie? Me pardonnera-t-elle que l'on m'ait offert tout ce dont le destin l'a privée?

Les yeux de Jessie brillaient à la lueur de la lampe.

— Je suis sûre que oui. Mais laisse-lui du temps.

Elle lâcha un petit rire.

— De votre mère, même si ça vous fait mal de le reconnaître, vous avez au moins hérité le cran et la ténacité. Plutôt pas mal, non? À condition, bien sûr, de s'en servir à bon escient. C'est pas une rancunière, Maggie, parole.

Olivia jeta son gilet sur ses épaules. Elle avait besoin d'air, et d'un moment pour réfléchir. Elle quitta la maisonnette pour se rendre au jardin, où Sam et Maggie ne se trouvaient plus. Adossée à la palissade, elle huma le parfum des fleurs en contemplant la forêt. La fraîcheur se révélait bienfaisante, après les fortes chaleurs de la journée, et les étoiles brillaient si fort qu'il sembla à la jeune femme qu'elle n'aurait qu'à tendre le bras pour les toucher, puis les ravir au ciel. La lune, qui pour sa part traversait doucement le velours de la nuit, se reflétait dans les eaux calmes de l'océan; Gilles aurait-il, d'ici quelques heures, l'occasion de contempler la même lune dans le ciel londonien?…

On n'entendait plus que la scie des grillons, ainsi que la basse profonde des crapauds buffles. Gilles aurait adoré cet endroit, songea Olivia, qui sentit sa solitude croître encore. Force lui fut de s'avouer enfin qu'elle avait commis une terrible erreur en le laissant filer.

Les obsèques d'Irène eurent lieu dix jours après leur retour à Trinity. En dépit des appréhensions d'Olivia, Maggie tint à s'y rendre. La jeune femme s'était retranchée depuis dix jours dans un mutisme à peu près total, qui affligeait à la fois sa jumelle et son compagnon, mais il s'agissait pour elle d'une protection, d'un refuge dans lequel elle n'autorisait que Sam à pénétrer de loin en loin ; elle ne se sentait pas prête à affronter sa sœur – la blessure demeurait trop vive, et trop vif le ressentiment.

Les talons de Maggie claquèrent contre les dalles de pierre de l'église en bois de Cairns, où l'hôtelier avait conduit les deux sœurs. Elle prit place sur un banc. L'écœurant parfum sucré des lis envahissait les lieux, tandis que les flammes des cierges vacillaient dans la brise tiède pénétrant par les portes ouvertes ; le soleil, lui, se déversait par les vitraux sur l'assemblée. Maggie, pour sa part, ne voyait que le cercueil.

Durant l'office, elle n'écouta ni les paroles prononcées par le prêtre ni les cantiques. Elle se levait néanmoins quand les autres se levaient. Courbait la tête quand les autres courbaient la leur. Mais elle ne distinguait que le cercueil. Et elle ne pensait qu'à la défunte allongée à l'intérieur. Elle éprouvait maintenant une colère froide. Une fois encore, Irène l'avait dupée. En mourant. Car il n'y aurait plus désormais pour la jeune femme de confrontation possible. Jamais elle ne pourrait interroger sa mère ni porter ouvertement contre elle des accusations, jusqu'à la contraindre à reconnaître la cruauté dont elle avait fait preuve envers sa propre chair, envers son propre sang.

Les porteurs, enfin, hissèrent le cercueil sur leur épaule pour gagner la chaleur suffocante du cimetière. Plus solitaire que jamais, Maggie suivit le cortège pour venir se planter au bord de la tombe. Elle savait que l'un de ces porteurs était son demi-frère, mais elle n'eut ni la force ni l'envie de se demander s'il pleurait le décès d'Irène. Pour quelle raison s'en soucierait-elle? Cet homme restait pour elle un parfait étranger, qu'au terme de la cérémonie elle ne reverrait sans doute jamais, lui-même demeurant pour toujours ignorant des liens familiaux supposés les unir.

Après qu'on eut descendu le cercueil dans la fosse, on jeta sur son couvercle quelques pelletées de terre, puis William y abandonna une rose rouge.

Sans plus s'occuper de tous ceux qui, autour d'elle, à présent s'éloignaient, Maggie ne lâchait plus des yeux le caveau. Elle ramassa une poignée de terre, qu'elle laissa glisser peu à peu entre ses doigts pour la regarder tomber en pluie sur le chêne verni du cercueil. Elle se frotta ensuite les mains, puis s'éloigna. Irène avait payé pour ce qu'elle avait osé faire jadis – son règne de destruction venait de s'achever. Il était temps, songea Maggie, de cesser de se punir, et de punir sa sœur avec elle. Il était temps de contempler l'avenir, sans jamais plus se retourner vers hier. Il était temps d'approfondir les liens si singuliers qui l'unissaient à Olivia.

Épilogue

1948

L'Angleterre jouissait d'un printemps exceptionnellement doux. Les jonquilles dodelinaient de la tête dans la brise, éclaboussant de leur jaune éclatant tout le quartier de Wimbledon. D'autres fleurs délicates embaumaient l'air de leur parfum; primevères et perce-neige pointaient le bout de leur nez dans l'herbe haute.

Olivia leva son visage vers la tiédeur du soleil – si différente de l'âpre chaleur qui sévissait à l'autre bout du monde. Par comparaison avec l'Australie, les couleurs ici paraissaient atténuées, moins agressives, plus courtoises en quelque sorte. Elle sourit en regardant flâner des couples, en voyant jouer des enfants. Les vilains souvenirs de la guerre commençaient à s'estomper, de sorte qu'en dépit des restrictions qui sévissaient encore et du décor métamorphosé par l'action des bombes, les Londoniens reprenaient le cours de leur existence.

Elle serra plus fort la poignée de sa valise en carton et se mit à marcher; elle aussi se devait de regarder vers l'avant. Car le passé avait refermé son piège sur Maggie et sa sœur, prenant du même coup dans ses rets celles et ceux qu'elles aimaient. L'heure était venue de se consacrer à autre chose.

L'avenue bordée d'arbres somnolait au soleil – maisons sereines, jardinets impeccables, au-dessus desquels la fumée des cheminées s'en allait dériver sans but dans un ciel d'azur clair. Olivia s'était accoutumée aux bungalows de bois coiffés d'un toit de tôle, à la végétation tropicale… L'étrangeté qui émanait de ces demeures anciennes dénuées de tout rapport avec celles de Trinity lui donnait l'impression de n'avoir jamais habité ce pays.

Debout sur le trottoir, elle contempla la maison où Gilles avait un jour vécu; un léger mouvement du rideau, au premier étage, lui indiqua qu'on l'observait. Elle se détourna. Autrefois, la mère du jeune homme se fût précipitée pour la saluer, mais aujourd'hui, la porte demeura obstinément close. Le rideau retomba. Gilles, qui à cette heure devait travailler, regagnerait plus tard sa garçonnière de Knightsbridge pour y passer une soirée solitaire. Peut-être avait-elle eu tort de venir?

Les charnières grincèrent lorsque Olivia poussa la grille pour emprunter l'allée de briques menant à sa porte d'entrée. Comme elle pénétrait dans le hall, un rayon de soleil en chassa les ombres, sans dissiper pour autant cette aura d'abandon qui émanait de la demeure comme un reproche.

La jeune femme ôta son chapeau et ses gants, se débarrassa du manteau qu'elle avait dû acheter à Londres, pour le suspendre à une patère près de la porte. Vu la température, le gilet qu'elle portait sur sa robe en coton suffirait. Elle se déchaussa avant de parcourir les pièces, repoussant loin d'elle les souvenirs, bannissant les pensées les plus sombres qui la persécutaient. Elle ouvrit les fenêtres et retira les housses qui couvraient les meubles. Sam et Maggie arriveraient le lendemain; il s'agissait que tout fût prêt d'ici là – Olivia songea que plusieurs semaines eussent été néanmoins nécessaires pour remettre les lieux en état.

Il régnait dans les chambres ombragées une paix déconcertante depuis qu'Eva n'occupait plus les lieux. Une fois la fenêtre ouverte, la jeune femme s'assit sur le lit pour observer les toits, puis le parc au-delà. Les plumes d'oie, à l'intérieur de l'édredon sur lequel elle avait pris place, lui rappelèrent ces rudes soirées d'hiver où elle se pelotonnait sous la courtepointe en attendant que la bouillotte eût réchauffé les draps. Elle se souvint d'Eva la nourrissant de soupe au poulet lorsqu'elle avait attrapé la rougeole. Des récits qu'elle lui lisait quand le sommeil la fuyait – pour un peu, elle aurait entendu résonner sa voix dans le silence. Elle avait eu tôt fait de lui pardonner ses actes – Jessie sur ce point avait vu juste : Eva avait tenté de la protéger, et ce faisant elle avait dû souffrir. Il aurait été injuste de ne pas passer l'éponge.

Elle consulta sa montre, stupéfaite d'être restée si longtemps dans cette chambre. La nuit tomberait bientôt. Déjà, il fallait refermer les fenêtres avant que la froidure ne s'introduise dans la maison. Olivia quitta la pièce pour procéder à une inspection sommaire du reste de l'étage. La chambre d'Eva regorgeait de souvenirs – on pouvait même humer encore le parfum de sa poudre de talc. À l'inverse, les trois chambres d'amis se révélaient sans âme, mais Olivia disposerait des fleurs sur les tables de chevet et dénicherait des couvre-lits plus beaux pour égayer les pièces. La salle de bains, hélas, la désespéra : au centre de ce lieu glacé trônait une lourde baignoire pareille à un monolithe, dont la bonde avait perdu sa chaîne, tandis que d'innombrables fissures en veinaient l'émail. Elle referma la porte pour regagner le rez-de-chaussée. Elle avait besoin d'une bonne tasse de thé, après quoi elle allumerait un feu au salon.

Elle jugea la cuisine lugubre. Le linoléum arborait ici et là des crevasses, cependant que la chaudière fixée au mur semblait à chaque instant prête à s'effondrer. Olivia craqua une allumette, pressa un bouton… La chaudière rugit, puis bientôt ronronna. Elle ne disposait ni de lait ni de sucre – ses tickets de rationnement se trouvant périmés depuis belle lurette –, mais le thé était chaud. Il apaisa sa gorge sèche et la revigora. Elle emporta sa tasse au salon où, après avoir allumé un feu, elle se jucha sur l'appui de fenêtre qui dominait le jardin ; des ombres s'y allongeaient à présent. Un jardin dont elle devrait s'occuper au plus vite : il fallait tondre la pelouse, tailler les rosiers, exterminer les liserons qui étouffaient les platebandes que la jeune femme avait tant aimées.

Se retournant pour contempler le salon dans lequel elle avait passé tant de temps avec Eva, elle se rendit compte pour la première fois de son délabrement. Comme ces papiers peints étaient sombres, et sombre aussi la peinture. Et ce tapi râpé… Eva, jadis, avait nourri des projets de réagencement qui jamais n'avaient abouti, puis la guerre était venue.

— Bonsoir! Il y a quelqu'un?

Olivia reposa sa tasse pour se tourner vers la porte. Gilles. Très grand et très droit, superbe dans son costume trois pièces, sa moustache et ses cheveux coupés avec soin luisant dans les derniers rayons du soleil. Il émanait de lui une indéniable aisance.

La joie qui d'abord s'était emparée de la jeune femme se trouva rapidement ternie par le souvenir de leur dernière conversation, puis du ton passablement guindé des lettres qu'ils avaient échangées au cours des mois suivants. Elle se leva, intimidée soudain, jouant, de ses doigts embarrassés, avec la mince ceinture de sa robe. Elle s'exprima d'une voix hésitante :

— Comment as-tu su que j'étais rentrée?

— Téléphone arabe. Ma mère m'a appelé. J'ai pris le premier train.

Le garçon s'avança dans la pièce, lança son chapeau sur le canapé.

— J'espère que ma visite surprise ne te dérange pas, mais…

Il balbutia ; sa mâle assurance vacillait.

Lorsque leurs regards se croisèrent, Olivia se navra de constater combien leurs rapports semblaient à présent malaisés.

— Bien sûr que non, grosse bête, le gronda-t-elle avec douceur tandis qu'ils s'embrassaient sur la joue pour s'écarter aussitôt après. Si tu n'étais pas venu, c'est moi qui serais allée te chercher. Tu le sais parfaitement.

Le jeune homme s'assit, saisit son chapeau, qu'il posa en équilibre sur l'un de ses genoux.

— Pas vraiment, murmura-t-il.

Il plongea son regard dans celui de son hôtesse.

— Cinq mois se sont écoulés, et j'ai trouvé tes lettres plutôt dénuées d'émotion.

Il n'avait pas tort. Mais tant de choses s'étaient alors produites qu'Olivia avait momentanément perdu le goût d'ouvrir son cœur.

— Les événements se sont précipités, commenta-t-elle. Je n'ai pas eu envie de t'accabler avec toutes mes histoires.

— Je vois.

Gilles alluma un cigarillo d'une main mal assurée mais, bientôt, Olivia eut l'impression qu'il s'était repris, car il la dévisagea sans ciller ; il avait la mine sombre.

— Dans ce cas, pourquoi es-tu revenue ? Tu m'as pourtant fait comprendre sans détour que plus rien ne t'attachait à Wimbledon.

Ce fut au tour de la jeune femme d'hésiter. Gilles lui semblait tout à coup si différent. Si distant. Si indépendant. Comment aborder l'épineux sujet de son retour en Angleterre ? La froideur relative du garçon ne lui rendait pas la tâche facile.

— Il fallait bien que je revienne un jour, répondit-elle en se levant.

Elle se mit à faire les cent pas.

— Il faut que je vende la maison, que j'en vende aussi le mobilier, ou que je l'entrepose dans un garde-meuble. Je dois également trier les affaires d'Eva.

— Il ne s'agit donc que d'une visite éclair ? Tu as toujours l'intention de faire ta vie en Australie ?

Olivia perçut de l'amertume dans sa voix, tandis que son expression demeurait énigmatique. Que pensait-il au juste ? Elle était autrefois capable de lire en lui comme dans un livre ouvert, mais le Gilles qui se tenait ce soir devant elle lui faisait l'effet d'un étranger.

— Bien sûr. J'ai une famille, là-bas, ainsi qu'un emploi, et malgré tout ce qui s'est passé, il s'agit de mon pays. J'en ai acquis la pleine certitude.

Le jeune homme opina en écrasant son cigarillo dans le cendrier.

— La clinique fonctionne bien, si j'en crois tes lettres. Tu dois en tirer beaucoup de fierté. Il s'agit là d'une formidable réussite.

Ses propos se teintaient-ils d'une nuance d'aigreur ? Dans le doute, Olivia choisit de l'ignorer.

— La clinique est florissante, en effet. Nous sommes même parvenus à l'équiper d'une petite salle d'opération, pour les urgences. Nous dispensons également des cours d'hygiène, ainsi que des formations à l'intention des femmes enceintes et de celles qui viennent d'accoucher. Et nous avons convaincu un médecin à la retraite de superviser les consultations du matin.

Elle sourit en songeant au docteur Harris.

— Le pauvre. Il s'est installé à Trinity avec l'intention de finir sa vie sur son bateau de pêche, mais à peine a-t-il eu le temps de jeter un coup d'œil à nos activités que nous l'avons enrôlé! Il se montre épatant avec les Aborigènes, et les enfants l'adorent. J'ai l'impression que nous lui avons redonné un second souffle.

— Trinity ne se doutait assurément pas de ce qui allait lui tomber dessus le jour où tu y as posé le pied, commenta Gilles – son hôtesse identifia au fond de son regard l'ombre de son espièglerie d'antan. Tu as secoué le cocotier.

Olivia lui adressa un large sourire.

— J'avoue que l'afflux de jeunes infirmières anglaises et célibataires a suscité une pagaille relative. Deux d'entre elles ont déjà un galant, et Sam m'a raconté que les conducteurs de bestiaux et les tondeurs venaient plus souvent – son commerce ne s'en porte que mieux. Il a d'ailleurs aménagé la pièce qui se trouve derrière la salle à manger, où il organise un bal tous les samedis soir.

Gilles avait dû discerner le léger tremblement dans sa voix, en dépit de son allégresse apparente, car il fronça les sourcils.

— Comment les choses se déroulent-elles avec Maggie?

Il se leva, sans chercher pour autant à se rapprocher de la jeune femme, se contentant de passer à côté d'elle pour se planter devant la fenêtre.

— J'avoue que j'ai été sidéré d'apprendre que vous étiez jumelles. Jamais cette idée ne m'aurait effleuré.

— Nous ne sommes certes pas des copies conformes. Mais si l'on y regarde de plus près, il existe d'indiscutables ressemblances.

Elle se tut au souvenir des instants pénibles que les deux sœurs avaient vécus lorsque Jessie leur avait assené ses révélations.

— Comment se fait-il qu'aucun d'entre nous n'ait jamais songé à opérer le rapprochement?

— Parce qu'aucun d'entre nous n'avait la moindre raison de le faire, répondit Olivia en passant un doigt distrait sur la poussière qui s'était déposée sur le manteau de la cheminée. Nous avions grandi à plusieurs milliers de kilomètres l'une de l'autre, nous étions issues de milieux extrêmement différents…

Elle se frotta les mains avant de croiser les bras sur sa poitrine.

— Mais toi, intervint Gilles, tu pressentais depuis un bon moment que le lien qui t'unissait à Maggie se révélait plus intime que ce qu'elle imaginait? Je me trompe?

— Avec le recul, en effet, des évidences se sont imposées à moi.

Elle frissonna, malgré la chaleur des flammes et l'épais gilet que Maggie lui avait tricoté. Au bord des larmes, elle vida le cendrier dans l'âtre pour se donner une contenance, puis tapota les coussins du canapé.

— Assieds-toi, lui commanda son ami en la prenant par le bras. Je suppose que tu n'as pas de mouchoir, comme d'habitude. Tiens, prends le mien.

La jeune femme se tamponna les yeux. Enfin, elle retrouvait le Gilles direct et bourru qu'elle connaissait, et bien qu'il gardât ses distances, la familiarité de son ton lui redonna des forces.

— Sans Jessie, nous serions demeurées dans l'ignorance. Nous avons eu une chance folle de la retrouver.

— Dire qu'elle est la belle-mère de Sam, s'extasia le garçon depuis l'autre bout du canapé. Quelle coïncidence extraordinaire.

Olivia se moucha, avant de lui sourire timidement – comme elle aurait aimé qu'il se rapprochât.

— Pas vraiment. Dans le Queensland, les gens bougent beaucoup moins qu'ici. Par ailleurs, la population est moins nombreuse.

Rien ne troublait plus le silence, sinon le roucoulement des pigeons sous l'avant-toit…

La jeune femme glissa son mouchoir dans la ceinture de sa robe.

— J'ai bien cru que Maggie ne s'en relèverait pas, finit-elle par déclarer. Ce que Jessie nous a raconté a failli l'anéantir.

— Pauvre Maggie. Quelle épouvantable malchance…

Il y avait de la compassion dans la voix de Gilles, qui éprouvait pour la jeune Australienne une grande admiration et beaucoup d'amitié.

— Ma sœur est un roc, crois-moi, et si elle t'entendait t'apitoyer à ce point sur son sort, elle te flanquerait une de ces dérouillées…

L'ombre d'un sourire passa sur ses lèvres.

— Mais elle a payé plus cher encore que prévu l'ignominie d'Irène.

— Pourquoi? Qu'est-il arrivé?

Le jeune homme se redressa sur son siège, la mine préoccupée.

— Elle n'allait pas bien lorsque nous avons regagné Trinity, mais son état a encore empiré après les obsèques. Et au moment même où nous étions persuadés qu'elle remontait la pente, elle a craqué. Elle s'est enfermée dans son cabanon. Elle ne mangeait pratiquement plus rien et n'acceptait de parler à personne, sauf à Sam. Le pauvre était comme fou. Dès qu'il avait un moment libre, il le passait auprès d'elle. Il la poussait à manger, à parler. À pleurer. Car depuis notre visite à Port Douglas, elle n'avait plus versé une larme, plus manifesté la moindre émotion. Nous craignions tous les deux pour sa santé mentale.

Olivia se leva pour arpenter le salon – elle se rappelait ces effroyables semaines durant lesquelles Sam et elle avaient bien cru qu'ils s'apprêtaient à la perdre.

— Elle refusait de me voir, et je comprenais pourquoi. Après tout, je n'étais plus pour elle que l'enfant qu'on avait choisie à sa place, la fillette qui avait grandi dans l'opulence et l'amour. Tandis qu'elle… Tandis qu'elle vivait un enfer dont je ne puis qu'imaginer la hideur.

— Une situation délicate, observa Gilles – ah cette manie typiquement anglaise de l'euphémisme…

— Infiniment plus délicate pour Maggie que pour moi. Il fallait qu'elle accepte tout ensemble d'avoir été rejetée dès sa naissance, de s'être trouvée séparée de sa jumelle et d'avoir perdu l'abominable jeu mis en place par Irène. Elle n'a d'ailleurs assisté à son enterrement que pour s'assurer, je crois, que cette mère indigne était morte pour de bon et qu'elle ne risquait plus de lui faire le moindre mal.

Elle se moucha à nouveau avant de poursuivre :

— Mais finalement, elle n'a pas permis à Irène de l'emporter. Son état s'est peu à peu amélioré, lentement mais sûrement, et dès lors, nous avons commencé à nous rapprocher.

Elle sourit d'une oreille à l'autre.

— Nous avons découvert que, durant notre enfance, nous nous étions toutes deux créé une amie imaginaire. Que nous aimons toutes deux le chocolat, mais que nous détestons les carottes. Que notre couleur préférée est le bleu et que nous cousons bien. Que nous chantons faux, et que nous dansons comme des pieds.

— Je confirme ces deux dernières informations, commenta Gilles. Mes tympans et mes orteils sont ici pour en témoigner.

Les deux jeunes gens échangèrent un sourire – Olivia sentit son espoir renaître.

— Si tu restes dans le quartier un jour ou deux, tu auras l'occasion de revoir Sam et Maggie. Nous avons fait le voyage ensemble, bien qu'ils soient en pleine lune de miel. Je les ai laissés dans un hôtel de Londres, mais ils me rendront visite demain.

Elle lut dans l'œil de son ami un mélange de douleur et de joie. Il détourna le regard, cependant que la jeune femme portait le sien sur la photographie d'Eva, posée sur le manteau de la cheminée. Il avait fallu à Olivia tout ce temps pour comprendre enfin les raisons qui avaient amené la défunte à refuser son pardon à Irène. Tout ce temps pour comprendre les causes de la tristesse qui se peignait parfois sur ses traits lorsqu'elle se croyait seule.

— Sais-tu ce qui a amené Irène à te choisir, toi ?

— Elle ne souhaitait garder auprès d'elle qu'un bébé. MacDonald n'en aurait jamais accepté deux. Et c'est moi qu'elle a gardée parce que j'étais plus sage, plus susceptible à son avis de séduire notre père. Qui, à l'évidence, était la pire des crevures, dont j'espère bien ne jamais croiser la route.

— Olivia !

Gilles était choqué.

— Pardon, mais il fallait que ça sorte.

Les mains dans les poches de sa robe, elle jeta au jeune homme un regard plein de défi.

— Certes, mais permets-moi de te dire que l'Australie t'a gauchi la langue aussi bien que les manières. Je serais curieux de savoir ce que penserait Eva si elle t'entendait tenir de tels propos dans son salon.

Gilles affichait un sourire en coin – son amie comprit qu'il la taquinait.

— Vu les circonstances, je crois qu'elle s'en ficherait comme d'une guigne.

— Dieu du ciel, soupira l'Anglais en se levant pour prendre dans la sienne la main d'Olivia. Tu en as bavé, n'est-ce pas…

Sans se faire prier, la jeune femme s'abandonna à l'étreinte de Gilles où, la joue contre le revers de son costume rayé, elle entendit les battements précipités de son cœur. Cette chamade faisait écho à la sienne.

— N'as-tu jamais songé à retourner en Australie ? murmura-t-elle, le nez dans sa chemise. Trinity aurait bien besoin d'un bon avocat.

— Si tu me le proposais, je partirais aujourd'hui même. Je te rappelle que je n'ai jamais eu envie de te quitter.

— Marché conclu, souffla-t-elle.

Il lui caressait le dos ; des frissons lui parcoururent l'échine.

— Gilles ?

— Oui ?

La magie de ses doigts opérait à présent sur la nuque d'Olivia.

Elle se risqua enfin à lui poser la question qui l'avait amenée à regagner l'Angleterre, quitte à faire voler en éclats cette délicieuse intimité.

— Gilles, commença-t-elle. Une femme est-elle autorisée à changer d'avis sur un sujet d'une importance capitale?

Ses lèvres étaient douces contre son front, sa moustache la chatouillait.

— Les femmes ne passent-elles pas leur temps à changer d'avis?

Olivia lui bourra doucement les côtes, avant de s'écarter assez pour pouvoir plonger son regard dans le sien.

— Dans ce cas… veux-tu m'épouser?

Elle réprima un gloussement.

— Bien sûr, répondit-il avec gravité. Mais je me réserve le droit de choisir le jour de la cérémonie et d'acheter la bague, car je juge les jeunes femmes d'aujourd'hui beaucoup trop libérées. D'ailleurs, mademoiselle Hamilton, vous devriez avoir honte de vous être permis de me demander en mariage.

— Tais-toi donc, Gilles. Et embrasse-moi.

En parfait gentleman, le jeune homme s'exécuta avec enthousiasme.

ET LE CIEL SERA BLEU

Un raz de marée au Royaume-Uni : depuis 2011, la saga de la pension du Bord de Mer – qui compte déjà huit épisodes et plus de 350 000 exemplaires vendus – captive les Britanniques. En pleine Seconde Guerre mondiale, elle met en scène des personnages gravitant autour du couple pittoresque qui dirige la pension. *Et le ciel sera bleu* en est le premier volet.

Angleterre, 1939. Sally Turner, 16 ans, s'occupe seule de son frère Ernie, 6 ans, atteint de polio. Leur mère, l'inconséquente Florrie, les a abandonnés dès que la guerre a éclaté, tandis que leur père a été appelé sous les drapeaux.

Les deux enfants trouvent refuge à Cliffehaven, une bourgade de la côte sud de l'Angleterre. Là, ils sont accueillis par Peggy Reilly, la propriétaire de la pension du Bord de Mer.

Sally trouve, auprès de la famille Reilly, un foyer d'adoption qui lui permettra de s'épanouir, et un emploi dans une usine de confection d'uniformes, où ses talents de couturière se révéleront. La jeune fille fait en outre la rencontre de John Hicks, un séduisant pompier. Mais l'arrivée de Florrie à Cliffehaven menace de chambouler ce fragile équilibre…

« Les amateurs de sagas vont adorer. »
Peterborough Evening Telegraph

« Amitié, amour, coups du sort et rebondissements…
Tous les ingrédients d'une lecture prenante. »
The Daily Mail

ISBN 978-2-8098-1767-6 / H 20-5558-8 / 396 pages / 22 €

DU MÊME AUTEUR
AUX ÉDITIONS ARCHIPOCHE

L'ÎLE AUX MILLE COULEURS

Angleterre, 1920. Loulou Pearson, jeune sculptrice originaire de Tasmanie, partage sa vie entre la propriété du Sussex de sa grand-tante – sa protectrice – et son atelier londonien. Un avenir en or lui semble promis. Ne prépare-t-elle pas une exposition dans une galerie en vue?

C'est alors qu'un événement vient bouleverser sa vie. Loulou apprend qu'un mystérieux donateur lui a légué un cheval de course. La surprise passée, elle décide d'embarquer pour sa Tasmanie natale, l'île aux mille couleurs, afin de prendre possession de son héritage.

Mais ce retour aux sources annonce des retrouvailles houleuses avec une mère qui l'a autrefois rejetée. Et puis, des secrets de famille pourraient refaire surface. L'occasion pour Loulou de savoir, enfin, qui elle est vraiment?

« Une quête pleine de rebondissements. »
Femme actuelle

ISBN 978-2-35287-877-3 / H 83-1929-1 / 504 pages / 8,80 €

LA TERRE DU BOUT DU MONDE

Angleterre, 1770. Susan Penhalligan accepte un mariage de raison pour sauver sa mère et son frère Billy de la misère. Mais son cœur est pris par Jonathan, parti courir les mers à bord de l'*Endeavour* du capitaine Cook.

Quinze ans plus tard, Billy est déporté en Australie. De leur côté, Susan et son mari partent s'installer à Botany Bay, à quelques kilomètres du futur centre de Sydney, où l'Empire britannique a décidé de fonder une colonie.

Ils y découvrent un continent fascinant, mais dangereux. Et Susan est loin de se douter de tout ce qu'elle va devoir surmonter avant de pouvoir faire sienne cette terre du bout du monde…

ISBN 978-2-35287-484-3 / H 51-2511-7 / 480 pages / 8,65 €

LA DERNIÈRE VALSE DE MATHILDA

Dans la chaleur étouffante du bush australien, Mathilda, treize ans, fait ses adieux à sa mère. Dans le petit cimetière, quelques voisins sont rassemblés pour rendre un dernier hommage à cette femme courageuse.

Un peu à l'écart, le père de Mathilda n'a qu'une hâte : que tout cela se termine pour qu'il puisse vendre le domaine de Churinga. Mathilda comprend que les choses ne seront jamais plus comme avant. Elle sait que la vie, déjà dure dans cette contrée sauvage et reculée, va mettre son courage et sa détermination à rude épreuve…

Cinquante ans plus tard, Jenny découvre le journal intime de Mathilda. À mesure que progresse sa lecture, l'angoisse l'assaille… A-t-elle bien fait de venir s'installer à Churinga ?

Par son atmosphère envoûtante, la force de ses personnages, cette saga australienne s'inscrit dans la lignée des chefs-d'œuvre de Colleen McCullough.

« Une histoire poignante, qui mêle à la perfection amour, suspense et aventures. »
Publisher's Weekly

ISBN 978-2-35287-018-0 / H 50-3877-3 / 576 pages / 9,95 €

*Cet ouvrage a été composé
par Atlant' Communication
au Bernard (Vendée)*

Impression réalisée par

*en avril 2016
pour le compte des Éditions de l'Archipel
département éditorial
de la S.A.S. Écriture-Communication.*

Imprimé en France
N° d'impression : 3017030
Dépôt légal : mai 2016